LE BONHEUR ÉCLATÉ

LaVyrle Spencer

LE BONHEUR ÉCLATÉ

traduit de l'américain
par Vincent Pomminville

Données de catalogage avant publication (Canada)

Spencer, LaVyrle

Le bonheur éclaté

(Super Sellers)
Traduction de : Home Song

ISBN 2-89077-153-9

I. Titre.
PS3569.P36H6514   1996   813'.54   C96-940503-0

Titre original de l'ouvrage : Home Song
Éditeur original : G.P. Putnam's Sons

Copyright © 1994 by LaVyrle Spencer
© 1996, les éditions Flammarion ltée
pour la traduction française

Tous droits réservés

ISBN 2-89077-153-9

Dépôt légal : 2ᵉ trimestre 1996

Illustration de couverture : Todd Davidson/Image Bank
Conception graphique : Création Melançon

À *Deborah Raffin Viner*
et
à *Michael Viner*

Je vous exprime ma reconnaissance
pour tout ce que vous m'avez apporté,
mais surtout pour votre amitié qui m'est si chère.

Je tiens à remercier Tom Cole, son épouse Joanne, ainsi que leur fille Jennifer pour l'aide qu'ils m'ont apportée. Je remercie également Marcia Aubineau, ainsi que Jon et Julene Swenson. Les conseils de Tom m'ont été particulièrement précieux, et je lui suis très reconnaissante d'avoir accepté de lire certaines parties du manuscrit en me suggérant quelques améliorations. Si le héros de mon roman se prénomme Tom, c'est purement le fruit du hasard, j'ai choisi ce prénom bien avant ma rencontre avec Tom Cole. Le personnage principal, sa famille, son école et son passé sont purement fictifs.

Le Chant du foyer
par Henry Wadsworth Longfellow

Reste chez toi, mon cœur, et repose-toi ;
Les cœurs qui ne partent pas sont les plus heureux,
Car ceux qui vagabondent au hasard
Sont remplis de soucis et accablés de peine.
Il vaut mieux rester chez soi.

Las, nostalgiques, et remplis de détresse,
Ils errent à l'est, ils errent à l'ouest,
Chassés par les vents balayant le désert du doute
Qui les déchirent et les perdent.
Il vaut mieux rester chez soi.

Ainsi donc, reste chez toi, mon cœur, et repose-toi ;
L'oiseau est en sécurité dans son nid ;
Au-dessus de tout ce qui bat des ailes pour s'envoler
Un faucon plane dans les cieux ;
Il vaut mieux rester chez soi.

Un

Le Minnesota vibrait sous le soleil après une nuit de pluie, et le ciel radieux de cette fin d'août avait pris une teinte bleu pastel. À l'est de Saint-Paul, où la banlieue bousculait les limites du comté de Washington, de nouvelles rues s'avançaient entre les champs de blé mûr, et des maisons s'érigeaient là où régnait autrefois la forêt.

Au point de rencontre de la ville et des terres agricoles, un établissement scolaire étendait ses bâtiments en forme de U, bordés par l'asphalte de deux terrains de stationnement, au nord et à l'est, et par un terrain de sport au sud. Au-delà des gradins destinés aux spectateurs, un champ de maïs tenait encore tête à l'étalement urbain qui menaçait de l'engloutir, mais la précarité de sa situation était évidente : une nouvelle agglomération se profilait au loin sur les collines.

Au-delà de l'autoroute, quelques maisons plus anciennes, construites dans les années cinquante et soixante, s'alignaient à un jet de pierre les unes des autres, des deux côtés de la route du comté, où l'on avait abaissé la limite de vitesse lorsqu'on avait érigé l'école cinq ans auparavant. Des trottoirs étaient également apparus, malgré l'opposition de certains contribuables qui prétendaient qu'ils ne mèneraient nulle part et se perdraient là où les tracteurs labouraient encore la terre. Le district scolaire croissait cependant à une vitesse phénoménale et ce, depuis des années.

Ce mercredi matin-là, six jours avant la rentrée scolaire, une Lexus d'un bleu turquoise éclatant s'arrêta sur le terrain de stationnement nord de l'école secondaire Hubert H. Humphrey. Une

11

femme et un jeune homme en sortirent et empruntèrent le long trottoir menant à l'entrée. À onze heures, déjà, le soleil chauffait le ciment, et les employés d'entretien avaient ouvert la double porte pour laisser entrer la brise légère.

La femme portait un tailleur gris d'allure classique, un chemisier de soie légèrement plus pâle et des escarpins assortis. Seul un discret carré de soie bourgogne agrémentait sa tenue d'une touche de couleur. Ses cheveux aux reflets blonds étaient coupés court, et ses seuls bijoux, de minuscules boucles d'oreilles en or, semblaient n'être qu'une discrète concession à sa féminité, que sa façon de se vêtir cherchait par ailleurs à atténuer le plus possible.

Le jeune homme la dépassait d'une tête et demie. De carrure athlétique, il portait un jean et un tee-shirt aux couleurs d'une équipe sportive texane. Ses cheveux étaient noirs et il possédait de remarquables yeux bruns, dans un visage qui, tout au long de sa vie, inciterait les femmes à se retourner sur son passage. Deux générations plus tôt, les jeunes filles l'auraient qualifié de « Casanova ». Celles de la génération de sa mère auraient plutôt dit qu'il était « à croquer ». Ce jour-là, une des deux adolescentes qui sortaient de l'école alors que le jeune homme en franchissait le seuil murmura un simple « ouaouh ! » à son amie en s'éloignant.

Les bureaux de la direction de l'école se trouvaient au centre de l'édifice. À travers les baies vitrées qui l'entouraient, on apercevait, par l'entrée principale, le terrain de stationnement des visiteurs et la grande plate-bande encadrée de briques où, avec des pétunias rouges et blancs, on avait reproduit le nom de l'établissement. Du côté sud, on pouvait admirer le magnifique arboretum dont s'occupaient les étudiants en horticulture de M. Dorffmeier.

Kent Arens tint la porte du bureau ouverte pour sa mère.

— Souris, lui dit gentiment Monica Arens en pénétrant dans la froideur de l'air conditionné.

— Pour quoi faire ? demanda le jeune homme en lui emboîtant le pas.

— Tu sais à quel point les premières impressions comptent.

— Oui, mère, répondit-il sèchement en laissant la porte se refermer derrière lui.

Contrairement au hall, le bureau était très désordonné. Des employés en jeans et en tee-shirts s'affairaient à répondre au téléphone, à rassembler des papiers, ou encore, à taper à l'ordinateur ou à la machine. Deux employés d'entretien peignaient les murs, tandis qu'un autre poussait un diable où l'on avait empilé des boîtes de carton. La moquette bleue disparaissait presque sous des amoncellements de livres et de feuilles agrafées, des pots de peinture et des bâches.

Monica et Kent avancèrent avec précaution jusqu'à un comptoir en demi-cercle qui barrait la route aux visiteurs. Une secrétaire rondelette, dont les cheveux bruns courts commençaient à grisonner, quitta l'un des nombreux bureaux situés derrière et s'avança vers eux.

— Bonjour, puis-je vous être utile ?

— Je suis Monica Arens et voici mon fils, Kent. Il vient s'inscrire à l'école.

— Je suis navrée de tout ce désordre, mais c'est toujours ainsi la dernière semaine avant la rentrée des classes. Mon nom est Dora Mae Hudak – Dora Mae, tout bonnement, dit-elle en souriant au garçon, et je suis la personne que vous cherchez. Vous êtes nouveau, je crois.

— Oui madame. Nous arrivons d'Austin, au Texas.

— Vous êtes probablement en douzième année, estima-t-elle d'après sa taille.

— Oui madame.

Ayant perdu l'habitude d'entendre « Madame » dans la bouche d'un élève de cet âge, Dora Mae resta un moment interdite. La plupart des jeunes l'appelaient Dora Mae, quelques-uns utilisaient encore « M'dame » et parfois, on lui lançait même un « Eh ! vous... la secrétaire ! »

— J'adore cette vieille politesse du Sud, fit-elle en prenant une formule d'inscription et une brochure destinée aux nouveaux. Savez-vous quels cours vous désirez suivre ?

— J'en ai une bonne idée. Si vous les avez tous.

— Alors vous n'avez pas encore vu notre liste de cours au choix ?

— Non madame.

— Voici la liste et la formule d'inscription, mais nous voulons que les nouveaux rencontrent un orienteur avant de s'inscrire. C'est Mme Berlatsky qui s'occupe des élèves de dernière année. Un instant, je vous prie. Je vais voir si elle est là.

Dora Mae s'arrêta devant la porte ouverte d'un des bureaux et s'adressa à quelqu'un. Elle revint aussitôt, suivie d'une femme dans la quarantaine, vêtue d'un pull bleu descendant à mi-cuisse et d'un pantalon fuseau.

— Bonjour, je suis Joan Berlatsky, dit cette dernière en tendant la main. Bienvenue dans le Minnesota, Kent. Comment allez-vous, Mme Arens ? Voulez-vous me suivre dans mon bureau ?

Là aussi, le désordre était considérable.

— C'est la même chose chaque année : le service d'entretien essaie de tout terminer juste après la fin des cours d'été. On pense toujours que l'école ne sera pas prête à temps, mais chaque année, comme par magie, en fin de compte tout est en bon ordre. Je vous en prie, asseyez-vous.

Au cours de la conversation amicale qui suivit, Joan apprit que Kent avait de bonnes notes, qu'il désirait aller au collège, qu'il s'intéressait principalement aux sciences et aux mathématiques, et qu'il voulait s'inscrire au plus grand nombre de cours spécialisés possible. Sa mère avait déjà demandé à son ancienne école de faire suivre son dossier, mais celui-ci n'était pas encore arrivé. Joan fit venir la liste des cours à l'écran de son ordinateur et en une demi-heure, ils établirent ensemble l'horaire de Kent.

— Au fait, dit soudain Monica Arens, qui devrions-nous voir pour que Kent fasse partie de l'équipe de football ?

— Ce pourrait être difficile, répondit Joan en se détournant de son écran. L'équipe s'entraîne depuis déjà deux semaines et M. Gorman a peut-être déjà établi sa liste de joueurs.

Les paupières de Kent battirent nerveusement.

— Mais j'ai déjà reçu des distinctions en football lors de mes dixième et onzième années. Je comptais beaucoup jouer durant la douzième.

— Comme je vous l'ai dit, l'équipe s'entraîne depuis la mi-août, mais... Un instant, dit Joan qui saisit le combiné du téléphone en fronçant les sourcils. Je vais voir si M. Gorman est là. Vous savez probablement déjà que notre école a une excellente réputation en sports. Notre équipe de football est arrivée deuxième au championnat de l'État, l'année dernière, et notre équipe de basket-ball a été couronnée championne de la ligue double A. Zut, pas de réponse, fit-elle en raccrochant. Je vais consulter notre directeur, M. Gardner. D'ailleurs, il aime rencontrer personnellement tous les nouveaux. Je reviens tout de suite.

Elle venait à peine de quitter la pièce que sa tête réapparut dans l'encadrement de la porte.

— Voulez-vous demander à Dora Mae la copie de votre horaire pendant mon absence? Elle sortira de l'imprimante, juste là.

Ils sortirent pour attendre au comptoir que l'horaire de Kent sorte de l'appareil en cliquetant.

Dans son bureau, Tom Gardner essayait de faire comprendre au représentant d'une maison d'édition scolaire, à l'autre bout du fil, que la situation était critique : plus que trois jours ouvrables avant la rentrée et ses nouveaux manuels d'anglais pour la dixième année demeuraient introuvables.

Quand Joan arriva, il lui fit signe d'attendre un moment tout en poursuivant sa conversation.

— Notre préposé aux achats les a commandés en janvier... Vous en êtes sûr? Quand? En juillet! Mais comment autant de manuels auraient-ils pu disparaître ainsi? Voyez-vous, M. Travis, le problème c'est que mardi prochain cinq cent quatre-vingt-dix étudiants de dixième année vont franchir nos portes, et que le cours d'anglais est obligatoire!

Après une longue pause, il griffonna un numéro sur un bloc-notes.

— Sur le quai de chargement? De quoi avaient l'air les boîtes? Je vois, dit-il en laissant tomber son crayon pour se passer une main sur le front. Oui, merci. Je vais regarder de mon côté. Si on ne les trouve pas, en avez-vous d'autres en réserve? Oui, c'est ça, merci. Au revoir.

Tom raccrocha et poussa un long soupir en se gonflant les joues.

— Des manuels manquants. Que puis-je faire pour vous, Joan?

— Un étudiant de douzième année nous arrive d'une autre école. Il veut faire partie de l'équipe de football. Pouvez-vous vous en occuper?

— Bien sûr, dit-il en se levant.

Tom adorait son travail de directeur du HHH, mais la semaine précédant la rentrée lui paraissait toujours aussi éprouvante. Durant cette période frénétique, il devait résoudre les innombrables problèmes qui ne manquaient jamais de survenir dans le sillage des cours d'été : le personnel déménageait des choses qui, en principe, devaient rester en place, cachait l'équipement qu'il jugeait encombrant et fourrait les nouvelles fournitures dans les endroits les plus inattendus. Les électriciens devaient installer un nouveau système d'éclairage, mais un pépin quelconque avait retardé l'arrivée de pièces, si bien qu'il n'y avait pas encore de lumière au département d'économie domestique. Un professeur de physique embauché au début du mois de mai avait téléphoné la veille pour dire qu'elle avait accepté une meilleure offre dans une autre école. Et voilà que, d'après cet éditeur, une compagnie de camionnage avait livré trente caisses de livres à l'entrepôt, le 15 juillet dernier, mais personne n'en avait vu la couleur!

Tom Gardner arrivait néanmoins à garder son calme et à se concentrer sur l'aspect de son travail qui importait le plus à ses yeux : les élèves.

Un jeune attendait avec sa mère de l'autre côté du comptoir : un grand garçon bien bâti, de belle apparence, qui voulait jouer au football. Joan, qui les précédait, fit les présentations.

— Voici Kent Arens, qui va suivre le cours de douzième année chez nous. Kent, voici notre directeur, M. Gardner.

Tom tendit la main au jeune homme dont il sentit la poigne musclée.

— Et voici sa mère, Monica.

Ils se serrèrent d'abord la main de façon automatique, comme l'auraient fait n'importe quels étrangers, jusqu'à ce qu'un souvenir éveillât l'attention du directeur.

— Monica? dit-il en scrutant son visage, Monica Arens?

Les yeux de la femme s'agrandirent de surprise.

— Tom? répondit-elle, Tom Gardner?

— Eh bien, en voilà une surprise!

— C'est vous, M. Gardner? Le directeur? fit-elle en se tournant vers la plaque de cuivre à côté de la porte.

— C'est bien moi. J'ai commencé à travailler ici il y a dix-huit ans, d'abord comme professeur, puis comme directeur, expliqua-t-il en lâchant la main de la jeune femme. De toute évidence, vous résidez maintenant dans la région.

— Je... en effet... nous... bégaya-t-elle, confuse, en rougissant. Je viens d'être mutée ici. Je suis ingénieur chez 3M. Je n'aurais jamais... Je veux dire... je n'avais vraiment aucune idée que vous viviez ici. Je ne savais même pas le nom du directeur de l'école avant que Mme Berlatsky ne nous le dise, il y a une minute.

— Eh bien, c'est la vie, dit-il en faisant un sourire enjoué. Le monde est petit, n'est-ce pas?

Tom posa les mains sur ses hanches et continua d'examiner Monica, qui donnait l'impression d'être affreusement embarrassée.

— Et vous avez des enfants, maintenant, reprit-il en se tournant vers le garçon.

— Seulement un fils. Seulement Kent.

— Vous connaissez ma mère? demanda le jeune homme, surpris.

— Nous nous sommes connus il y a longtemps, en soixante-quinze, expliqua Tom, décidément impressionné par ce solide gaillard qui était aussi grand que lui.

— Mais nous ne nous sommes pas revus depuis, s'empressa d'ajouter Monica.

— Mais assez parlé de nous. C'est de vous qu'il s'agit maintenant, n'est-ce pas, Kent? Passez donc dans mon bureau. Il y a moins de confusion et de bruit. Nous y serons à l'aise pour discuter.

Ils s'assirent face à face. Le soleil de cette fin de matinée pointait au-dessus de l'aile est de l'école et projetait ses rayons sur le rebord de la fenêtre, où toute une série de photos de famille faisaient face à Tom. Il inclina légèrement son fauteuil pivotant vers l'arrière, joignit les mains et s'adressa au jeune homme.

— Ainsi, vous voulez jouer au football, mon garçon ?

— Oui monsieur.

— Vous avez joué auparavant ? À l'école où vous étiez ? demanda Tom, qui trouvait à Kent un air légèrement familier.

— Oui monsieur. J'ai reçu des distinctions en football lors de mes dixième et onzième années. L'an passé, j'ai été sélectionné pour l'équipe des étoiles.

— Quelle position occupiez-vous ?

— Demi.

Ayant été entraîneur lui-même, Tom savait quelles questions lui permettraient de déterminer si le jeune homme possédait un réel esprit d'équipe, ou s'il cherchait plutôt à jouer les vedettes.

— Comment étaient vos coéquipiers ?

— Excellents. J'avais de bons bloqueurs, des joueurs intelligents qui comprenaient vraiment bien le jeu. Ça facilitait grandement les choses, parce que... eh bien, vous comprenez, chacun savait ce que l'autre faisait.

— Et votre entraîneur ? poursuivit Tom, qui avait aimé la réponse.

— Il va me manquer, fit Kent d'un ton sincère, ce qui impressionna encore plus son interlocuteur.

Encore une fois, Tom eut l'impression d'avoir déjà vu ce visage quelque part. Non seulement ses traits, mais ses expressions lui semblaient terriblement familiers.

— Dites-moi un peu quels sont vos buts ? s'enquit Tom en approfondissant son examen.

— À court ou à long terme ?

— Les deux.

— Eh bien... fit Kent en s'éclaircissant la gorge pour réfléchir. À court terme... j'aimerais soulever cent quarante kilos en développé couché. J'en suis à cent vingt, pour l'instant, ajouta-t-il avec un sourire empreint à la fois de timidité et de fierté.

— Ouf ! fit Tom en haussant les sourcils. Et à long terme ?

— J'aimerais être ingénieur comme ma mère.

Kent se tourna vers elle, exposant directement son visage à la lumière. Un détail retint l'attention de Tom, un détail auquel il n'avait pas prêté attention jusque-là. Brusquement, un signal d'alarme lui donna une secousse qui se répandit dans tout son corps. Juste au-dessus du front du jeune homme, une petite touffe de cheveux poussait en sens contraire, donnant l'impression qu'un minuscule espace était dégarni aux limites de son cuir chevelu.

Exactement comme chez Tom.

La révélation fondit sur le directeur et lui coupa le souffle, pendant que le garçon, qui ne s'apercevait de rien, continuait de parler.

— J'aimerais aller à Stanford parce que, là-bas, le programme en génie est excellent, tout comme l'équipe de football. Je pense que je pourrais me qualifier pour bénéficier d'une bourse à titre de footballeur... du moins si je peux jouer encore cette année et me faire remarquer par les dépisteurs.

Kent leva les yeux vers son interlocuteur. La ressemblance était incroyable, confondante ! Tom détourna son regard pour tenter de chasser cette idée ridicule.

— Puis-je voir votre horaire ? demanda-t-il en tendant la main.

Il se mit à étudier soigneusement la feuille bleue en espérant que lorsqu'il lèverait les yeux, il constaterait son erreur. Le jeune homme s'était imposé une charge de travail considérable : calcul, chimie avancée, physique avancée, sciences sociales, haltérophilie et anglais spécialisé. Anglais spécialisé... Le cours que donnait Claire, la femme de Tom.

Tom fixait la feuille plus longtemps que nécessaire. *Impossible. C'est impossible.* Pourtant, en levant les yeux de nouveau il revit des traits beaucoup trop semblables à ceux que lui renvoyait le miroir chaque matin : un long visage basané, des yeux bruns surmontés de sourcils foncés très arqués, comme les siens, un nez aquilin, un menton volontaire creusé d'une minuscule fossette, et cette petite touffe de cheveux rebelle qu'il avait toujours détestée.

Tom tourna son attention vers Monica, mais elle gardait les yeux rivés sur ses genoux, les lèvres hermétiquement serrées. Il se souvint de la façon dont elle s'était troublée lorsqu'on les avait présentés, comment elle avait rougi. Mon Dieu, si c'était bien vrai, pourquoi ne lui en avait-elle pas parlé dix-sept ans auparavant ?

— Eh bien... commença Tom, qui dut s'interrompre immédiatement pour s'éclaircir la gorge, voilà un horaire impressionnant... Beaucoup de cours difficiles, et le football en plus... Vous êtes sûr de pouvoir faire tout cela ?

— Je le crois. J'ai toujours choisi des horaires chargés, et je n'ai jamais manqué une saison de football.

— Quels résultats avez-vous obtenus ?

— J'ai une excellente moyenne. Maman a déjà demandé à mon ancienne école de faire suivre mon dossier, mais il ne doit pas encore être arrivé.

— J'aime bien ce que je vois et ce que j'entends, Kent, répondit Tom en espérant que rien ne trahissait l'agitation qu'il ressentait depuis quelques instants, mais je crois que vous devriez parler à M. Gorman. Après tout, c'est à lui que revient la décision.

Monica Arens avait retrouvé son sang-froid et son visage demeurait impassible. Si elle avait rougi auparavant, elle offrait maintenant une parfaite image de maîtrise de soi.

— D'une façon ou d'une autre, il va aller au collège, déclarat-elle en regardant Tom dans les yeux pour la première fois depuis qu'ils étaient entrés dans le bureau, mais s'il ne peut pas jouer durant sa dernière année, vous savez quelles seront ses chances d'obtenir une bourse.

— Je comprends, bien entendu, et je vais demander moi-même à M. Gorman qu'on lui fasse faire un essai. Kent, croyez-vous que vous pourrez venir au terrain de football cet après-midi, à quinze heures ? L'équipe est censée s'entraîner ; je pourrais vous présenter au responsable.

Kent consulta sa mère du regard.

— Pourquoi pas ? dit-elle. Tu peux me ramener à la maison et prendre la voiture.

— Parfait, dit Tom.

Tout d'un coup, la tête de Joan Berlatsky apparut dans l'entrebâillement de la porte.

— Excusez-moi, Tom, fit-elle précipitamment. J'ai oublié de

dire à Kent que les nouveaux se réunissent jeudi matin, avant l'école. Si vous voulez en être, c'est une bonne façon de faire connaissance avec vos futurs condisciples.

— Merci, j'irai peut-être.

— Eh bien, Kent... dit Tom en se levant lorsque Joan eut disparu, bienvenue à HHH. Si je peux faire quoi que ce soit pour faciliter votre adaptation, n'hésitez pas à venir me voir. Ma porte est toujours ouverte aux élèves, et si vous avez simplement besoin de parler, je suis également là pour ça.

Il serra la main du jeune homme et examina furtivement les traits réguliers de son visage. De près, ses soupçons semblaient encore plus justifiés. Il contourna son bureau et tendit la main à Monica Arens.

— Heureux de vous avoir revue, Monica, dit-il en cherchant en vain à surprendre un indice dans ses yeux.

— Moi de même, répondit-elle, froide et distante, en fixant un point situé quelque part derrière l'épaule de son interlocuteur.

— Mon invitation vaut également pour vous. Si vous avez une difficulté quelconque au sujet du transfert de votre fils, téléphonez. Mme Berlatsky ou moi ferons de notre mieux pour vous être utiles.

— Merci.

Ils se quittèrent sur le seuil et Tom regarda la mère et le fils traverser le capharnaüm qu'était l'école avant la rentrée. Quelqu'un avait ouvert les portes de verre pour évacuer la forte odeur de peinture. Une chanson de Rod Stewart jouait à la radio, ponctuée par le bruit rythmique d'une photocopieuse. Assises à leurs bureaux, des secrétaires tapaient à la machine tandis que trois professeurs devisaient entre eux en vérifiant s'ils avaient du courrier. Tous ces gens s'affairaient, inconscients du choc que venait de subir leur directeur. Monica Arens et son fils traversèrent le hall et sortirent sous le grand soleil de cette journée d'août. Ils semblaient parler ensemble quand ils quittèrent le trottoir pour se diriger vers une Lexus turquoise de l'année. Le jeune homme s'installa derrière le volant et démarra. Le soleil brilla un instant sur la rutilante carrosserie de l'auto qui fit marche arrière, tourna et disparut. À ce moment seulement, Tom sembla recouvrer l'usage de ses membres.

— Qu'on ne me dérange pas pour un moment, jeta-t-il à Dora Mae.

Il ferma sa porte, qui d'habitude restait toujours ouverte, sauf quand il recevait un élève, et s'y adossa en levant les yeux au plafond. Sa respiration se faisait oppressante et son estomac se nouait sous l'effet d'une peur croissante qu'il n'arrivait pas à maîtriser. Quand il ouvrit les yeux pour se redresser, il se sentit étourdi.

Tom se dirigea vers la fenêtre et resta un moment, une main sur la bouche, dans l'éclatante lumière de cette fin de matinée. Dehors, le soleil brillait sur la pelouse récemment tondue de la pépinière, jouait dans le feuillage des arbres soigneusement taillés, et créait des ombres mouvantes sur les tables de pique-nique.

L'air consterné, Tom Gardner ne voyait rien du paysage. Il évoquait le visage de Kent Arens et songeait à l'expression troublée de Monica, à l'air détaché qu'elle affichait, plus tard, évitant soigneusement le regard de Tom.

Mon Dieu, ce garçon serait-il son fils ? Les dates correspondaient. La troisième semaine de juin 1975, la semaine de son mariage avec Claire, alors enceinte de Robby. À nouveau, il regretta amèrement cette seule folie, cette unique infidélité à la veille de son mariage, ce péché pour lequel il avait silencieusement fait pénitence au début de son union, et qu'il avait fini par oublier, au fil des années, observant depuis une conduite irréprochable.

Il laissa mollement retomber sa main. Quelque chose de dur semblait collé au fond de sa gorge et lui faisait mal chaque fois qu'il déglutissait. Le garçon n'avait peut-être pas dix-sept ans. Il en avait peut-être seize... ou dix-huit ! Après tout, les étudiants de dernière année n'avaient pas tous nécessairement dix-sept ans !

Mais c'était le cas de la plupart, et Kent Arens était trop grand et trop développé pour n'avoir que seize ans. Il semblait déjà devoir se raser chaque jour. Ses épaules et son torse étaient ceux d'un jeune homme. Et puis, il y avait cette incroyable ressemblance...

Tom se tourna vers ses photographies de famille et en effleura les cadres. Sa famille : Claire, Chelsea et Robby. Aucun d'entre eux ne savait ce qui s'était passé lors de cet enterrement de vie de garçon.

Mon Dieu, faites qu'il ne soit pas mon fils.

Brusquement, il alla vers la porte et l'ouvrit.

— Dora Mae, avez-vous classé l'inscription de Kent Arens?

— Pas encore. Elle est juste ici, répondit la secrétaire en lui tendant une fiche.

Tom la prit, retourna s'enfermer dans son bureau et lut attentivement chaque mot. Kent avait bel et bien dix-sept ans. Date de naissance : 22 mars 1976, exactement neuf mois après cet irresponsable geste de révolte de Tom contre un mariage auquel il n'était pas préparé.

Nom de la mère : Monica J. Arens. Le nom du père avait été laissé en blanc.

Tom chercha à rassembler les maigres souvenirs que lui avait laissés cette nuit, mais il s'était écoulé tellement de temps... et il avait bu – plus que de raison. Monica n'était rien d'autre qu'une fille venue livrer des pizzas à la chambre. Avaient-ils pris leurs précautions? Il ignorait absolument si elle l'avait fait. Lui-même n'utilisait plus de condoms, puisque Claire était déjà enceinte. Claire prenait la pilule, à l'époque, mais elle avait oublié de le faire quand ils étaient allés passer un week-end de ski au Colorado. Comme la plupart des adolescents qui ont le diable au corps, ils avaient cru que rien de mal ne pouvait leur arriver, et c'est ainsi qu'elle s'était retrouvée enceinte.

Un geste irresponsable? Sans doute, mais moins que ce qui s'était déroulé durant cette fête, où tout avait été marqué par l'irresponsabilité : sa consommation immodérée d'alcool, les films pornographiques que ses camarades de classe avaient projetés et sa coucherie avec une fille qu'il connaissait à peine.

Tout cela à cause d'un mariage forcé qui s'était métamorphosé, avec le temps, en l'une des plus belles réussites de sa vie. Assis derrière son bureau, l'inscription de Kent Arens en main, Tom se pencha en soupirant. Ce jeune homme pouvait-il lui ressembler autant sans être son fils? Étant donné les circonstances, cela paraissait impossible. Et si la ressemblance lui avait paru si évidente, n'importe qui d'autre pourrait s'en apercevoir : le personnel, Chelsea, Robby... Claire.

En songeant à sa femme, Tom se sentit pris de panique. Oubliant la fiche d'inscription sur son bureau, il bondit hors de son fauteuil. Mû par l'instinct, il voulait courir vers Claire pour protéger tout ce qu'une menace indéfinie semblait remettre en question.

— Je serai au deux cent trente-deux, lança-t-il à Dora Mae en passant en coup de vent.

Comme les locaux de la direction, les corridors menant aux salles de classe étaient plongés dans une incroyable pagaille. Des livres étaient empilés un peu partout, protégés par des bâches, et l'odeur de peinture prenait à la gorge. Une musique étouffée sortait des différentes classes, où des professeurs en tenue de travail s'affairaient à remettre un peu d'ordre. Poussant devant elle un grand chariot rempli de magnétophones, la directrice de l'audiovisuel avança péniblement à la rencontre de Tom, en faisant un lent slalom au milieu du corridor encombré.

— Bonjour, Tom, dit-elle.

— Bonjour, Denise.

— Il faudrait qu'on se voie à propos du nouveau cours de photo que je dois donner. Le journal de l'école aussi a besoin de la chambre noire ; il faudrait établir un horaire.

— Venez me voir à mon bureau et nous trouverons une solution.

Déjà, cette intrusion des affaires scolaires dans le cours de ses pensées l'irritait. Tom éprouva un furtif remords en constatant qu'il laissait ses problèmes personnels prendre le pas sur le travail important pour lequel il était payé. Mais à ce moment précis, rien ne comptait autant que sa relation avec Claire.

En s'approchant de la classe de sa femme, il sentit une terreur diffuse le gagner, comme si cette faute vieille de dix-huit ans pouvait se lire sur son visage, comme si Claire pouvait dire, rien qu'en le regardant dans les yeux : *Tom, comment as-tu pu ?*

La classe de Claire aussi était exposée au sud. Sur une plaque, près de la porte, on lisait « Mme Gardner ». Rien n'interdisait aux étudiants de s'adresser à leurs professeurs par leurs prénoms, mais Claire pensait que l'emploi, en toute circonstance, du mot « Madame » engageait à une forme de respect qui se retrouverait forcément en classe par la suite. Jusqu'à présent, son idée s'était toujours avérée excellente.

Tom s'arrêta devant la porte ouverte. Dos tourné, sa femme sortait une pile de livres d'une boîte de carton. Elle portait des pantalons en denim bleu et un vieux chandail qui lui descendait presque aux genoux. Les rayons du soleil éclairaient sa chevelure blonde et ses épaules tandis qu'elle posait son fardeau sur le bureau en grognant. Elle repoussa ses cheveux de son visage, mit les poings sur ses hanches et s'étira vers l'arrière. Après dix-huit ans de mariage et deux enfants, elle était toujours aussi mince et jolie. En l'observant ainsi, à son insu, en train d'effectuer un travail qu'elle accomplissait, à la connaissance de son mari, mieux que quiconque, Tom eut soudain très peur de la perdre.

— Claire?

Au son de sa voix, elle se tourna vers lui en souriant. Un été passé sur les terrains de golf lui avait conféré un hâle magnifique. Les boucles d'oreilles torsadées qu'elle portait semblaient briller davantage contre sa peau dorée.

— Oh, bonjour. Comment ça va, en bas?

— C'est toujours la folie furieuse.

— As-tu trouvé les nouveaux manuels d'anglais?

— Pas encore. On les cherche.

— On finira bien par les trouver quelque part, comme d'habitude.

— Claire, je pensais... commença Tom, pour qui les livres ne revêtaient maintenant plus la moindre importance.

— Tom, qu'y a-t-il? demanda-t-elle en voyant s'assombrir le visage de son mari.

— Sortons, samedi soir, dit-il en la prenant dans ses bras. Nous pourrions peut-être même rester coucher quelque part, juste toi et moi. Je demanderais à papa de venir s'occuper des enfants.

— Mon Dieu, il y a quelque chose qui ne va pas!

Tom entendit l'inquiétude subite imprégner la voix de sa femme et sentit ses épaules se contracter.

— Mais non, j'ai juste besoin de me détendre, voilà tout, la rassura-t-il en se reculant un peu pour étudier son visage, les mains posées autour de son cou. Et puis, une nuit en tête à tête ne nous fera pas de tort, avant que l'école recommence et que les choses deviennent encore plus folles.

— Je croyais que nous avions une règle : rien de personnel entre ces quatre murs.

— C'est vrai, mais je suis le directeur et je peux enfreindre les règles comme bon me semble.

Tom inclina la tête et embrassa sa femme dans un geste d'affection encore plus ouvert que lorsqu'ils étaient seuls, dans leur chambre. Il l'aimait d'un amour dont il s'était d'abord cru incapable. Oui, il l'avait épousée par obligation et lui en avait même voulu pour cette raison. Frais émoulu du collège, il aurait préféré respirer un peu avant de se charger du fardeau que représentait une famille. Mais quand elle était devenue enceinte, il avait résolu de faire ce qu'on considérait alors comme « son devoir ». L'amour était venu ensuite seulement, après qu'elle eut donné naissance à Robby, puis à Chelsea, et qu'elle eut repris le travail, au bout de deux ans, pour s'occuper admirablement de ses deux carrières.

Claire était intelligente et travailleuse, et ils possédaient tellement en commun, étant tous deux éducateurs, que Tom n'aurait pu s'imaginer marié à quelqu'un d'autre. Non seulement formaient-ils un couple uni, mais après avoir si souvent constaté, à l'école, les résultats désastreux d'une mauvaise éducation, ils étaient aussi devenus d'excellents parents. Le divorce, les mauvais traitements, l'alcoolisme, la négligence... Combien de fois avaient-ils dû rencontrer les parents d'enfants qui souffraient à cause de tels problèmes à la maison ? Tom et Claire savaient comment garder une famille unie. Ils en parlaient fréquemment, travaillaient à renforcer l'amour et les liens qui existaient entre eux, et présentaient aux enfants un front uni quand venait le temps des décisions difficiles. Ils s'estimaient heureux que, jusqu'à présent, leurs méthodes d'éducation et leur amour non dissimulé pour leurs enfants aient donné de si bons résultats.

S'il aimait Claire ? Oh oui, de tout son cœur. Après toutes ces années et tous leurs efforts, leur relation était devenue l'axe autour duquel tournaient leurs vies débordantes d'activité et d'intérêt.

Une jeune fille aux longs cheveux blonds entra rapidement dans la classe et s'arrêta net en voyant le directeur embrasser un des professeurs d'anglais. Elle sourit, s'appuya au cadre de la porte, et se croisa bras et jambes, en observant la pointe d'une de ses vieilles chaussures sur le carrelage. En voyant les mains de sa mère posées sur le dos de son père, Chelsea Gardner éprouva un profond sentiment de sécurité et d'affection. Ses parents faisaient souvent preuve de tendresse à la maison, mais c'était la première fois qu'elle assistait à une telle scène à l'école.

— Je croyais qu'il y avait un règlement, ici, contre ce genre d'effusions.

— Oh, Chelsea... bonjour, dit son père sans cesser d'entourer sa mère de ses bras.

— Ça pourrait vous valoir une retenue, vous savez, dit Chelsea d'un ton malicieux. Au fait, combien de récriminations ai-je entendues, à table, à propos de tous ces « bécoteurs » qui se collent contre les casiers, ou se dissimulent sous les escaliers ?

— Je demandais simplement à ta mère si elle voulait partir avec moi pour le week-end. Qu'en dirais-tu, chérie ?

— Pour aller où ?

— Je n'en sais rien. Peut-être dans une petite auberge, quelque part.

— Une auberge ! s'exclama Claire. Oh, Tom ! Es-tu sérieux ?

— Je croyais que tu n'aimais pas ce genre d'endroits, papa.

— Moi aussi, ajouta Claire en examinant curieusement son mari.

— Eh bien, je pensais... répondit Tom, qui laissa tomber les bras et haussa les épaules, je ne sais pas, moi... Vous n'arrêtez pas de m'en parler. Le temps est peut-être venu d'essayer, pour une fois. Vous savez à quel point je vais être occupé – *nous* allons être occupés – après ce week-end.

— Moi, en tout cas, ça me semble une très bonne idée, dit Chelsea en souriant.

— Je vais demander à grand-père s'il peut venir à la maison samedi soir.

— Grand-père ? Oh, p'pa... nous sommes assez vieux pour nous occuper de la maison en votre absence.

— Tu sais ce que je pense des parents qui laissent leurs enfants seuls.

Chelsea le savait très bien. De cela aussi, on discutait souvent autour de la table. Les lundis matin étaient ceux où l'école recevait le plus souvent la visite de la police, à cause des parents qui laissaient leurs enfants seuls au cours du week-end. De toute manière, son grand-père était vraiment très chic.

— D'accord, concéda Chelsea. Écoutez, tout ce que vous déciderez au sujet de grand-père sera parfait, mais je dois faire vite. Je suis juste venue vous demander un peu d'argent pour une nouvelle paire de chaussures de tennis. Celles-ci sont foutues.

— Combien ? demanda Claire en se dirigeant vers son sac à main, sur le bureau.

— Cinquante dollars, dit Chelsea sur un ton plein d'espoir.

— Cinquante dollars !

— Toutes les meneuses de claque vont avoir les mêmes.

Tom et Claire durent mettre leurs ressources en commun, mais leur fille repartit avec la somme nécessaire. À la porte, Chelsea se retourna en souriant.

— Vous savez quoi ? Quand je suis entrée et que je vous ai vus en train de vous embrasser, ça m'a vraiment fait quelque chose, du genre « Oh là là ! », vous voyez ce que je veux dire ? Je suis vraiment la fille la plus veinarde au monde d'avoir un père et une mère qui s'entendent si bien. Il n'y a vraiment rien qui puisse aller de travers dans notre famille.

Ses mots transpercèrent le cœur de Tom. Il regarda longtemps en direction de la porte après que sa fille eut disparu. *J'espère que c'est vrai*, pensa-t-il. *Que jamais rien n'aille de travers dans notre famille.*

Il sentait bien, pourtant, que leurs ennuis allaient commencer.

Deux

À quinze heures, cet après-midi-là, Tom se rendit au terrain de football où l'équipe de l'école faisait des exercices de réchauffement. Kent Arens l'y attendait déjà, assis dans les estrades.

Sans même avoir reçu la confirmation de ses soupçons, Tom sentit l'émotion monter en lui en voyant la silhouette bien découplée du jeune homme, qui se leva à son approche. Le directeur se surprit à évaluer intérieurement la qualité des soins que Monica Arens avait prodigués à son fils. Apparemment, elle avait accompli un excellent travail.

— Bonjour, monsieur Gardner.

— Bonjour, Kent, répondit Tom en s'efforçant de rester calme malgré les battements de son cœur. Avez-vous parlé à l'entraîneur ?

— Non monsieur. J'arrive à peine.

— Alors, allons le chercher.

Ils longèrent le terrain côte à côte. Tom était fasciné par la proximité du garçon, par son bras nu près du sien, par sa vitalité et son corps musclé. Le seul fait de marcher à ses côtés suscitait en lui une réaction physique qui n'était pas sans lui rappeler son éveil à la sexualité, durant sa propre adolescence, quoique cette fois-ci, son sentiment fût strictement paternel. Il semblait terriblement difficile à Tom de se trouver ainsi près de celui qu'il croyait fermement être son fils sans que le jeune homme ne soupçonnât quoi que ce fût. *L'es-tu ? L'es-tu ?* La question l'obsédait comme une litanie, entraînant avec elle une foule d'autres interrogations prêtes à être formulées si ce qu'il croyait était exact.

Quelle sorte d'enfant étais-tu ? En as-tu voulu à ton père d'être absent ? T'es-tu déjà demandé de quoi il avait l'air ? Où il vivait ? Ce qu'il faisait ? Y a-t-il eu une image paternelle dans ta vie ? Aurais-tu aimé avoir des frères et des sœurs ? As-tu toujours été aussi poli et sérieux ? Toutes ces questions refoulées semblaient s'accumuler dans la gorge de Tom, tandis qu'il s'efforçait de parler de choses anodines.

— Ce doit être difficile de changer de ville juste avant le début de l'année scolaire.

— C'est vrai. Mais ce n'est pas la première fois que nous déménageons et je sais que je m'habituerai. D'ailleurs, quand on est nouveau dans une école, on reçoit habituellement l'aide empressée des gens que l'on côtoie.

— S'adonner à un sport est certainement une bonne façon de se faire de nouveaux amis. Vous m'avez parlé d'autres activités en plus du football.

— À l'école, je pratiquais aussi le basket-ball et l'athlétisme. Dans mes temps libres, c'était plutôt le tennis et le golf. À Austin, nous vivions à proximité d'un terrain de golf, alors il était naturel que j'essaie.

Tous ces sports, Tom aussi les avait pratiqués à certains moments de sa vie. Maintenant, son travail ne lui laissait plus grands loisirs. Le détail concernant le terrain de golf tendait à prouver que Monica gagnait très bien sa vie et habitait dans un quartier aisé. Tom se sentait étrangement pressé d'en apprendre le plus possible sur le jeune homme et d'établir des parallèles entre Kent et lui.

— Avez-vous également reçu des distinctions en basket-ball et en athlétisme ?

— Oui monsieur.

— Quand j'ai commencé à enseigner, j'étais également entraîneur, dit Tom. Je crois que j'ai un bon coup d'œil pour détecter un athlète au-dessus de la moyenne. Je serais très surpris que M. Gorman ne vous donne pas un uniforme.

En fait, à titre de directeur, Tom n'avait qu'un mot à dire pour que l'équipe se retrouve avec un nouveau joueur. Dans ce cas bien précis, toutefois, les notes, les aspirations et la personnalité du candidat semblaient parler d'elles-mêmes. Tom ne doutait pas que Bob Gorman en conviendrait.

Ils s'arrêtèrent à la ligne des cinquante verges et regardèrent les joueurs effectuer des sprints en levant haut les genoux. Parmi le groupe de chandails rouges, le numéro vingt-deux leva un bras et salua.

— Mon fils Robby, expliqua Tom en répondant de la même façon.

L'entraîneur tourna la tête et se dirigea vers eux. Bob Gorman était bâti comme une armoire à glace. Il portait un pantalon en coton molletonné gris, un tee-shirt blanc et une casquette de base-ball rouge sur laquelle étaient cousues les lettres HHH en blanc. Il s'arrêta devant la ligne de touche.

— Tom, dit-il en guise de salutation, tout en faisant un signe de tête au jeune homme et en rajustant sans nécessité sa casquette.

— Bonjour, comment se déroule l'entraînement?

— Pas mal. Ils sont un peu mous après un été à fainéanter, mais certains ont continué à s'exercer durant les vacances et sont restés vraiment en forme.

— Je vous présente Kent Arens, un nouveau chez nous. Il est en douzième et aimerait jouer au football. J'ai décidé de vous l'amener. Il a reçu des distinctions au cours de ses deux dernières années à Austin, Texas, et l'an dernier, il a fait partie de l'équipe des étoiles, là-bas. Il veut aller à Stanford et étudier en génie, si possible en obtenant une bourse à titre de joueur.

— Kent, fit l'entraîneur en tendant sa grosse patte au jeune homme qui le regardait du haut de son mètre quatre-vingt-dix.

— Comment allez-vous, monsieur? répondit Kent sans s'émouvoir de l'examen dont il faisait l'objet.

— Quel poste occupais-tu?

— Demi.

Pendant que l'entraîneur continuait de poser ses questions, le numéro vingt-deux arriva au pas de course et s'arrêta en haletant devant Tom.

— Salut, papa, fit Robby Gardner à bout de souffle.

— Salut, Robby.

— Tu seras encore ici après l'entraînement? Chelsea a pris l'auto pour faire une course et il n'y a personne pour me ramener à la maison.

— Non, désolé, je n'y serai pas. Je dois... Un rendez-vous... répondit Tom en pensant qu'il ne s'agissait pas vraiment d'un mensonge. Pourquoi ne prends-tu pas l'autobus scolaire?

— Cette vieille guimbarde? Non merci, je vais plutôt trouver quelqu'un pour me raccompagner.

— Oh, Robby, attends un peu, lança Tom en rappelant son fils.

Ce fut un moment étrange, rempli d'émotions contradictoires, que celui où Tom Gardner présenta les deux jeunes hommes l'un à l'autre en se demandant s'ils étaient demi-frères. Il aurait préféré être dispensé de cette formalité, mais le directeur de l'école devait tout faire pour que le nouveau s'adapte à son nouvel environnement le plus rapidement possible.

— Je voudrais te présenter Kent Arens. Lui aussi est en douzième mais il vient d'arriver. Tu pourrais peut-être lui faire connaître quelques-uns de tes amis?

— Bien sûr, papa, répondit Robby en se tournant pour examiner le nouveau venu.

— Kent, voici mon fils, Robby.

Les deux garçons échangèrent une timide poignée de main. L'un était blond, l'autre brun. Tom résista à la tentation de rester pour les comparer plus longuement. Si ses soupçons se confirmaient, il aurait tout le temps voulu pour le faire.

— Bien, Kent, je vous confie à l'entraîneur. Bonne chance, lança-t-il en souriant.

Tom quitta le terrain de football et se dirigea vers sa voiture, en passant devant la Lexus turquoise de Monica Arens. La présence du véhicule le secoua, un peu comme ça lui arrivait, durant son adolescence, lorsqu'une jeune fille pour qui il avait le béguin passait devant chez lui dans l'auto de son père. Mais ce qu'il éprouvait n'avait rien à voir avec une attirance amoureuse. Il ressentait plutôt de la culpabilité à propos d'un garçon qui était peut-être son fils.

Les fenêtres de sa Taurus rouge étaient fermées et, sous le chaud soleil d'août, à l'intérieur la température était devenue intolérable. Il resta un moment assis derrière le volant, la portière ouverte, en laissant le moteur tourner. Que faire, maintenant ?

Quand le climatiseur se mit à dispenser de l'air froid, Tom ferma sa portière et tira la carte d'inscription verte de Kent de la poche de sa chemise. Le jeune homme y avait écrit son adresse avec une écriture soignée qui ressemblait vaguement à la sienne : 1500, chemin Curve Summit. C'était un nouveau développement sur la colline, un quartier de maisons cossues qui surplombait la rive ouest du lac Haviland, en banlieue ouest de Saint-Paul Heights. Après dix-huit ans, Tom connaissait les adresses de son district scolaire presque aussi bien que la police.

Tom se fit l'effet d'un pitoyable coureur de jupons en route pour un rendez-vous clandestin. Son côté émotif souhaitait que Monica Arens ne fût pas chez elle, mais une voix plus rationnelle en lui assurait qu'il n'y avait aucun avantage à retarder l'inévitable. Quelle que fût la vérité, il devait l'apprendre et le plus tôt serait le mieux.

La maison en brique grise et crème était impressionnante. Elle possédait un étage et un toit irrégulier. Comme elle était située au sommet d'une crête, l'allée menant au garage à trois places était fortement inclinée.

Tom gara son auto et en descendit lentement, en s'arrêtant, une main sur la portière ouverte, pour contempler la demeure. On n'avait pas encore posé la pelouse, mais le terrain était nivelé et l'on avait planté des arbres et des arbustes en bon nombre, ce qui avait dû coûter passablement cher. L'allée bétonnée brillait au soleil. À côté, un trottoir de ciment frais s'étirait jusqu'à la porte d'entrée. Décidément, Monica Arens gagnait très bien sa vie.

Tom ferma sa portière et s'avança, malgré son envie de rebrousser chemin, de s'engouffrer dans son auto et de disparaître au plus vite.

Il sonna à la porte et attendit nerveusement, son trousseau de clés passé à l'index, en redoutant le moment où la maîtresse de maison ouvrirait la porte. Les prochaines heures allaient peut-être changer sa vie à tout jamais.

Monica finit par ouvrir et considéra Tom avec étonnement. Elle était chaussée de souliers de toile et vêtue d'une robe chasuble ample qui lui descendait aux mollets, d'un style informe que Tom n'avait jamais aimé et que Claire avait fini par abandonner, non parce que son mari l'avait critiqué, mais parce que ce genre avait cessé de lui plaire.

— Bonjour, Monica, dit-il enfin.

— Je ne crois pas que vous devriez être ici.

— Je pense pourtant que nous devons parler.

Tom gardait ses clés à la main au cas où elle lui fermerait la porte au nez. Monica n'avait vraiment pas l'air contente de le voir et restait parfaitement immobile, une main sur la poignée de la porte, sans que son visage ne laissât paraître le moindre signe de bienvenue.

— Ne le croyez-vous pas ? insista Tom en manquant de s'étrangler.

— Oui, fit-elle en poussant un long soupir. Oui, je le crois.

Elle recula d'un pas pour le laisser passer, mais Tom comprit qu'elle ne le faisait qu'à son corps défendant. Il franchit le seuil et entendit la porte se refermer derrière lui. Le vestibule donnait sur une vaste pièce combinant salon et salle à manger. Au centre du mur ouest un grand foyer était flanqué de portes-fenêtres coulissantes ouvertes sur une terrasse occupant tout un côté de la maison. Une odeur de peinture et de moquette neuve imprégnait l'air, et les fenêtres semblaient attendre de riches draperies. Des boîtes de la North American Van Lines occupaient à peu près tout l'espace entre les meubles. Monica précéda Tom vers un coin de la pièce, où une table et des chaises prenaient tout l'espace libre.

— Assoyez-vous, fit-elle.

Tom tira une chaise et attendit. Monica se dirigea loin à l'autre bout de la table, en mettant beaucoup de distance entre eux. Tom ne s'assit que lorsqu'elle en fit autant.

Entre eux, la tension était palpable. Tom s'efforçait de trouver les bons mots, de faire disparaître l'embarras qu'il éprouvait à simplement se trouver ici. Monica, apparemment, avait résolu de garder les yeux fixés sur la surface de la table.

— Eh bien... hésita Tom. Je crois que je vais aller droit au but... Kent est-il mon fils ?

Monica détourna la tête. Son regard quitta ses deux mains jointes et se leva vers l'horizon. Elle fit jouer sa mâchoire avant de répondre d'une voix douce :

— Oui. C'est votre fils.

— Oh, mon Dieu, dit Tom en poussant un long soupir angoissé.

Il posa les coudes sur la table et enfouit son visage entre ses mains. L'adrénaline se répandit dans tout son corps, produisant une vague de sueurs froides sur son front. Perdu dans le tourbillon de ses pensées, il resta muet en pressant ses poings fermés contre sa bouche. Levant les yeux vers Monica retranchée derrière son apparente indifférence, il se demanda ce qu'il devait faire. La vie n'avait pas préparé Tom à une telle situation : il se retrouvait assis devant une interlocutrice, une véritable étrangère, pour discuter de l'avenir d'un fils qu'il ne connaissait même pas.

— C'est... C'est ce que je craignais. Pas besoin d'être physionomiste pour voir la ressemblance entre nous.

Monica persistait dans son silence.

— Pourquoi ne m'avoir rien dit ?

— N'est-ce pas évident ? répliqua-t-elle en levant les yeux au plafond.

— Non. Du moins, pas pour moi. Pourquoi ?

— Quand je me suis aperçue que j'étais enceinte, vous étiez déjà marié, jeta-t-elle avec irritation. Le dire aurait servi à quoi ?

— Je suis son père ! Ne croyez-vous pas que j'aurais dû être informé ?

— Et si vous l'aviez été, qu'auriez-vous fait, dites-moi ?

— Je l'ignore, répondit-il honnêtement, mais je ne suis pas le genre d'homme à abandonner son fils. Je vous aurais aidée autant qu'il m'aurait été possible de le faire, ne fût-ce que financièrement.

— Vraiment ? Si je me souviens bien, votre fiancée attendait déjà un enfant lorsque vous vous êtes mariés. Je ne faisais pas plus partie de vos projets d'avenir que vous ne faisiez partie des miens.

Je n'ai vu aucune raison de vous annoncer ma grossesse et je ne l'ai pas fait.

— Mais n'avez-vous pas trouvé cela... injuste ?

— Oh, je vous en prie... dit Monica d'un ton indigné.

Elle se leva et avança parmi les boîtes empilées dans le salon, derrière Tom. Il la suivit des yeux et se tourna sur sa chaise en passant un bras par-dessus le dossier.

— Nous avions déjà commis une première erreur, poursuivit-elle. Une deuxième n'aurait pas amélioré les choses. Cette nuit-là, lors de la fête, vous m'avez confié que vous épousiez votre fiancée par obligation, mais que vous ne vouliez pas vous dérober à votre devoir. Si j'avais été vous trouver, plus tard, pour vous annoncer que j'étais enceinte, j'aurais peut-être brisé votre mariage. À quoi cela aurait-il servi ? Je n'allais certainement pas vous épouser, en tout cas, s'exclama-t-elle en se frappant la poitrine.

— Non, fit-il en rougissant légèrement. Non, bien sûr.

— Cette nuit-là, nous... Ce n'était rien que...

Elle se tut en haussant les épaules. Rien qu'une chaude nuit de juin qui n'aurait jamais dû exister. Dix-huit ans plus tard, ils le comprenaient et en subissaient tous deux les répercussions.

— Je suis aussi responsable que vous, reprit-elle, peut-être davantage, car je n'utilisais aucun contraceptif, et j'aurais dû insister pour que vous le fassiez. Mais vous savez ce que c'est, à cet âge. On se dit : « Oh, ça ne m'arrivera jamais. Pas pour une petite fois. » Comme je vous l'ai dit, nous sommes tous deux responsables.

— Mais ce n'était pas vous qui alliez vous marier la fin de semaine suivante.

— Sans doute, mais je savais que vous deviez le faire. Alors, lequel d'entre nous est le plus coupable ?

— Moi.

Il se leva et la suivit dans le salon, où il s'appuya contre une pile de boîtes en laissant une bonne distance entre eux.

— C'était un geste de rébellion pure et simple. Elle était enceinte et je me voyais forcé de faire une chose à laquelle je n'étais pas prêt. Bon Dieu, l'encre n'était pas encore sèche sur mon diplôme ! Je désirais enseigner un bout de temps, connaître quelques années d'indépendance, acheter une nouvelle automobile et louer un appartement avec piscine, sortir avec mes amis. Au lieu de cela, je me retrouvais chez le gynécologue avec elle et j'essayais de rassembler assez d'argent pour verser un acompte sur un petit logement avec une chambre. Je m'étais fait faire un smoking dont je ne voulais même pas ! Je... Je n'étais tout simplement pas prêt.

— Je sais, répondit-elle calmement. Je le savais bien avant que nous couchions ensemble cette nuit-là. Vous n'avez pas à plaider votre cause devant moi.

— Dans ce cas, c'est à vous de plaider. Pourquoi diable avez-vous accepté de coucher avec moi ?

— Qui sait ? dit-elle d'un ton songeur en s'éloignant vers la porte-fenêtre ouverte, les bras croisés sur sa poitrine de façon défensive. Un égarement... L'occasion était belle. Je n'ai jamais été très attirante et les hommes ne m'ont jamais accordé beaucoup d'attention. Vous étiez ce beau garçon à qui j'avais parlé lors de quelques soirées, et avec qui j'avais bien ri... Un soir, je suis allée livrer des pizzas à cette suite d'hôtel, où vous étiez, avec tous vos camarades à moitié cinglés... Je ne sais pas. Pourquoi les gens agissent-ils comme ils le font ?

— J'ai longtemps regretté, après mon mariage...

— Mais vous n'avez rien dit à votre femme ? demanda-t-elle par-dessus son épaule.

— N... Non, dit-il en subissant un nouvel assaut de remords.

Leurs regards se croisèrent. Celui de Monica semblait vide, mais les yeux de Tom étaient troublés.

— Et votre mariage... A-t-il duré ? demanda-t-elle.

— Dix-huit ans, dit-il en hochant lentement la tête. Et chaque année m'a paru meilleure que la précédente. Je l'aime beaucoup.

— Et l'enfant qu'elle attendait ?

— Robby. Il est en douzième année au HHH.

— Mon Dieu, dit-elle au bout d'un moment, en se rendant subitement compte de ce que cela impliquait.

— En effet, dit Tom en faisant quelques pas vers un autre endroit du salon. En ce moment, ils se trouvent tous deux sur le terrain de football. Et Claire... Claire donne le cours spécialisé d'anglais auquel il semble que votre fils – enfin, notre fils – se soit inscrit.

— Mon Dieu, répéta Monica en décroisant légèrement les bras pour la première fois.

— Claire et moi avons également une fille, Chelsea. Nous formons une famille très heureuse... Votre carte d'inscription ne mentionne pas de mari. J'en ai conclu que vous êtes célibataire.

— C'est exact.

— Vous n'avez jamais été mariée ?

— Non.

— Alors, que sait Kent de son père ?

— Je lui ai dit la vérité : j'ai rencontré un homme lors d'une fête ; j'ai eu une brève liaison avec lui, mais ce n'était pas quelqu'un avec qui je pouvais songer à me marier. Je lui ai offert une bonne vie, Tom. J'ai obtenu mon diplôme et je lui ai donné un bon foyer, de même que tout ce qu'un enfant pourrait souhaiter.

— J'ai pu le constater.

— Je n'avais pas besoin d'un homme. Je n'en voulais pas.

— Je suis désolé si je vous ai rendue amère.

— Je ne suis pas amère.

— Vous en avez l'air, pourtant.

— Gardez vos hypothèses pour vous, répliqua-t-elle sèchement. Vous ne me connaissez pas. Vous ne connaissez rien de moi. J'avais à cœur ma réussite et cela m'a toujours suffi. Ma réussite et Kent. J'ai consacré beaucoup d'efforts à mon travail et à mon rôle de mère. Tous deux, nous vivons très bien ensemble.

— Pardon, je ne voulais pas avoir l'air de vous critiquer. D'ailleurs, croyez-moi, je serais le dernier à critiquer une mère restée célibataire par choix, surtout quand elle a réussi à élever un enfant comme Kent. Je vois tellement de familles en difficulté dont les parents restent ensemble pour leurs enfants. Ces enfants, je les retrouve presque chaque jour à mon bureau. Les psychologues, la police et moi essayons constamment de les aider... la plupart du temps sans succès. Si j'ai eu l'air de penser que vous n'avez pas été à la hauteur, ce n'est pas du tout le cas. Kent est... l'étudiant rêvé, dit Tom en faisant un geste de la main. De bonnes notes, des aspirations, le désir d'aller au collège, une grande variété d'intérêts... Je suppose qu'il est également un fils parfait.

— En effet.

Chacun restait près de sa pile de boîtes. L'antipathie de Monica pour Tom avait beaucoup diminué durant leur conversation, mais ni l'un ni l'autre ne se sentait vraiment à l'aise.

— Je l'ai envoyé dans une école primaire catholique.

— Ah... catholique, dit Tom en portant la main à sa poitrine comme s'il voulait redresser une cravate imaginaire.

— Ça lui a donné un bon départ.

— Oui... oui, bien sûr.

— La pratique des sports lui a beaucoup apporté, également... Et son école secondaire, à Austin, jouissait d'une excellente réputation.

Tom la regarda un moment sans rien dire, réalisant que Monica cherchait à se défendre alors qu'elle n'avait aucune raison de le faire. Une question lui vint à l'esprit, une question pertinente qu'il hésita pourtant à poser.

— Ses grands-parents ? fit-il.

— Je n'avais plus que mon père, mais il est mort il y a neuf ans. Comme il vivait ici, au Minnesota, Kent ne l'a jamais vraiment connu. Pourquoi me demandez-vous cela ?

— J'ai encore mon père. Il habite à moins d'une quinzaine de kilomètres d'ici.

— Ah, je vois, dit-elle après un moment de silence. Des oncles ? Des tantes ?

— Un oncle et une tante, ainsi que des cousins et cousines. De votre côté ?

— Ma sœur vit ici. Kent la connaît à peine. Ma famille ne s'est pas précisément réjouie d'apprendre que j'allais avoir un enfant illégitime et que je voulais l'élever seule.

Tom commençait à avoir mal au dos et aux épaules à cause de la grande tension subie. Il retourna à la salle à manger et se laissa tomber sur sa chaise avec lassitude, une main posée sur la table de noyer. Monica resta debout. Le silence tomba entre eux tandis qu'ils restaient enfermés chacun dans leurs pensées. Au bout d'un moment, elle poussa un soupir et revint également s'asseoir.

— J'ignore ce qu'il faut faire, reconnut-elle.

— Moi aussi.

Tandis qu'ils essayaient de trouver une conclusion constructive à leur rencontre, le bruit de coups de marteau et le sifflement aigu d'une scie rotative leur parvinrent d'une lointaine maison où s'affairaient des ouvriers.

— Personnellement, dit enfin Monica, j'aimerais que tout reste inchangé. Il n'a pas besoin de vous... vraiment pas.

— J'aurais tendance à penser comme vous, mais je n'arrête pas de me demander si c'est juste pour lui.

— Oui, je sais.

Il y eut encore un long silence, puis, de façon inattendue, Monica Arens se couvrit le visage de ses mains.

— Si seulement j'avais téléphoné à l'école avant! s'exclama-t-elle en écartant les bras. Mais comment pouvais-je savoir que vous y travailliez? J'ignorais que vous vouliez devenir professeur, et encore moins directeur d'école! Nous ne nous sommes pas vraiment raconté nos vies pendant les quelques heures que nous avons passées ensemble, n'est-ce pas?

Tom ferma les yeux en soupirant et se redressa tout à coup sous l'effet d'une résolution.

— Laissons les choses telles qu'elles sont pour l'instant. Kent doit déjà s'habituer à une nouvelle école et se faire des amis, c'est bien assez. Si jamais nous nous trouvons dans l'obligation de tout lui dire, nous agirons en conséquence. Entre-temps, je ferai ce que je peux pour lui. Je vais m'assurer qu'il fasse partie de l'équipe de football. À mon avis, la question est d'ailleurs probablement déjà réglée. Quand il fera sa demande à Stanford, je lui donnerai une lettre de recommandation. Il n'aura pas besoin de bourse : je paierai ses études au collège. C'est le moins que je puisse faire.

— Vous ne le connaissez pas, Tom. Je pourrais très bien payer ses études, mais il refuse. Il désire obtenir une bourse simplement pour se prouver qu'il en est capable, alors je veux le laisser faire.

— Nous aurons le temps d'en discuter plus avant durant l'année scolaire. Mais écoutez... si jamais vous avez un ennui quelconque, ou s'il a besoin de quoi que ce soit... venez me voir, d'accord ? Passez à mon bureau. Je reçois des parents chaque jour ; personne ne s'étonnera de votre visite.

— Merci, mais je ne vois pas comment cela pourrait devenir nécessaire.

— Dans ce cas...

Tom posa ses mains à plat sur la table comme pour se lever, mais il hésita, en proie à toute une gamme d'émotions oppressantes.

— Je me sens tellement...

— Tellement quoi ? dit-elle.

— Je ne sais pas.

— Coupable ?

— Oui, bien sûr, mais aussi... c'est difficile à dire... partagé, je pense. Comme si je me sentais obligé de faire autre chose, mais sans savoir quoi. Je rentre chez moi tranquillement, je le regarde passer chaque jour, au travail, et je ne dis à personne qu'il est mon fils ? Est-ce bien ce que je suis censé faire ? Bon Dieu, Monica, quel châtiment cruel ! Je l'ai mérité, j'en conviens, mais c'est tout de même inhumain.

— Je ne veux pas qu'il sache. Vraiment pas.

— C'est un miracle qu'il ne l'ait pas déjà deviné. Lorsqu'il est entré dans mon bureau et que je l'ai vu, la ressemblance m'a presque privé de tous mes moyens.

— Il n'a aucune raison de soupçonner quoi que ce soit. Pourquoi s'en apercevrait-il ?

— J'espère que vous avez raison.

Tom se leva enfin et Monica le raccompagna jusqu'à la porte. Ils s'arrêtèrent un moment, en proie à un malaise, comme s'ils se sentaient obligés d'échanger quelques paroles amicales pour atténuer la distance qui subsistait entre eux. La méconnaissance totale qu'ils avaient l'un de l'autre semblait tellement absurde lorsqu'ils songeaient au fait qu'ils étaient unis par un fils de dix-sept ans.

— Alors, vous êtes ingénieur chez 3M ?

— Oui, en recherche et développement. Je fais partie d'une équipe qui cherche à améliorer un connecteur pour le système téléphonique de Bell. Nous sommes en train de créer le prototype. Il sera testé ici et je suivrai le projet jusqu'à la fin, quand les outils de production auront été conçus et que les premières pièces commercialisables seront produites.

— Impressionnant... De toute évidence, Kent tient son goût pour les sciences et les mathématiques de vous.

— Vous n'êtes pas bon en math?

— Je serais incapable de créer un connecteur électronique, si c'est ce que vous voulez savoir. Je suis plutôt un communicateur. Ce sont les jeunes que j'aime. J'aime travailler avec eux, les regarder évoluer, durant les trois ans qu'ils passent chez nous, de l'état d'adolescents maladroits à celui de jeunes adultes intelligents et instruits, prêts à se lancer dans le monde et à relever les défis qui leur seront lancés. C'est l'aspect de mon travail que je préfère.

— Dans ce cas, je crois qu'il a hérité d'une partie de votre habilité en communications. Il s'intègre parfaitement aux autres.

— Oui, j'ai pu le constater.

Lorsqu'ils se furent efforcés en vain de trouver d'autres politesses à se dire, Monica ouvrit la porte.

— Bon. Bonne chance, dit Tom en lui serrant la main.

— À vous aussi.

Ils laissèrent retomber leurs bras. Tom sentait une hésitation presque déraisonnable à rentrer chez lui après ce qu'il venait d'apprendre. Il n'y trouverait personne avec qui discuter de cette rencontre dramatique.

— Je suis désolé, dit-il enfin.

— Je veillerai à ce qu'il assiste à la séance d'orientation pour les nouveaux, demain, répondit-elle en haussant les épaules. Qui doit prendre la parole?

— Moi, entre autres.

— Alors, vous aurez besoin de beaucoup de courage, n'est-ce pas?

— Bon, je dois y aller, fit-il, incapable de trouver une meilleure façon de la saluer.

— C'est ça, moi aussi. J'ai beaucoup de rangement à faire.

— Votre maison est magnifique. Je suis heureux de penser qu'il va vivre ici.

— Merci.

Tom redescendit les marches de ciment. Quand il leva les yeux en ouvrant la portière de son auto, il vit que Monica avait déjà fermé la porte derrière elle.

Trop agité pour rentrer directement chez lui, Tom se rendit à l'école et gara son véhicule près de la porte principale, à l'endroit où une petite plaque de métal disait « M. Gardner ». L'équipe de football avait fini de s'entraîner à dix-sept heures trente et l'autobus scolaire était déjà parti. Tom se demanda si Robby l'avait pris. Depuis qu'ils avaient acheté une auto pour leurs enfants, Tom et Claire s'amusaient beaucoup de leur consternation quand ils devaient retourner à ce bon vieil autobus scolaire qu'ils avaient si longtemps utilisé.

L'entrée principale n'était pas verrouillée. Les portes se refermèrent derrière Tom avec leur claquement familier. L'odeur de peinture flottait toujours dans l'air, lui rappelant qu'il avait accordé peu d'attention aux problèmes scolaires, alors que l'année allait débuter mardi prochain. Quelque part dans l'édifice, les employés d'entretien – que Tom bénit intérieurement – peignaient encore les murs. Ils poursuivraient leur travail sans se plaindre jusqu'à vingt-trois heures ou minuit chaque jour et ce, jusqu'à la fête du Travail. L'un d'eux sifflait *You Light Up My Life*, que l'écho des corridors renvoyait au hasard. Curieusement, l'air eut un effet calmant sur le directeur.

Tom prit son trousseau de clés et ouvrit les portes de verre donnant sur le bureau de la direction. À l'intérieur, tout était merveilleusement silencieux. Les secrétaires avaient disparu, les téléphones se tenaient cois, toutes les lumières étaient éteintes, sauf une, dans un coin. Les murs étaient immaculés et beaucoup des boîtes étaient parties. Quelqu'un avait même passé l'aspirateur sur la moquette bleue.

Dans son bureau, il alluma le plafonnier, posa la carte

d'inscription de Kent Arens près du téléphone et appela l'entraîneur de l'équipe de football.

— Ouais, Gorman à l'appareil.

— Bob, ici Tom Gardner. Dites-moi, que pensez-vous du nouveau ?

— Ce que j'en pense ? s'exclama l'entraîneur en faisant grincer son fauteuil inclinable. Après l'avoir rencontré, j'ai commencé à me demander ce qui clochait chez mes propres gosses.

— Vous lui avez parlé ?

— Certainement, et laissez-moi vous dire que ce petit a une tête sur les épaules. Je souhaitais presque l'entendre dire une bêtise, juste pour m'assurer qu'il était réel.

— Joue-t-il bien ?

— S'il joue bien ? Et comment, qu'il joue bien !

— Alors, vous l'intégrez dans l'équipe ?

— Non seulement je l'intègre, mais je m'attends à ce qu'il soit l'élément qui fasse toute la différence, cette année. Il comprend tout de suite les instructions ; il sait comment tenir le ballon et éviter les bloqueurs ; il possède un véritable esprit d'équipe et en plus, il est en excellente forme. Je suis bien content que vous ayez eu la bonne idée de me l'amener.

— Voilà une excellente nouvelle. Un garçon de cette trempe, prêt à tous les efforts pour se rendre au collège et doué de matière grise, ça donne une bonne image de tout le système scolaire. Je vous suis reconnaissant de l'avoir pris. Merci.

Après avoir raccroché, Tom resta assis derrière son bureau à songer à ce qui arriverait durant l'année scolaire. Quelles transformations connaîtrait sa vie à cause de ce qu'il avait appris aujourd'hui ?

Il avait un autre fils, un grand garçon de dix-sept ans, intelligent, athlétique, poli, apparemment heureux. Quelle découverte à faire en pleine quarantaine !

Le téléphone sonna et Tom sursauta comme si son interlocuteur pouvait lire dans ses pensées. C'était Claire.

— Bonjour, Tom. Viens-tu dîner ?

— Oui, répondit-il en s'efforçant de paraître gai. Je me mets en route à l'instant. Robby est-il rentré avec toi?

— Non, il est revenu avec Jeff.

Jeff Morehouse était le meilleur ami de Robby, de même que l'un de ses coéquipiers au football.

— Bien. Je lui avais dit que je ne serais pas là après son entraînement, mais en fin de compte, pour toutes sortes de raisons, j'ai quand même dû revenir ici. À tout à l'heure.

En sortant, Tom laissa la carte verte de Kent Arens sur le bureau de Dora Mae pour qu'elle la classe.

Tom et Claire Gardner vivaient encore dans la même maison de style colonial qu'ils avaient achetée quand leurs enfants avaient eu trois et quatre ans. Les arbres avaient beaucoup poussé depuis ce temps, et quand des étudiants de douzième avaient malicieusement décidé de les décorer de papier de toilette, l'opération de nettoyage qui avait suivi avait été horriblement longue. Aujourd'hui, la cour prenait de jolies teintes de vert, et les impatientes de Claire resplendissaient dans leurs bacs en bois, de chaque côté du perron.

L'auto de Claire était dans le garage et celle des enfants (une vieille Nova argent dévorée par la rouille) se trouvait juste derrière. Tom gara son véhicule à sa place habituelle, à gauche, et gagna la porte arrière.

Il mit la main sur la poignée mais hésita un moment à la tourner. Les siens ignoraient encore tout ce que lui savait : il avait un fils illégitime, ses enfants avaient un demi-frère.

Dix-huit ans auparavant, une semaine avant son mariage, il avait trompé sa future femme.

Qu'arriverait-il à cette famille heureuse, unie, si jamais elle apprenait la vérité?

Tom entra et se rendit à la cuisine. Devant la scène familière qui s'offrait à lui, une bouffée d'affection l'envahit. Sa femme et ses enfants attendaient que la famille soit réunie pour commencer à dîner.

Chelsea était en train de mettre la table. Robby avait ouvert la porte du réfrigérateur et mangeait une saucisse de Francfort. Claire préparait des hamburgers.

— Sors les cornichons, veux-tu, Chels? Robby, laisse ces saucisses tranquilles! Nous allons bientôt manger. Oh, bonjour chéri, lança-t-elle à Tom en continuant de s'affairer.

Tom s'arrêta derrière son épouse, entoura sa taille d'un de ses bras et l'embrassa dans le cou. Sa peau était tiède et sentait les oignons, le parfum et la poussière de livres tout à la fois. Claire s'immobilisa, une cuillère dans une main et un pain dans l'autre, en se tordant le cou pour le voir.

— Seigneur, dit-elle en lui adressant un petit sourire, deux fois dans la même journée?

— Qu'est-ce que c'est censé signifier? demanda Robby pendant que Tom embrassait longuement sa femme sur la bouche.

— Je les ai surpris en train de se rouler une pelle en classe, ce matin. Et je te jure qu'ils y mettaient du cœur. Devine quoi... Ils s'en vont pour le week-end et nous confient à grand-père.

— À grand-père!

— Assoyez-vous, tous les deux, ordonna Claire en échappant aux bras de son mari pour poser un plat de hamburgers chauds sur la table. Votre père a proposé que nous nous octroyions un petit répit avant d'être trop occupés. Ça ne vous fait rien, j'espère?

— Pourquoi ne pouvons-nous pas rester seuls? demanda Robby.

— Parce que nous avons une règle à ce sujet. Tom, prendrais-tu les carottes et les bâtonnets de céleri dans le réfrigérateur?

Lorsqu'ils se furent tous attablés, ils commencèrent à se servir. Robby mit trois hamburgers dans son assiette avant de passer le plat à sa sœur.

— Quel goinfre! s'exclama cette dernière.

— Dis donc, tu ne t'es pas décarcassée tout l'après-midi sur le terrain de football, toi!

— Non, je me suis décarcassée chez Erin. Nous avons répété nos mouvements de meneuses de claque.

— La belle affaire, répliqua-t-il dédaigneusement.

— Oh, monsieur n'est pas à prendre avec des pincettes, aujour-d'hui.

— Laisse-moi tranquille, tu veux ? J'ai peut-être mes raisons.

— Ah oui ? Comme quoi ?

— Papa est au courant, pas vrai, papa ? Ce nouveau arrive, se pointe à l'entraînement uniquement après que la première semaine est passée, alors qu'on s'est tous défoncés par une chaleur de vingt-cinq degrés à l'ombre, il donne du « oui monsieur, non monsieur » à l'entraîneur avec son accent bidon du Sud et le voilà dans l'équipe.

— Et qu'est-ce qui t'irrite là-dedans, Robby ? demanda Tom en échangeant un regard avec sa femme.

— Écoute, l'entraîneur le fait jouer comme demi !

— Y a-t-il une raison pour qu'il ne le fasse pas ?

Robby regarda son père comme s'il n'en croyait pas ses oreilles.

— Et comment : *c'est le poste de Jeff !*

— Dans ce cas, Jeff devra mieux jouer qu'Arens, n'est-ce pas ? dit Tom en prenant un hamburger.

— Voyons, papa ! Jeff fait partie de l'équipe depuis sa dixième année !

— Et ça lui donne le droit de jouer comme demi, même si un autre est meilleur ?

— Ben ça alors, j'arrive pas à le croire, fit Robby en levant les yeux au ciel.

— J'ignore ce qui te prend, Robby. Pour toi, l'équipe a tou-jours passé avant tout. Si le nouveau est bon, c'est toute l'équipe qui en bénéficie, tu le sais bien.

Robby cessa de mastiquer et regarda fixement son père. De la sauce barbecue traînait aux commissures de sa bouche. Ses joues glabres devinrent un peu plus roses tandis que les yeux de Chelsea passaient de son frère à son père. La jeune fille prit son verre de lait, en but une gorgée et demanda :

— D'abord, qui est ce nouveau ?

— Il s'appelle Kent Arens, expliqua Tom en posant son ham-burger. Il nous arrive d'Austin.

— Est-ce qu'il est mignon ? demanda Chelsea.

Le cœur de Tom se mit à battre un peu plus vite et le sang lui monta aux joues tandis qu'il cherchait une réponse honnête. Depuis le début de la conversation, Claire observait les interlocuteurs sans rien dire.

— Oui, je pense, dit enfin Tom après un temps.

— Bon Dieu, dit Robby en reposant son verre de lait d'un air franchement dégoûté. J'espère que tu n'attends pas de moi que je le trimbale partout où j'irai avec mes amis, papa ?

— Pas du tout. J'attends simplement de toi que tu sois poli envers lui, et que tu le traites exactement comme tu traiterais n'importe quel nouveau.

D'un air qui en disait long sur ses sentiments, Robby s'essuya la bouche avec sa serviette de papier, et se leva avec son assiette et son verre vides.

— Tu sais, parfois j'en ai vraiment marre d'être le fils du directeur.

Après avoir rincé son assiette et son verre, il déguerpit.

— Tom, que se passe-t-il ? demanda Claire une fois que leur fils eut quitté la pièce.

— Rien. J'ai présenté un nouveau à Bob Gorman et j'ai demandé à Robby de lui faire connaître ses amis, c'est tout. Apparemment, une petite dose de jalousie est venue brouiller les cartes.

— Ça ne ressemble pas du tout à Robby.

— Je sais, mais Jeff Morehouse a toujours été la vedette de la deuxième ligne, et tu sais qui lui remet toujours le ballon ? Le nouveau, je crois, pourrait représenter une menace pour Jeff. C'est naturel que Robby lui en veuille si le nouveau parvient à supplanter son meilleur ami.

— Ce pourrait être bon pour Robby. Il pourrait en tirer une leçon.

— Je le crois aussi. Écoute, à propos du week-end... Je m'occupe d'appeler papa et tu trouves un bel endroit, où tu désires vraiment aller. Ça te va ?

— J'ai pensé demander à Ruth, dit Claire alors qu'ils se dirigeaient tous deux vers l'évier. Dean et elle sont souvent allés dans des auberges.

— Bonne idée.

Ils rincèrent leurs assiettes et Claire les plaça dans le lave-vaisselle. En la voyant penchée devant lui, Tom se sentit à nouveau gagné par la panique. Rien n'avait menacé son mariage auparavant, mais voilà qu'un nuage sombre planait au-dessus d'eux, et ça le terrifiait.

— Claire ? dit-il pendant qu'elle se redressait.

— Hm ?

Elle essayait de faire trois choses en même temps : prendre le torchon à vaisselle, ouvrir le robinet d'eau chaude et rincer l'évier. Tom posa une main dans le cou de sa femme. Sous son toucher, Claire s'immobilisa et se tourna pour le regarder en laissant traîner ses mains mouillées sur le bord de l'évier. Tom voulait lui dire « Je t'aime », mais il était poussé à le faire par la peur et son motif lui parut peu honorable. Il désirait l'embrasser passionnément, se rattraper pour toutes les fois où il l'avait peut-être négligée, exprimer de façon indélébile qu'elle était sa femme, qu'il l'aimait et l'aimerait toujours.

Mais Chelsea se levait à son tour et s'approchait du comptoir avec son assiette.

— Qu'y a-t-il, Tom ? murmura Claire en fouillant son regard troublé.

Il approcha ses lèvres de son oreille et murmura des mots qui étaient loin d'exprimer sa véritable pensée :

— Prévois quelque chose de sexy pour mettre samedi soir, d'accord ?

Quand Tom quitta la pièce, Claire le suivit des yeux en faisant un sourire qui s'effaça rapidement, car une voix inquiète venue des profondeurs de son être murmurait : *Qu'est-ce qui ne va pas, Tom ? Qu'est-ce qui ne va pas ?*

Trois

La porte de Ruth Bishop n'était pas fermée quand Claire traversa la pelouse pour se rendre chez sa voisine.

— Ruth ? Ruth, es-tu là ? appela-t-elle en frappant sur la moustiquaire.

Après quelques secondes, elle s'avança un peu et appela de nouveau. Ni voix ni bruit de vaisselle. Aucun signe de repas. La double porte de garage était ouverte et la voiture de Ruth était bien là, mais la place de celle de Dean, son mari, était vide.

— Ruth ? lança Claire en frappant de nouveau.

Enfin sa voisine parut. Elle venait de la gauche, là où se trouvaient les chambres, et vint ouvrir la porte d'un air apathique. Elle semblait en proie à un profond découragement. Des mèches de sa longue chevelure brune, toujours rebelle, pendaient lamentablement. Ses yeux rougis étaient soulignés par un cerne sombre.

— Bonjour, Claire, fit-elle d'une voix plus rauque qu'à l'ordinaire.

— Que se passe-t-il ? demanda Claire.

— Je n'en suis pas sûre.

— Mais tu as pleuré ?

— Entre.

Claire suivit son amie jusqu'à la cuisine.

— As-tu le temps de bavarder un peu ? demanda Ruth.

— Bien sûr. Dis-moi ce qui ne va pas.

Ruth sortit deux verres et les remplit de cubes de glace et de boisson gazeuse sans demander à Claire ce qu'elle voulait prendre.

Les épaules voûtées, elle apporta les verres à table et s'affala sur une chaise.

— Je pense que Dean a une aventure.

— Oh, Ruth. Non, dit doucement Claire en posant sa main sur celle de son amie.

La porte-fenêtre était ouverte et Ruth gardait son regard tristement fixé sur la terrasse de bois construite autour d'un érable à maturité. Ses yeux bleus s'emplirent de larmes et elle se passa les doigts dans ses cheveux emmêlés. En reniflant, elle baissa la tête vers son verre.

— Il se passe quelque chose. Je le sens. Cela a commencé juste après ce voyage que j'ai fait avec Sarah, pour aller voir ma mère.

Ruth et sa sœur, Sarah, s'étaient rendues à Phoenix passer une semaine avec leurs parents, qui s'achetaient une maison à Sun City.

— Qu'est-ce qui a commencé?

— De petites choses... des changements à sa routine, de nouveaux vêtements, une nouvelle lotion après-rasage, même. Parfois, quand j'arrivais dans la chambre, je le surprenais au téléphone avec quelqu'un et il raccrochait immédiatement. Quand je lui demandais à qui il parlait, il répondait seulement que c'était quelqu'un du bureau. Au début, je n'en ai pas fait grand cas, mais la semaine dernière, à deux reprises, on m'a raccroché au nez quand j'ai voulu répondre au téléphone. Je sais qu'il y avait quelqu'un, car chaque fois, je pouvais entendre de la musique en sourdine. Hier soir, il a dit qu'il allait en vitesse jusqu'au magasin du coin pour faire remplacer la pile de sa montre. Quand il est revenu, une heure et demie plus tard, j'ai vérifié le compteur de sa voiture. Il indiquait trente kilomètres de plus.

— Mais lui as-tu demandé ce qu'il avait fait?

— Non.

— Ne crois-tu pas que tu devrais le faire avant de sauter aux conclusions?

— Je ne saute pas aux conclusions. Ce n'est pas arrivé subitement. Tout l'été, les choses ont été ainsi. Il est différent.

— Voyons, Ruth. Il ne s'agit que de conjectures. Tu devrais plutôt lui demander où il était, tout simplement.

— Et s'il était effectivement chez quelqu'un d'autre ?

Claire, qui n'avait jamais douté de son époux en dix-huit ans de mariage, sentit beaucoup de commisération pour son amie.

— Tu ne veux pas vraiment le savoir, est-ce bien cela ?

— Que ferais-tu à ma place ?

Effectivement, que ferait-elle ? La question la fit réfléchir, car Ruth et Dean étaient mariés depuis plus longtemps qu'elle et Tom. Ses voisins avaient deux enfants qui étudiaient au collège et une maison presque entièrement payée. La retraite approchait et leur union, pour autant que Claire le sût, était sans nuage. La simple pensée qu'un mariage aussi stable pût commencer à craquer ébranla Claire. Elle pouvait imaginer à quel point Ruth devait être terrifiée, à quel point elle devait être tentée de ne pas pousser plus avant son enquête. Pourtant, Claire travaillait dans un milieu qui insistait sur la franchise et la communication comme moyens de résoudre les problèmes.

— Je crois que je voudrais savoir, répondit-elle. Je voudrais savoir afin de remédier à ce qui ne va pas.

— Bien sûr que non. Tu dis ça parce que ce n'est pas à toi que ça arrive. Mais attends un peu que ça te tombe dessus et tu changeras d'avis. Tu espéreras que ton mari va retrouver son bon sens et rompre avec elle avant que la nouvelle ne se répande.

— Mais alors, que comptes-tu faire ? demanda Claire, surprise par la rebuffade. Jouer celle qui ignore tout et garder le silence ?

— Oh, mon Dieu, Claire, je n'en sais rien, dit Ruth en baissant la tête tout en plongeant ses doigts dans sa chevelure désordonnée. Il se teint les cheveux, maintenant, te rends-tu compte ? Il se teint les cheveux et nous en avons tous bien ri. Mais qui l'a poussé à agir ainsi ? Je me moquais bien de le voir grisonner, et je le lui ai dit. N'est-ce pas suspect de sa part ?

Ça l'était, mais Claire se dit qu'acquiescer ne ferait que déprimer son amie davantage.

— Je pense que l'année qui vient de s'écouler a dû être exigeante pour vous, avec le départ de Chad pour le collège. La maison vide, la quarantaine qui avance... Ce doit être une transition difficile à vivre.

— Mais la plupart des hommes y arrivent sans prendre de maîtresses.

— Voyons, Ruth, ne dis pas ça. Tu sais que ce n'est pas vrai.

— Un soir de la semaine dernière, il n'est pas rentré dîner.

— Et alors ? Si j'avais accusé Tom de me tromper chaque fois qu'il n'est pas venu dîner, notre mariage se serait écroulé depuis longtemps.

— Ce n'est pas la même chose. Son travail le retient à l'école. C'est une raison légitime, et tu le sais.

— Mais je dois quand même lui faire beaucoup confiance, non ?

— Je ne peux plus faire confiance à Dean. Trop de détails sont venus s'ajouter.

— En as-tu parlé à quelqu'un d'autre ? À Sarah ?

— Non. Seulement à toi. Je ne veux pas que ma famille sache quoi que ce soit. Tu sais comme les enfants aiment Dean.

— J'ai une suggestion.

— Laquelle ?

— Prépare un week-end à l'extérieur, dans un endroit romantique où vous serez seuls. Vous pourrez alors songer à... à renouveler votre union.

— Nous le faisions souvent, autrefois, mais maintenant, c'est terminé.

— Parce que c'est toujours lui qui te faisait la surprise. Peut-être s'est-il lassé. Maintenant, c'est à ton tour de le surprendre.

— Alors, tu me blâmes de...

— Non, pas du tout ! Tout ce que je veux dire, c'est qu'il faut y mettre un peu de cœur. Plus un mariage dure depuis longtemps, plus il nécessite d'efforts. Le même visage matin après matin sur l'oreiller d'à côté, le même vieux corps qui commence à s'affaisser ici et là, la même vieille routine lorsqu'on fait l'amour – quand on le fait encore... Comment vont les choses, de ce côté-là ?

— Mal, surtout depuis que les enfants sont partis.

— Tu vois ?

— Ce n'est pas moi. C'est lui.

— En es-tu sûre ? demanda Claire en levant la main quand Ruth se mit à protester. Réfléchis bien, c'est tout ce que je veux dire, et pour l'amour du ciel, parle-lui. Où est-il en ce moment ?

— Il s'est inscrit à un club de santé... voilà autre chose ! Tout d'un coup il parle de se mettre en forme et fréquente cet endroit. Maintenant, il va y passer plusieurs soirées par semaine. C'est du moins ce qu'il dit.

— Pourquoi n'y vas-tu pas avec lui ?

— Je ne veux pas. Je suis fatiguée quand je reviens du travail. Je n'ai pas envie de me rendre dans un de ces satanés gymnases et de marcher sur un tapis roulant pendant des heures après une journée passée debout.

Bien qu'elles fussent de bonnes amies, Claire était loin d'occulter les défauts de Ruth. Sa voisine était têtue et refusait souvent d'accepter la vérité, même lorsqu'on la lui mettait sous les yeux. Comme épouse, elle avait tendance à être un peu trop satisfaite d'elle-même et à ne pas tenir suffisamment compte de son mari. Les nombreuses fois où elle aurait dû écouter, comme maintenant, elle préférait rouspéter.

— Ruth, écoute-moi. Tu dois chercher à travailler avec Dean, et non contre lui. Sois auprès de lui le plus souvent possible et – qui sait ? Faire de l'exercice avec lui pourrait apporter une vigueur nouvelle à votre union, sans compter les avantages évidents pour ta santé.

— Oh, je ne sais pas... fit Ruth, encore plus abattue.

— Réfléchis, dit Claire en se levant. Qui sait ? poursuivit-elle après qu'elles se fussent embrassées devant la porte, peut-être te trompes-tu totalement à propos de Dean. Il t'aime, tu le sais.

En fin de compte, Claire n'eut pas l'égoïsme de parler du sujet qui l'avait amenée chez son amie. Comment lui demander de recommander un endroit romantique quand son mariage allait à vau-l'eau ? Elle décida plutôt d'appeler une collègue.

Tom s'était absenté quand elle revint. Il avait dû retourner à l'école après un coup de fil du personnel d'entretien, qui croyait avoir résolu le mystère des manuels d'anglais manquants.

Peu après vingt-deux heures, alors que Claire se préparait à prendre sa douche, Tom entra dans la chambre, ferma la porte, s'appuya contre elle et resta sans bouger, à regarder sa femme.

— Bonsoir... tu es revenu, dit-elle sans même se retourner. As-tu retrouvé tes livres ?

— Non. Apparemment, on les a jetés juste après leur livraison à l'entrepôt.

— Oh non, Tom. Que vas-tu faire ?

Comme aucune réponse ne venait, elle s'arrêta, les pouces passés derrière la bande élastique de son pantalon fuseau, et tourna la tête dans sa direction. Il restait immobile, appuyé contre la porte.

— Que vas-tu faire ? demanda-t-elle plus doucement.

— Nous utiliserons ceux de l'année passée, répondit-il comme si le sujet ne l'intéressait plus.

Elle soutint son regard et sentit, même à l'autre bout de la pièce, un appel venant de lui.

— Quoi ? demanda-t-elle tandis qu'un sourire se formait sur ses lèvres. Tu me regardes comme ça depuis que tu es rentré du travail, tantôt.

— De quelle façon je te regarde ?

— De la même façon que lorsque nous sortions ensemble.

Tom sourit, s'éloigna de la porte et rentra le ventre pour sortir les pans de sa chemise de son pantalon.

— Tu vas prendre une douche ? demanda-t-il juste avant que sa tête disparaisse dans l'encolure de son chandail.

— J'en ai besoin, dit-elle en continuant de se déshabiller. Il faisait si chaud dans ma classe, aujourd'hui, et puis je déteste déballer. C'est si salissant.

Tom lança sa chemise dans un coin et défit sa ceinture tout en regardant sa femme se pencher, complètement nue, pour rassembler ses vêtements sales dans ses bras et se diriger vers le panier d'osier dans la salle de bains. Il la suivit en continuant de se dévêtir. Derrière la porte ouverte, il vit une de ses jambes tendue en arrière, tandis qu'elle réglait le débit de la douche.

Claire laissa l'eau couler une trentaine de secondes et entra dans la baignoire en fermant la porte coulissante. Tom l'observa à travers le verre dépoli. Sa silhouette n'était plus qu'une ombre pastel qui levait le visage, les bras, et tournait lentement sur elle-même en passant les mains sur sa poitrine, comme si elle vouait un culte à l'eau.

Il finit de se dévêtir et la rejoignit.

— Tiens... bonjour monsieur, dit-elle d'un ton goguenard, interprétant correctement son attitude avec une rapidité qu'il aimait.

— Bonjour mademoiselle, dit-il en regardant l'eau se diviser en deux autour de leurs estomacs réunis. Ne vous ai-je pas déjà vue quelque part ?

— Mmmh... Ce matin, à l'école Hubert H. Humphrey, au deux cent trente-deux ?

— Ah oui, c'était bien là.

— Puis, ensuite, devant l'évier de la cuisine, vers dix-huit heures trente.

— Oh, alors c'était vous aussi ? dit-il en frottant son bassin contre le sien dans un mouvement circulaire.

— Bien sûr... la demoiselle à qui vous avez volé un baiser dans des endroits très étranges, aujourd'hui.

— Étranges ?

— Dans *un* endroit très étrange, alors. Allumer une demoiselle en pleine classe, au beau milieu d'une journée de travail, c'est franchement inhabituel pour quelqu'un d'aussi responsable que vous.

— Je me préparais pour le week-end, tout simplement.

Les yeux fermés sous le jet d'eau, il chercha la savonnette à tâtons et commença à lui frotter le dos et les fesses. Claire resta sans bouger en émettant un grognement de plaisir.

Tom lui savonna les seins et l'entraîna dans un baiser qui devint aussi glissant que l'étaient leurs corps mouillés. À la fin, il caressa son pubis, comme il l'avait déjà fait des centaines de fois auparavant, jusqu'à connaître ses préférences les plus secrètes.

— As-tu trouvé un endroit pour le week-end ? murmura-t-il.

— Oui. As-tu appelé ton père ?

— Oui. Il viendra.

Il repoussa ses cheveux mouillés et lui mordilla le bout du nez, la lèvre supérieure, puis la lèvre inférieure. En tenant son cou luisant d'une main, il l'embrassa comme s'il léchait un pot de miel vide, tandis que l'eau chaude continuait de couler sur eux en rougissant légèrement leur peau.

— Et où allons-nous ? demanda-t-il sans quitter sa bouche.

— J'ai téléphoné à Linda Wanamaker, qui m'a parlé d'une auberge près de Duluth. Cela ne te fait rien d'aller jusqu'à Duluth ?

— Tu veux rire ? Je serais prêt à nager jusqu'à Hawaï si tu me le demandais.

Ils rirent ensemble d'un rire qu'ils connaissaient bien pour l'avoir fait retentir si souvent durant des moments semblables à celui-ci. Un rire qui les unissait bien avant qu'ils ne retournent dans la chambre.

— Sortons d'ici et séchons-nous, fit-il.

Pendant qu'ils se tenaient à un mètre l'un de l'autre, se frottant le dos, le ventre, les jambes et les orteils avec la serviette, leurs regards se croisèrent et se séparèrent pour se rencontrer de nouveau. Ils rirent encore à l'unisson, impatients durant ce stade ludique qui précédait l'amour et qui leur disait clairement : *ce soir, ce sera bon.*

Leurs attentes, tant sexuelles qu'émotionnelles, ne furent pas déçues. Dès le début de leur mariage, ils n'avaient épargné aucun effort pour apprendre comment arriver à une telle satisfaction. Ils en avaient discuté, avaient lu sur le sujet, et si, parfois, certains échecs s'étaient produits, ils avaient persévéré. Mais ils en étaient maintenant à un point où ils savaient qu'aucune de leurs rencontres sexuelles ne serait jamais aussi satisfaisante que celle qu'ils venaient de vivre.

— C'était vraiment de la dynamite, ce soir, soupira Claire en se tournant sur le dos, les yeux fermés.

— Je m'en suis bien rendu compte. Les enfants aussi, probablement.

— Je n'ai pas fait tant de bruit, tout de même ! dit-elle en ouvrant grand les yeux.

— Seulement avant que je te plaque l'oreiller sur la bouche.

Ils rirent de nouveau et elle se blottit contre lui.

— Tu n'étais pas très discret, toi-même.

— Je sais, fit Tom, mais au moins j'ai essayé de me synchroniser avec le bruit de l'appareil stéréo de Robby.

À travers le mur, ils pouvaient entendre les faibles pulsations d'une station de musique rock que Robby écoutait chaque soir avant de se coucher. Claire soupira et caressa la poitrine de son mari.

— T'arrive-t-il de songer comme ce sera merveilleux quand les enfants seront partis et que nous aurons la maison pour nous tout seuls ?

— Oui... Merveilleux et désolant.

— Je sais.

Ils se turent en pensant à quel point ce temps approchait rapidement.

— Deux ans, fit-elle d'un ton mélancolique. Moins de deux ans. Mais nous serons encore là l'un pour l'autre. Tout le monde n'a pas cette chance.

— Oh ? fit-il en levant la tête pour la regarder, pressentant que quelque chose troublait sa femme.

— Ruth pense que son mari la trompe.

— Ah oui ?

— Elle rassemble ses preuves. Rien de bien précis, mais elle est persuadée d'avoir raison.

— Cela ne me surprendrait pas si c'était le cas.

— Non ?

— Dean et moi sommes d'assez bons amis, tu sais. Il ne m'a jamais rien dit de précis, mais j'ai cru comprendre que son intérêt envers sa femme a diminué quand leurs enfants sont partis pour le collège.

On frappa à la porte et Tom remonta précipitamment les couvertures, sans toutefois cesser d'enlacer sa femme.

— Entrez ! lança-t-il en direction de la porte.

— Salut, dit Chelsea en passant la tête dans l'entrebâillement. Oh... euh... désolée de vous déranger.

— Non, ça va, dit Tom en se redressant contre les oreillers. Entre, chérie.

— Je voulais juste vous dire que Mme Berlatsky vient d'appeler. On manque d'anciens pour servir de guides aux nouveaux élèves, demain, alors elle m'a recrutée. L'ennui, c'est qu'elle a oublié de préciser l'heure.

— Onze heures trente, à la bibliothèque.

— Vu. Bon, eh bien... bonne nuit.

— Eh, Chels... dit son père comme elle se retirait. Merci de nous donner un coup de main, chérie.

— De rien. Bonne nuit, papa. Bonne nuit, maman.

— Bonne nuit, répondirent-ils à l'unisson, avant d'échanger un long regard approbateur.

— Une brave petite, hein ? fit Tom.

— Tout à fait. Nous n'avons élevé que de bons enfants.

Dans sa chambre, Chelsea retira les bandes élastiques qui retenaient ses tresses et se brossa les cheveux. Une fois couchée dans l'obscurité, elle se prit à sourire en pensant à ses parents. Ils le faisaient encore, elle en était passablement sûre. Jamais elle n'avait osé leur en parler, mais ce n'était pas nécessaire. Il était interdit d'entrer dans leur chambre sans frapper depuis qu'elle était en première année. Ce soir, les épaules de sa mère étaient nues et ils étaient blottis l'un contre l'autre comme si *quelque chose* s'était passé.

Elle se mit à réfléchir au geste même. Comment s'y prenait-on, au juste ? Les gens mariés faisaient-ils cela souvent, et comment faisaient-ils pour savoir quand le moment était propice ? Est-ce qu'ils en parlaient, tout bonnement, ou le faisaient-ils automatiquement les jours où ils avaient flirté, comme l'avaient fait ses parents aujourd'hui ? Chelsea savait qu'ils prenaient parfois leur douche ensemble, car elle les avait déjà surpris, quand elle avait treize ans. Mais elle avait eu tellement peur de se faire surprendre elle-même, devant les vitres embuées, qu'elle s'était sauvée avant d'être découverte.

L'amour, cette force irrésistible... Elle y pensait de plus en plus souvent, surtout depuis que sa meilleure amie, Erin, lui avait confié que Rick et elle s'étaient rendus jusqu'au bout, cet été. Mais Chelsea n'avait jamais été avec quelqu'un aussi longtemps qu'Erin avec Rick. Oh, certains garçons lui avaient plu et elle avait bien flirté avec quelques-uns, mais jamais elle n'avait connu de liens assez forts pour songer à faire *le grand truc* (comme Chelsea et son amie l'appelaient depuis des années).

Étendue dans l'obscurité de cette belle nuit du mois d'août, non loin de ses parents et de son frère, dont on n'entendait plus la musique, une nouvelle paire de chaussures de tennis sous son lit et une superbe année scolaire devant elle, Chelsea Gardner espéra que jamais un garçon ne lui ferait perdre la tête alors qu'elle était encore au secondaire. Elle voulait d'abord aller au collège, faire carrière, et ensuite se marier, comme son père et sa mère. Elle voulait un mariage où son mari et elle seraient tout l'un pour l'autre et s'aimeraient encore après des années. Elle rêvait d'une maison et d'une famille comme la sienne, où tout le monde s'aimait et se respectait. La meilleure façon de perdre tout cela était de s'enticher d'un garçon et de se retrouver enceinte.

Elle pouvait attendre. Elle attendrait.

Entre-temps, elle pouvait remercier le ciel de dormir paisiblement sous un toit qu'elle partageait avec la meilleure famille du monde.

Le matin suivant, Tom s'aperçut qu'il n'arrêtait pas de songer à Kent Arens. En se rasant, en appliquant sa lotion après-rasage, en se peignant, il se surprit à étudier ses traits dans le miroir en songeant à quel point Kent lui ressemblait. À chaque instant, son cœur se serrait et le sang lui montait aux joues, à la fois par appréhension et par exaltation. Il avait un autre enfant, un troisième, différent des deux autres, qui mettrait en œuvre un autre ensemble de gènes au cours de sa vie, qui atteindrait d'autres buts, verrait d'autres horizons et lui donnerait peut-être, un jour, des petits-enfants. Le fait que Kent ne connaissait pas son père ajoutait à l'anxiété que Tom éprouvait à son sujet. Cela lui semblait à la fois touchant et alarmant, car ainsi surgissait une terrible inconnue dans sa vie.

Vers onze heures trente, l'heure où les nouveaux élèves se réunissaient à la bibliothèque, Tom arriva dans un tel état de nervosité que son cœur se mit à battre plus vite. Entrer dans une pièce et jeter les yeux sur un jeune homme de dix-sept ans, en sachant indiscutablement qu'il est votre fils...

Fais attention, Tom. Ne va pas directement à lui. Ne l'étudie pas trop. Ne fais pas preuve de favoritisme envers lui. Il y a d'autres membres du personnel dans la salle.

En effet, plusieurs professeurs étaient déjà assemblés à l'entrée et accueillaient les élèves. La bibliothécaire, Mme Haff, était là, de même que la directrice adjointe, Noreen Altman, les trois orienteurs, dont Joan Berlatsky, et une demi-douzaine d'entraîneurs. Quelques-uns des anciens devant servir de guides étaient également à la porte. Tom salua tout le monde, mais son attention fut immédiatement attirée par Kent Arens.

Il le trouva facilement. Le jeune homme dépassait presque tout le monde d'une demi-tête. Il feuilletait un livre qu'il avait pris sur un rayon. Ses épaules étaient d'une largeur impressionnante sous sa chemise bleue à carreaux soigneusement repassée.

Mon fils, se dit Tom, dont le cœur se mit à battre la chamade. *Mon Dieu, ce garçon est mon fils!* Combien de temps devrait s'écouler avant qu'il puisse le regarder sans éprouver ces réactions physiques incontrôlables? *Mon fils, dont la vie m'a filé entre les doigts jusqu'à maintenant.*

Kent leva les yeux, s'aperçut qu'il était observé et sourit. Tom lui rendit son sourire et s'approcha tandis que le jeune homme replaçait son livre sur le rayon.

— Bonjour, M. Gardner, dit-il en tendant la main.

— Bonjour, Kent. Comment s'est déroulée votre rencontre avec M. Gorman?

Il est déjà si mûr, pensa le directeur en s'émerveillant des bonnes manières du jeune homme. Une véritable fierté s'empara de Tom quand il lui serra la main. Si l'amour paternel existait vraiment, il l'éprouvait dans toute sa plénitude à ce moment précis.

Leur poignée de main fut brève.

— J'occupe le poste de demi au sein de l'équipe.

— Bravo! Je suis bien content de l'apprendre.

— Merci beaucoup de m'avoir présenté à l'entraîneur. Cela m'a été d'une aide précieuse.

Tandis qu'ils parlaient, Chelsea Gardner entra dans la salle et salua les membres du personnel.

— Bonjour Chelsea, dit Mme Berlatsky. Merci beaucoup de venir nous prêter main-forte.

— Oh, ce n'est rien.

— Il y a des biscuits, des jus et des boissons gazeuses. Servez-vous.

— Merci, madame Berlatsky.

Chelsea se dirigea vers la table des rafraîchissements. Dans sa courte jupe blanche et son débardeur rose vif, elle avait l'air d'une joueuse de tennis, dont elle possédait d'ailleurs l'agilité. Sa peau était bronzée, son maquillage simple et ses ongles n'étaient pas vernis. Ses cheveux tombant aux épaules avaient été ramenés vers le haut et tenaient en place grâce à des peignes. En ouvrant une cannette d'orangeade froide, elle jeta un regard circulaire à l'assemblée. Elle venait de prendre une gorgée lorsqu'elle aperçut son père en train de bavarder avec un grand élève aux cheveux bruns qu'elle n'avait jamais vu auparavant.

Ouaouh! se dit-elle en se dirigeant immédiatement vers eux.

— Salut, papa, lança-t-elle avec un grand sourire.

Tom se tourna vers elle en dissimulant immédiatement son angoisse. Quand elle lui avait annoncé, la veille, qu'elle allait être ici ce matin, il n'avait pu trouver aucune excuse logique pour lui demander de ne pas venir. D'ailleurs, son insistance n'aurait servi à rien : il ne pouvait l'empêcher indéfiniment de rencontrer Kent Arens.

— Bonjour, chérie, répondit-il en passant un bras autour de ses épaules. Voici ma fille, Chelsea, qui est en onzième année. Chelsea, je te présente Kent Arens, poursuivit-il en remarquant d'emblée qu'elle n'avait d'yeux que pour le jeune homme et lui adressait déjà un grand sourire épanoui.

— Salut, fit Chelsea en tendant la main.

— Salut, répondit Kent en souriant à son tour.

— Kent vient d'Austin, au Texas, dit Tom.

— Oh, vous êtes celui dont parlait mon père à table, hier soir.

— Vraiment? fit Kent, étonné d'avoir été un objet de conversation chez son directeur d'école.

— Nous parlons beaucoup de l'école à table, expliqua Tom.

Vous comprenez... comme nous passons tous les quatre la journée ici...

— Tous les quatre?

— Ma femme enseigne l'anglais.

— Oh, bien sûr... Mme Gardner. Elle va m'enseigner, dit Kent.

— Tu suis donc le cours spécialisé, intervint Chelsea.

La conversation fut interrompue par Mme Berlatsky, qui prit la parole au microphone.

— Bonjour tout le monde! Si vous voulez bien prendre des biscuits et une boisson gazeuse, nous allons commencer.

— Je ferais mieux de rejoindre tout le monde, dit Tom en s'éloignant.

— Veux-tu quelque chose à boire? demanda Chelsea à Kent. Ou alors, un biscuit?

— Peut-être une boisson gazeuse.

— Quelle sorte? Je vais te la chercher.

— Oh, mais tu n'as pas à faire ça.

— C'est notre boulot de mettre les nouveaux à l'aise. Je fais partie du groupe d'anciens chargés de vous guider. Qu'est-ce que tu prends? demanda-t-elle en s'éloignant.

— Un Pepsi, lança-t-il.

Elle revint presque tout de suite en lui tendant une cannette.

— Merci, dit-il.

— De rien. Assoyons-nous.

Ils prirent place à l'une des tables de la bibliothèque en sirotant leurs boissons, mais avant qu'ils aient pu se parler de nouveau, Mme Berlatsky revint derrière le micro.

— J'aimerais souhaiter la bienvenue à tous les nouveaux élèves du Hubert H. Humphrey, et remercier tous les anciens qui sont venus leur servir de guides. Nous vous sommes vraiment reconnaissants de votre aide. Pour ceux d'entre vous qui ne me connaissent pas encore, je m'appelle Joan Berlatsky et je suis l'un des orienteurs...

Elle présenta ensuite les autres membres du personnel qui étaient présents en terminant par Tom.

— Et finalement, M. Gardner, le directeur, qui est venu vous accueillir officiellement.

Chelsea regarda son père s'avancer jusqu'au micro et se sentit remplie de fierté, comme chaque fois qu'elle le voyait remplir ses fonctions de directeur. Certains jeunes lui donnaient des surnoms vulgaires et écrivaient des insultes à son propos sur les murs des toilettes, mais ces insanités provenaient des crétins, des drogués, des délinquants, des perdants. Les jeunes qu'elle fréquentait étaient tous d'accord pour dire que son père était juste, qu'il faisait tout ce qu'il pouvait pour les élèves, et ils l'aimaient. Bien qu'il fût dans la quarantaine, il était resté bel homme et ne s'était pas laissé aller, comme certaines personnes de son âge. Il était encore mince et s'habillait avec goût. Aujourd'hui, pourtant, il ne portait qu'un polo jaune et un simple pantalon de coton, pour mettre les élèves à l'aise, comme le savait Chelsea. Il devait sûrement bien y arriver, de la façon dont il parlait, une main dans une poche, une expression bienveillante sur le visage, en regardant la salle.

— Bienvenue à tous. Je crois qu'il y a une cinquantaine ou une soixantaine d'entre vous qui nous arrivent d'autres districts ou d'autres États. J'imagine que vous vous demandez à quoi ressemble votre nouvelle école, comment sera votre vie ici, cinq jours par semaine, et de nombreux soirs aussi, dans certains cas. Nous sommes ici, ce matin, pour répondre à vos questions, vous faire visiter les lieux et vous parler de nos programmes éducatifs et sportifs... Nous désirons vous donner la chance de nous connaître un peu et en apprendre davantage sur vous en retour.

Tom et les autres se relayèrent pour expliquer le règlement sur les présences, les principales activités de l'année, l'horaire des repas, les exercices incendie, l'utilisation des salles d'études, les règlements de stationnement et la politique sur le harcèlement sexuel. Les entraîneurs parlèrent des conditions d'admissibilité aux équipes, de la Ligue scolaire du Minnesota et du programme sportif du HHH.

Après la période des questions, Mme Berlatsky reprit la parole.

— Nous allons vous libérer, maintenant. Chacun d'entre vous sera jumelé à un ancien qui vous fera visiter les lieux à titre de guide personnel. Nous avons mis sur pied cette activité pour que les nouveaux se sentent chez eux dès le premier jour. Votre guide vous aidera non seulement aujourd'hui, mais durant tout le mois. Puis-je demander aux anciens de se lever ?

Chelsea se leva et regarda ceux qui se levaient aussi en faisant un signe discret à quelques-uns des amis de Robby.

— Si les nouveaux veulent bien se choisir un guide, nous vous laisserons commencer la visite de l'école. Que les guides n'oublient pas de remettre à leur nouveau la brochure de l'école et de consacrer quelques minutes à leur montrer la médiathèque, quoique l'endroit sera plutôt encombré si vous commencez tous par là.

La salle s'emplit du bruit de chaises qu'on déplace et de gens qui se lèvent. Tom s'avança à nouveau vers le micro.

— N'oubliez pas que la porte de Mme Altman et la mienne vous sont toujours ouvertes. Nous sommes directeurs, mais cela ne signifie pas que nous sommes inaccessibles pour autant. N'hésitez pas à venir nous voir, ou à consulter les orienteurs si vous avez des problèmes. Je serai heureux de vous revoir tous jeudi matin.

— Je sais que je ne suis pas en douzième année, mais je peux te servir de guide, si tu veux, lança précipitamment Chelsea à Kent. La plupart des élèves de douzième veulent quelqu'un de leur niveau, mais il n'y en pas assez aujourd'hui. Et puis, comme je suis une fille, je ne peux pas te montrer les douches, mais nous pouvons voir tout le reste.

— J'ai déjà visité les douches, alors ça va. Je te suis.

Tom Gardner vit Kent Arens quitter la bibliothèque en compagnie de Chelsea et sentit l'angoisse l'étreindre. Sa fille lui fit un petit signe de la main en sortant et il lui répondit immédiatement, mais baissa tout de suite sa main, inquiet. *Ce n'est rien*, pensa-t-il. *Joan l'a priée de venir et elle est arrivée juste comme je parlais à Kent. Après, ils se sont assis ensemble, c'est normal. Elle a toujours eu à cœur les intérêts de l'école. Elle s'est chargée de cette tâche simplement parce qu'elle sait qu'elle nous fait plaisir, à sa mère et à moi.*

Ce n'est rien.

Mais la peur refusait de le quitter.

— Ton père est un chic type, dit Kent.

— Merci. Je le pense aussi.

— Mais ça doit faire bizarre d'avoir comme père le directeur de l'école.

— À dire vrai, ça me plaît bien. Il a un miroir à l'intérieur d'une armoire de son bureau et il me laisse y garder une bonbonne de fixatif et un fer à friser. Je peux y aller quand je veux pour m'arranger les cheveux. Ça me donne aussi un accès privilégié au réfrigérateur des cuisines, pour les activités après l'école. Parfois j'ai une activité juste après les cours, puis une autre un peu plus tard dans la soirée, et je n'ai pas le temps de rentrer manger. Alors j'emporte un goûter et je le laisse dans le frigo des cuisines. Mais ce qui est vraiment chouette, c'est que nous sommes toujours au courant de ce qui se passe à l'école, parce que papa et maman en parlent tous deux à la maison.

— Comme hier soir, quand vous avez parlé de moi ?

— Nous n'avons dit que du bien, je t'assure, protesta-t-elle en lui jetant un regard de côté tandis qu'ils avançaient le long du corridor. Tu as vraiment impressionné papa.

— Lui aussi m'a impressionné... Mais ne le lui dis pas. Je ne voudrais pas qu'il pense que je cherche à le flatter.

— Rassure-toi, je ne lui dirai rien. C'est ici que tu vas passer ta première période. Bonjour, monsieur Perry.

— Tiens, Chelsea... Bonjour.

Ils poursuivirent leur visite de classe en classe sans cesser de bavarder.

— Tout le monde te connaît. Tu dois faire ce genre de chose souvent.

— J'aime bien ça, et mes parents veulent que nous prenions une part active à la vie de l'école. Ils ne veulent pas que nous cherchions un emploi avant la fin du secondaire.

— Moi aussi, je préfère.

— Les études avant tout.

— Oui. C'est ce que ma mère pense aussi.

— Alors, tu aimes étudier, toi aussi.

— Tout me vient facilement.

— Veux-tu aller au collège ?

— Oui. À Stanford, si possible.

— Je n'ai pas encore fait mon choix, mais je sais que je vais y aller.

— Maman dit que Stanford offre le meilleur programme de génie, et je veux aussi jouer au football, alors ça me semble le choix logique.

— Tu veux devenir ingénieur ?

— Oui. Comme ma mère.

— Et que fait ton père ?

— Ma mère ne s'est jamais mariée, répondit Kent après une brève hésitation.

— Ah.

Chelsea essaya de ne pas montrer sa surprise. Elle entendait parler depuis des années de « familles non traditionnelles » (ses parents avaient tendance à reprendre les mêmes termes que les orienteurs de l'école), mais l'évocation d'une mère célibataire provoqua un malaise chez elle.

— Elle m'a toujours donné tout ce dont j'avais besoin, en tout cas, dit Kent au bout d'un moment qui parut long.

Malgré ces paroles, Chelsea se sentit remplie de pitié : comme cela devait être triste de ne pas avoir de père. Elle avait entendu tant d'histoires désolantes, à la maison, à propos d'élèves venus de familles déchirées ou monoparentales et dont la vie était misérable. Elle connaissait l'effet négatif du divorce sur l'équilibre émotif des enfants et leur comportement en classe, et savait comment des jeunes en larmes venaient confier aux orienteurs les terribles difficultés qu'ils vivaient à la maison. Que pouvait-il y avoir de plus triste qu'un foyer sans père ?

— Écoute, fit-elle en posant légèrement la main sur le bras de Kent, ça ne me regarde peut-être pas, mais mon père était sérieux en disant que sa porte est toujours ouverte. C'est vraiment un chic type et il aime les étudiants. Si jamais tu as besoin de quelqu'un à qui parler, tu peux aller le voir. Et ce que j'ai dit tantôt, à propos de papa et maman qui racontent ce qui se passe à l'école, ça ne veut pas dire qu'ils parlent de choses personnelles. Tu peux aller le voir en toute confiance. Mes amis pensent tous qu'il est super.

— Je te l'ai dit... ma mère a tout fait pour que je ne manque de rien, insista Kent.

Chelsea remarqua immédiatement le changement dans sa voix et la légère réticence qui passa dans son regard. En le regardant franchement en face, elle eut l'impression étrange de reconnaître quelqu'un qu'elle connaissait depuis longtemps, et très bien. Peut-être l'avait-elle vu à l'élémentaire? Pourtant son nom ne lui disait rien. Jamais elle n'avait eu un garçon comme lui dans sa classe, jamais elle n'avait joué avec un garçon comme lui quand elle était petite. Mais il était décidément très beau et tout semblait indiquer qu'il avait une tête sur les épaules.

— Alors, tu as de la chance. Viens, je vais te montrer la classe de ma mère. Je dois te prévenir : bien des professeurs ne se forma-lisent pas qu'on les appelle par leur prénom, mais pas ma mère. Pour tous ses élèves, elle est Mme Gardner, et ne l'oublie jamais.

Claire Gardner leva la tête lorsque Chelsea vint lui présenter un nouvel élève et la même pensée la frappa immédiatement : *Qui est ce garçon? Il me semble l'avoir déjà vu.*

— Bonjour, maman. Voici l'un des nouveaux, Kent Arens.

— Bien sûr. Tom nous a parlé de vous, hier soir. Bonjour, Kent.

— Comment allez-vous? répondit le jeune homme.

— Je crois savoir que vous venez du Texas.

— Oui madame. D'Austin.

— C'est une bien belle ville. J'y suis déjà allée pour un col-loque et je l'ai beaucoup aimée.

Pendant qu'ils devisaient, Chelsea fit lentement le tour de la classe et s'arrêta, comme elle le faisait souvent, devant le groupe de photographies placées sur une petite table, juste derrière sa mère. Dans leurs cadres, d'anciens élèves souriaient au photographe. Quelques-uns, vêtus de leurs toges et coiffés de leurs mortiers, en-touraient d'un bras les épaules de leur professeur d'anglais, d'autres posaient en costume de scène, juste après la représentation d'une pièce. Certains montraient leur diplôme collégial, d'autres posaient en smoking ou en robe de mariée. Quelques-uns exhibaient même fièrement des bébés. La mère de Chelsea était l'un des professeurs que les élèves aimaient le plus et n'oubliaient jamais. Elle gardait ces photos, qu'elle chérissait, avec un amour et une fierté qui allaient bien au-delà des certificats d'enseignement et des chèques de paie. Ces quelques souvenirs représentaient à ses yeux ses plus grandes réussites, tout comme les photos de ses enfants étaient un sujet de fierté à la maison.

— À ce soir, maman, dit Chelsea quand ils la quittèrent pour poursuivre leur visite.

— Eh bien... je ne trouve rien à dire, sinon que ta mère aussi est vraiment bien.

— Oui. J'ai de la chance.

Ils marchèrent un moment en silence pendant que la jeune fille songeait à leur conversation de tout à l'heure.

— Dis, reprit-elle, je crois que je t'ai vexé, tout à l'heure, en te questionnant à propos de ton père. Je suis désolée. S'il y a bien une chose que je devrais savoir, avec des parents qui travaillent dans le système scolaire, c'est qu'on ne doit jamais présumer quoi que ce soit à propos des familles des autres, parce qu'il y en a de tous les genres, maintenant. Je sais que beaucoup de familles monoparentales vont bien mieux que de nombreuses familles normales. Je suis réellement désolée, d'accord?

— Ce n'est rien, répondit-il. Oublie ça.

Chelsea se sentait maintenant soulagée. Elle montra à Kent la médiathèque, l'infirmerie, la cafétéria et l'arboretum, dont les étudiants pouvaient utiliser les tables de pique-nique quand il faisait beau.

Une fois la visite terminée, ils gagnèrent lentement les portes principales qu'on avait ouvertes tout grand. Un courant d'air chaud pénétrait dans le corridor. Ils s'arrêtèrent sur une grille de métal, dans le vent qui agitait doucement leurs vêtements et leurs cheveux.

— Bon... dit-elle en cherchant ses mots. Je sais qu'il est difficile de changer d'école, mais j'espère que tout va bien aller pour toi ici.

— Merci... Et merci beaucoup pour la visite.

— Oh... de rien. Ce n'était rien du tout.

Manifestement, ils aimaient se trouver ensemble.

— Tu prends l'autobus pour rentrer chez toi? demanda-t-elle.

— Non. J'ai conduit ma mère au travail, alors j'ai son auto.

— Ah, alors... dit-elle en cherchant une raison pour ne pas partir tout de suite. Où travaille-t-elle?

— Chez 3M.

— Où vivez-vous?

— Dans un nouveau développement nommé Haviland Hills.

— Oh, c'est très beau, là-bas.

— Et toi, où vis-tu?

— Par là, répondit-elle en pointant du doigt. À quelques kilomètres d'ici. Dans la même vieille maison que j'ai toujours habitée.

— Bon... alors je crois que je vais y aller, fit-il en désignant le terrain de stationnement baigné de soleil.

— Oui, moi aussi. Je vais passer au bureau de mon père pour lui dire au revoir.

— Bon... à mardi, peut-être.

— Je passerai par ta classe avant la première période, pour voir si tu n'as besoin de rien.

— O.K., fit-il en souriant. Ce serait gentil.

— Bon week-end.

— Toi aussi, et encore merci.

Chelsea sentit les vibrations de la grille sous ses pieds tandis qu'il s'éloignait. Elle le suivit des yeux et, lorsqu'il eut atteint son auto, attendit que le moteur démarre avant de se retourner.

Qu'est-ce qui, chez Kent Arens, retenait ainsi son attention, alors qu'elle restait immobile jusqu'à ce qu'il s'en aille? Son visage, sans doute. Mais quel visage! Elle n'arrivait pas à l'oublier un instant, pas plus que l'impression ridicule de l'avoir déjà vu. Qu'est-ce qui lui prenait de rester ainsi à délirer à propos d'un garçon qu'elle ne connaissait que depuis peu. Encore hier soir, elle se disait combien elle avait de la chance qu'aucun flirt ne soit venu entraver ses projets d'avenir.

Reléguant Kent Arens à l'arrière-plan de ses préoccupations, elle alla saluer son père.

Quatre

Tom avait encore en tête l'image de Kent Arens en grande conversation avec Chelsea quand il revint de la réunion et trouva le dossier cumulatif du jeune homme sur son bureau.

Il inspira profondément, très conscient de la tension que lui imposait sa pénible situation. Il posa une main sur la chemise, puis se souvint brusquement de Dora Mae, qui tapait à la machine juste en face de lui.

Tom traversa son bureau et ferma la porte. Il regagna sa table de travail et, debout, ouvrit la chemise.

Sur une épaisse liasse de papiers, il vit immédiatement les photos de son fils à la maternelle. Son cœur se serra devant le portrait du garçonnet souriant dans son tee-shirt rayé. Kent avait de petites dents, de grands yeux bruns et une longue frange séparée au milieu qui laissait voir sa mèche rebelle, à la naissance du cuir chevelu.

Tom se laissa tomber dans son fauteuil comme si on lui avait fauché les jambes. Il regarda fixement la photographie couleur pendant une bonne minute avant de la prendre. Le visage de Kent ressemblait incroyablement au sien au même âge. Il essaya de s'imaginer l'enfant entrer en coup de vent dans la cuisine pour annoncer qu'il venait d'apercevoir une chenille ou qu'il avait cueilli des pissenlits. Comment était-il, alors ? Kent était maintenant si poli et réservé que Tom éprouva de la difficulté à établir la correspondance entre le bambin de la photo et le jeune homme de dix-sept ans. Il regretta vivement ne pas l'avoir connu à cet âge, et se sentit coupable d'avoir été absent de sa vie.

En retournant la photographie, il lut l'écriture d'un des professeurs du jardin d'enfants : *Kent Arens, groupe K.*

Vint ensuite un échantillon de l'écriture de Kent, hésitante mais lisible, tracée avec un crayon épointé : *Kent Arens, Kent Arens, Kent Arens*, jusqu'au bas d'une feuille lignée. En dessous, Tom trouva une liste, dressée par un professeur, de tout ce que Kent avait appris à faire :

Connaît son adresse
Connaît son numéro de téléphone
Connaît sa date de naissance
Connaît sa gauche et sa droite
Peut nommer les jours de la semaine
Peut lacer ses souliers
Peut réciter le serment d'allégeance au drapeau
Peut écrire son nom : *Kent Arens* (à nouveau de sa main)

Son bulletin de maternelle portait l'en-tête « École élémentaire Heritage, Des Moines, Iowa ». Une série de crochets figuraient dans la colonne « Note de passage ».

Vint ensuite une carte portant des remarques colligées à la suite des réunions parents-professeurs – deux, cette année-là. Chaque fois, sa mère y avait assisté. Tom lut : « Peut réciter et écrire l'alphabet. Peut écrire les chiffres jusqu'à 42. Connaît bien ses chiffres. Ignore ce qu'est un ovale. Incident à propos d'un chewing-gum. »

Tom se demanda de quel incident il s'agissait. Jamais il ne le saurait. Kent et sa mère l'avaient probablement oublié, maintenant, tout comme une bonne partie du contenu du dossier.

Il y avait d'autres photos, également, et chaque fois, Tom éprouva une vague de reconnaissance, de regret et d'affection qui ressemblait étroitement à l'amour qu'il portait à ses enfants légitimes. Il s'attarda spécialement aux photos. Les coupes de cheveux changeaient avec les années, mais la mèche rebelle était toujours là.

On avait inclus les résultats de tests d'aptitude et de quotient intellectuel effectués en sixième et septième années, ainsi qu'un test d'orientation en neuvième, qui indiquait clairement un goût pour les sciences et les mathématiques. Un rapport sur sa forme physique indiquait combien de redressements assis et de tractions il pouvait faire, ainsi que sa performance au saut en longueur. Son professeur de cinquième année avait écrit « Bonne lecture à vue » et, à la fin des classes, « Que le Seigneur te protège. Tu vas nous manquer. » (Kent allait alors à l'école Saint-Scholastica, et le nom du professeur était Sœur Margaret.)

Tous les documents concernant ses années au secondaire prouvaient que ses professeurs avaient aimé Kent. Les remarques de fin d'année étaient unanimes : « Élève exemplaire. Bon jeune homme, aimé de ses camarades de classe. Grand travailleur. Se rendra sûrement au collège. »

Ses bulletins ne comportaient que des A et des B. Ses notes en sports montraient qu'il aimait la compétition. L'année précédente, il avait reçu des citations en football, mais aussi en basket-ball et en athlétisme.

Non seulement Kent était un élève modèle, mais sa mère avait suivi ses progrès avec une attention exemplaire. Tout le dossier témoignait de sa présence aux réunions parents-professeurs. Il y avait également la photocopie d'une note qu'elle avait écrite à un certain M. Monk et qui en disait long sur l'importance qu'elle accordait au travail des bons enseignants :

Monsieur,

Maintenant que l'année tire à sa fin, je tiens à vous dire combien Kent a aimé vous avoir comme professeur. Non seulement a-t-il appris beaucoup en géométrie, mais il vous vouait une admiration touchante. La façon dont vous êtes intervenu en faveur du jeune Mexicain que le professeur d'athlétisme feignait d'ignorer a fait de vous un héros à ses yeux. Dans un monde où les valeurs s'effritent, vous êtes le genre de modèle dont nos jeunes ont besoin.

Monica Arens

En tant qu'ancien enseignant, Tom Gardner savait combien de tels encouragements étaient rares. La plupart du temps, les professeurs ne recevaient que de rares compliments noyés dans un océan de plaintes. Décidément, Kent Arens avait une mère compétente. Cette pensée, pourtant, ne remonta pas le moral de Tom.

Quand il eut consulté tout le dossier, Tom revint à la photo la plus récente de Kent et la contempla longuement. Il se sentait de plus en plus perdu, comme si le véritable drame n'était pas que Kent ait grandi sans son père, mais bien que Tom ait vieilli sans connaître son fils. Il appuya un coude sur le dossier ouvert et regarda par la fenêtre.

Je devrais tout dire à Claire maintenant.

Cette pensée le terrifiait. Il avait couché avec une autre femme une semaine avant son mariage, alors que Claire était enceinte de leur premier enfant... Leur union avait beau être solide, maintenant, la nouvelle lui causerait un immense chagrin. Une fois révélée, la vérité ne pourrait plus être oubliée. Que leur arriverait-il si elle perdait confiance en lui ? Dans la meilleure des situations, une longue période de tension s'ensuivrait. Comment l'expliquer aux enfants ? Reconnaître sa culpabilité et se faire pardonner : c'était la conduite logique, car il savait déjà que sa conscience ne lui laisserait aucun répit jusqu'à ce qu'il le fasse.

En réfléchissant bien, Tom se dit qu'il vaudrait mieux attendre le week-end. Quelle meilleure occasion, pour tout lui annoncer, que le moment où ils se retrouveraient en tête à tête dans un endroit romantique ? Peut-être accepterait-elle mieux les choses dans un contexte prouvant la force de leur mariage et de l'amour qu'il lui portait ?

Le regard de Tom passa de la pelouse de l'arboretum aux photographies sur le rebord de la fenêtre. À cette distance, les images étaient floues, mais il les connaissait bien et chaque détail des visages souriants était gravé dans son esprit. Il s'attarda sur celle de Claire. Était-il possible qu'en apprenant la nouvelle, elle soit tellement blessée qu'il puisse la perdre ?

Ne sois pas idiot, Gardner. Est-ce là toute la foi que tu places en ton mariage ? Dis-le-lui, et vite.

Mais il y avait ce que souhaitait Monica Arens.

Il regarda de nouveau la photographie de Kent. Le jeune homme méritait de savoir qui était son père. Une foule de raisons

– pratiques, émotionnelles, des raisons de santé, même – militaient en faveur de cette révélation. Ses enfants et ceux de Robby et de Chelsea seraient cousins. Ils auraient des oncles et des tantes. Kent lui-même avait un grand-père resplendissant de santé qui avait énormément à donner à tous ses petits-enfants : son amitié, son souci de transmettre l'histoire familiale et son soutien, comme il allait le prouver en venant passer le week-end à la maison. Qu'arriverait-il quand Kent serait sur le point de perdre sa mère ? Dans des moments semblables, l'appui des siens était indispensable. Était-il juste de lui cacher l'existence de son frère et de sa sœur, quand il était évident que sa mère n'aurait pas d'autre enfant ? Pendant que Tom était aux prises avec ces pensées, le téléphone sonna.

— Il y a quelqu'un du Club Rotary au téléphone, dit Dora Mae. Il veut savoir s'ils peuvent utiliser le gymnase, au printemps prochain, pour une collecte de fonds.

— Quel événement veulent-ils y tenir ?

— Un match de basket-ball entre des ânes.

Tom se retint de soupirer. Dire non au Club Rotary, c'était s'attirer des critiques, mais la dernière fois qu'on avait laissé entrer l'American Kennel Club dans le gymnase, les chiens avaient fait des dégâts partout, laissant non seulement une odeur terrible, mais aussi des bosses dans le parquet de bois, ce qui lui avait valu des plaintes du responsable de l'athlétisme et des employés d'entretien.

Tom ferma le dossier de Kent Arens et prit le combiné pour s'occuper d'une des centaines de tâches administratives qui venaient parfois mettre sa patience à rude épreuve et qui n'avaient strictement rien à voir avec l'enseignement.

L'aménagement de la nouvelle maison des Arens commençait à prendre forme, malgré les boîtes qui s'empilaient à hauteur d'homme après le passage des déménageurs. Le jeudi suivant leur arrivée, Monica posa un sac de mets chinois sur le comptoir de la cuisine et alla dans sa chambre pour se changer. Quand elle revint à la cuisine vêtue d'une robe d'intérieur de coton, Kent se tenait dans l'embrasure de l'une des portes-fenêtres ouvertes, les mains dans les poches arrière de son jean, et regardait au loin en direction de la maison en construction.

— Tu n'as pas mis le couvert? demanda sa mère.

Kent ne sembla pas l'entendre. Elle fouilla dans les armoires et en sortit des assiettes, des ustensiles et deux napperons en raphia qu'elle plaça sur la table de la salle à manger, devant un nouveau bouquet de fleurs en soie de couleur crème. Dans le salon, les meubles étaient en place et on avait enlevé les étiquettes des vitres neuves.

— La maison commence à être habitable, ne trouves-tu pas? dit-elle en retournant chercher les plats de carton dans la cuisine. Un à un, elle enleva les couvercles et une odeur de viande et de légumes cuits se répandit dans l'air. Kent regardait toujours dehors, le dos tourné.

— Kent? fit-elle, étonnée par son absence de réaction.

Le jeune homme se retourna lentement sans dire un mot, signe certain que quelque chose le tracassait.

— Qu'y a-t-il, Kent?

— Rien, répondit-il en s'asseyant avec une mine qui disait : « *Lis dans mes pensées.* »

— Quelque chose s'est mal passé, aujourd'hui?

— Non, fit-il en se servant une montagne de nourriture, avant de lui tendre le contenant sans la regarder.

Monica se servit et ne reprit la parole que lorsque leurs assiettes furent bien remplies et que Kent se fut mis à manger.

— T'ennuies-tu de tes amis?

Kent haussa les épaules en silence.

— C'est bien cela, n'est-ce pas?

— Laisse tomber, maman.

— Comment, « Laisse tomber »? Je suis ta mère. Si tu ne peux pas me parler, à moi, à qui pourras-tu faire tes confidences? Tu sais quelle est la chose la plus difficile à entendre, pour une mère? reprit-elle doucement en couvrant la main de son fils de la sienne, tandis qu'il s'obstinait dans son silence. C'est d'entendre son fils dire qu'il n'y a rien alors que, de toute évidence, il est préoccupé. Pourquoi ne pas m'en parler?

Kent se leva brusquement et se dirigea vers la cuisine pour se verser un verre de lait.

— Tu en veux ? demanda-t-il de l'autre pièce.

— Oui, s'il te plaît, dit-elle en le suivant des yeux tandis qu'il rapportait deux verres et reprenait place à table.

— J'ai fait la connaissance d'une fille vraiment chouette, aujourd'hui... En fait, c'est la fille de M. Gardner. Elle m'a servi de guide durant la visite de l'école, et tu sais comment les choses se déroulent quand on rencontre quelqu'un : par politesse, on échange toujours des banalités. Elle m'a demandé si je voulais aller au collège, et j'ai dit que je voulais devenir ingénieur, comme ma mère. Une chose en a amené une autre et, bien vite, elle m'a demandé ce que faisait mon père.

La fourchette de Monica s'arrêta en l'air. Elle cessa de mastiquer et fixa Kent d'un air alarmé. Lorsqu'elle finit par avaler sa bouchée, la nourriture sembla descendre avec difficulté.

— Il y a longtemps que je n'ai pas eu à changer d'école et à me faire de nouveaux amis. J'avais oublié combien c'était difficile de répondre aux autres quand ils me posent des questions au sujet de mon père.

Monica avait repris sa contenance normale et semblait s'intéresser à la nourriture dans son assiette. Pendant un instant, Kent se demanda si elle ne chercherait pas à noyer le poisson.

— Que t'a-t-elle demandé ? fit-elle enfin d'un ton très calme.

— Je ne m'en souviens même pas, répondit-il. Ce que faisait mon père, j'imagine. Mais j'ai vraiment eu de la difficulté à dire que je n'avais pas de père. Et de toute évidence, elle se mordait les doigts de m'avoir posé la question.

Monica posa sa fourchette, s'essuya la bouche et prit son verre de lait, mais tourna la tête vers la fenêtre au lieu de boire.

— Je suppose que tu ne veux pas que je te pose de questions à son sujet, n'est-ce pas ?

— Non, en effet.

— Pourquoi ?

— Pourquoi m'en poser maintenant ? dit-elle en se retournant brusquement vers lui.

— Je n'en sais rien. Il y a beaucoup de raisons. Parce que j'ai dix-sept ans, et que tout d'un coup, ça commence à me tracasser. Parce que nous sommes revenus au Minnesota, où tu habitais quand je suis né. Il vit ici, n'est-ce pas ? N'est-ce pas ? insista-t-il comme elle tournait à nouveau son regard vers la porte-fenêtre sans répondre.

— Oui, mais il est marié et il a une famille.

— Sait-il que j'existe ? Maman, j'ai le droit de savoir ! continua-t-il en la poursuivant dans la cuisine, où elle portait son couvert. Sait-il que j'existe ?

— Je ne lui jamais dit que tu étais né, jeta-t-elle en rinçant son assiette sous le robinet.

— Donc, s'il l'apprenait maintenant, ça ne ferait que l'embarrasser, c'est bien ça ?

— Kent, dit-elle en lui faisant face, je t'aime, je t'ai toujours aimé, depuis le moment où j'ai appris que j'étais enceinte. La maternité ne m'a jamais ralentie. Je n'ai jamais cessé de tendre vers mon but et j'étais heureuse parce que je travaillais pour toi. Est-ce que cela n'a pas été assez ? N'ai-je pas été une bonne mère ?

— Ce n'est pas la question. Si mon père vit quelque part ici, n'est-il pas temps que je fasse sa connaissance ?

— Non ! cria-t-elle.

Dans le silence qui suivit, Kent regarda sa mère avec étonnement, tandis que ses joues devenaient rouges. En réalisant son erreur, Monica se couvrit la bouche d'une de ses mains. Des larmes lui vinrent aux yeux.

— Kent, supplia-t-elle beaucoup plus doucement, pas maintenant.

— Pourquoi pas ?

— Parce que.

— Maman, écoute-toi parler, dit-il d'un ton raisonnable, conciliateur.

— Le moment n'est pas propice, pour toi comme pour moi. Tu es... écoute, ce nouvel environnement, cette nouvelle école, les nouveaux amis que tu dois te faire... c'est déjà bien assez pour toi.

Pourquoi t'en mettre davantage sur les épaules en abordant cette question maintenant ?

— Croyais-tu que je ne le ferais jamais, maman ?

— J'ignore ce que je croyais. Je... je pensais que... quand tu aurais des enfants toi-même, peut-être.

— Peux-tu m'en dire un peu à propos de lui ?

— Je ne sais pas grand-chose.

— As-tu gardé le contact avec lui après ma naissance ?

— Non.

— Mais il vit bien ici ?

— Je... Je le crois.

— L'as-tu revu depuis que nous sommes ici ?

— Non, dit-elle en mentant à son fils pour la première fois de sa vie.

— Maman, je veux le connaître, dit-il doucement.

Monica réalisait pleinement qu'il en avait le droit. On aurait dit que le destin les avait mis en présence, lui et son père, dans le seul but qu'ils se connaissent. Se pouvait-il que, lorsqu'ils se rencontraient, une énergie invisible confère à Kent une espèce de sixième sens à propos de son père ? Les liens du sang étaient-ils si forts qu'ils pouvaient amener un transfert de pensée quelconque entre eux ? Et sinon, pourquoi Kent lui posait-il toutes ces questions maintenant ?

— Kent, je ne peux rien te dire maintenant. Tu dois l'accepter pour l'instant.

— Mais, maman...

— Non ! Pas maintenant ! Ça ne veut pas dire que je ne te le révélerai jamais. Je le ferai, mais tu dois me faire confiance. Cè n'est pas le bon moment.

Les traits de Kent se durcirent. Il fit brusquement demi-tour et quitta la cuisine. Arrivé dans sa chambre, il fit claquer la porte comme on lui avait appris *à ne pas le faire*, il y a longtemps, et se jeta sur son lit. Les mains derrière la nuque, il regarda le plafond à travers ses larmes.

Elle n'avait pas le droit de lui dissimuler la vérité ! Il était un être humain à part entière, et chaque être humain était le fruit de la rencontre de deux de ses semblables. Une grande partie de ce qu'un être humain était et ressentait provenait de ses parents. Tout le monde connaissait ses parents sauf lui! C'était injuste et elle le savait très bien, sinon elle se serait ruée derrière lui et l'aurait vertement tancé pour avoir fait claquer la porte.

Toute sa vie, elle en avait fait toujours plus afin de compenser l'absence de son père et il lui avait laissé croire que cette absence lui importait peu. Mais elle lui importait et il voulait savoir. Elle-même avait connu son père. Elle ignorait à quel point il lui était pénible, à l'école élémentaire, de ne pouvoir représenter que deux personnes sur sa feuille quand tout le monde dessinait sa famille. Elle ignorait à quel point il lui était pénible de se tenir parmi un cercle d'amis, durant la récré, et d'en entendre un raconter comment son père avait posé des poignées vachement chouettes à son vélo, ou qu'il l'avait emmené à la pêche, ou qu'il lui avait montré comment utiliser un pistolet à souder. Dans l'Iowa, il avait rencontré un garçon nommé Bobby Jankowski, dont le père faisait tout avec son fils. Bobby avait appris de son père comment lancer et frapper une balle. Ensemble, ils étaient allés camper. Ils avaient fabriqué une voiture pour une course de bolides en bois. Un magnifique jour de blizzard, où l'école était fermée à cause de la neige, le père de Bobby avait construit un gigantesque fort avec un escalier, des fenêtres et des meubles de neige durcie. Il avait sorti une lanterne afin que les enfants puissent jouer dans le fort après le coucher du soleil, et quand ils avaient demandé s'ils pouvaient y dormir dans leur sac de couchage, M. Jankowski avait dit « Bien sûr ». Tous les gamins, sauf Kent, étaient allés chercher leurs sacs de couchage. Évidemment, moins d'une heure plus tard, ils étaient tous rentrés chez eux, mais la mère de Kent avait répondu « Non! » sans discussion possible. Pendant longtemps, Kent avait été convaincu que s'il avait eu un père, lui aussi aurait pu essayer de dormir dans le fort. Il n'avait jamais réellement pardonné à sa mère de lui avoir refusé cette chance. Maintenant qu'il était plus vieux, il se rendait compte que les parents des autres savaient parfaitement que leurs garçons ne tiendraient pas longtemps au froid... mais la chance de partager cette aventure, même pour une heure, Kent la regrettait encore.

Bobby Jankowski : le garçon le plus verni que Kent avait jamais connu.

Et aujourd'hui, cette fille, Chelsea...

Quand son père avait passé son bras autour d'elle et l'avait présentée, et plus tard, quand elle lui avait dit combien elle était fière de son père parce que tous ses amis le trouvaient juste... La mère de Kent ne pouvait imaginer le tourbillon d'émotions que cela avait soulevé chez son fils. Cette rencontre lui avait laissé un sentiment de nostalgie irrépressible mêlée de regret. Mais tout à l'heure, cela s'était transformé en colère et avait débouché sur une résolution impérieuse : Kent allait découvrir qui était son père et le rencontrerait, peu importe ce qu'il adviendrait.

Wesley Gardner conduisait une vieille camionnette Ford. Il portait un pantalon usé et un chapeau de pêcheur qui aurait eu besoin d'être lavé. Il vivait surtout de gibier et de poisson, aimait bien prendre une petite bière avant le dîner, et ses visites faisaient toujours naître un sourire sur le visage de ses petits-enfants, comme ce vendredi après-midi-là.

— Bonjour grand-père ! s'écria Chelsea avec enthousiasme en l'embrassant.

— Salut les petits.

— Tes lunettes sont encore de travers, grand-père, dit-elle en les redressant légèrement. Tu es incorrigible.

Il enleva ses lunettes et les lança sur le comptoir de la cuisine, où elles ricochèrent contre les boîtes de métal et atterrirent les branches en l'air.

— Ben alors, redresse-les, ces foutues branches. Elles t'ont toujours dérangée plus que moi. Robby, regarde ce que j'ai apporté, dit-il en lui tendant un sac de plastique contenant du poisson. Un brochet. Nous allons le faire frire dans une pâte à la bière, comme tu l'aimes.

— Du brochet ! Chic ! Alors, ça mord là-bas ?

— J'ai attrapé celui-là près de la barre de sable. Presque deux kilos. Je pensais bien que tu viendrais pêcher avec moi, cette semaine.

— J'aurais bien aimé, mais il y a eu le football chaque après-midi, sauf aujourd'hui.

— Alors, vous allez battre Blaine, cette année ?

L'équipe de l'école secondaire Blaine était la grande rivale des Sénateurs du HHH.

— On va certainement essayer, en tout cas.

— Ben, vous feriez mieux de réussir, parce que j'ai parié avec Clyde.

Wesley et son frère Clyde vivaient côte à côte au bord du lac Eagle, dans des maisonnettes de bois qu'ils avaient construites quand ils s'étaient mariés. Tous deux étaient veufs, maintenant, et passaient le plus clair de leur temps assis sur leur perron, à contempler les eaux du lac, en sortant souvent leurs chaloupes pour aller pêcher.

— Chelsea, va voir dans ma camionnette et rapporte ces tomates que j'ai cueillies. Il y a des pommes de terre nouvelles, aussi. Ce sont les premières que j'ai déterrées, ce matin, et je vous dis qu'elles ont l'air délicieuses. Nous allons nous faire un dîner de roi.

— Bonjour papa, lança Tom en entrant dans la cuisine avec un sac et un nécessaire de voyage.

— Tiens, si ce n'est pas Roméo... et voici notre Juliette.

— Bonjour papa, dit Claire en l'embrassant sur les deux joues.

— Et pour quelle destination s'envolent nos deux tourtereaux ?

— Pour Duluth.

— Eh ben, ne vous souciez de rien. Ces deux-là seront très sages, j'y veillerai. Je me souviens, quand votre grand-mère vivait encore, poursuivit-il en s'adressant aux deux jeunes, je l'ai emmenée juste au nord de Duluth durant la saison de l'éperlan. Des éperlans, il y en avait tellement que nous les ramassions avec un seau. Je n'ai jamais vu une telle pêche. Votre grand-mère, elle n'aimait pas particulièrement l'éperlan et elle détestait carrément les nettoyer, mais elle était vaillante et elle est venue quand même. Nous avons dormi sous la tente, ce soir-là. Le lendemain matin, quand je me suis levé et que j'ai enfilé mes bottes, il y avait quelque chose dedans. Elle y avait mis des éperlans ! Quand j'ai senti ces satanés poissons, j'ai lancé mes bottes tellement fort qu'on a vu des éperlans s'envoler, et votre grand-mère s'est mise à rire comme une folle. Ouais, votre grand-mère, c'était quelqu'un. Elle savait comment mettre de la bonne humeur même dans les travaux les plus difficiles, et la saison de l'éperlan n'était pas ce qu'il y avait de plus facile.

— Tu ne racontes pas encore cette vieille histoire d'éperlans dans tes bottes, papa ? demanda Tom en revenant de la voiture.

— Oui, mais ce n'était pas à ton intention. Mettez-vous donc en route, que nous puissions enfin faire frire notre poisson. Robby, il y a de la bière dans la camionnette. Mets-la donc au frigo pour moi, mais laisse-m'en une pour préparer la pâte.

— Tout de suite, grand-père.

— Bon, je crois que maman et moi sommes prêts, dit Tom.

Toute la famille s'embrassa devant la voiture.

— Merci de veiller sur les enfants, papa, dit Tom en étreignant son père en dernier.

— Tu rigoles ? répondit Wesley en donnant de grandes tapes dans le dos de son fils. J'aimerais tellement le faire plus souvent. Ça me garde jeune. Amusez-vous bien, ta femme et toi.

— D'accord.

— Dis, Claire, ajouta le vieil homme. S'il ne t'accorde pas assez d'attention, glisse un poisson dans ses bottes. Un homme a besoin de ça, parfois, pour se souvenir à quel point il a de la chance d'avoir une bonne épouse.

Mais Tom en était parfaitement conscient et il remit à l'honneur un trait de galanterie oublié en ouvrant la portière à sa femme.

— Oh, fit Claire en se glissant sur son siège. Je sens que je vais aimer cette excursion... Je n'arrive pas à croire que nous partons vraiment ! Il y a si longtemps que j'en avais envie. Tu ne vas pas le regretter, dit-elle en se jetant impulsivement au cou de Tom pour l'embrasser sur la joue.

Elle fit glisser un doigt le long de la pomme d'Adam de son mari jusqu'à l'encolure de sa chemise et s'installa à nouveau sur son siège en souriant.

Ils atteignirent Duluth une heure avant le coucher du soleil et trouvèrent facilement l'auberge. Elle était située au nord de la ville, dans le quartier des grandes demeures élégantes érigées durant l'âge d'or de Duluth, au début du siècle. Appartenant à l'origine à un magnat du fer, l'auberge était perchée sur un promontoire dominant le lac Supérieur et comptait vingt-cinq chambres. Entourée d'arbres et de vastes pelouses, elle était séparée de la route par un étang où nageaient des canards apprivoisés qui s'élancèrent en caquetant vers Tom et Claire lorsqu'ils sortirent de leur voiture.

À l'intérieur, on leur montra l'immense chambre avec de grandes fenêtres à carreaux, une baignoire encastrée et un lit dont le baldaquin montait si haut qu'on n'aurait pas pu le faire entrer dans la plupart des maisons contemporaines. La vue, côté sud, était superbe. Une longue étendue vert émeraude se terminait abruptement, là où une haute paroi rocheuse plongeait dans le lac. Au loin, des pétroliers et des vraquiers transportant du blé se croisaient en laissant derrière eux de minces filets de fumée. La propriété était flanquée de pins d'un âge vénérable et des vestiges d'un jardin ancien, qui menait lui-même à quelques marches de pierre descendant jusqu'à un vieux verger. Plus bas encore, accroché à la paroi rocheuse, un long escalier menait au bord du lac.

Quand leur hôte eut fermé la porte, Claire se dirigea immédiatement vers les fenêtres et les ouvrit. Une brise venue du lac leur apporta une odeur de pins et de chèvrefeuilles qui fleurissaient sur la terrasse en contrebas. Le cadre de cuivre de la fenêtre était froid sous ses mains. Claire laissa la sérénité des lieux l'imprégner.

— Comme c'est merveilleux, dit-elle pendant que Tom laissait tomber les clés de son auto sur le marbre de la table de chevet.

Il alla se placer derrière elle et posa les mains sur ses épaules. *Dis-le-lui*, cria une voix intérieure, *dis-le lui et finis-en une fois pour toutes, afin de profiter du temps que vous allez passer ensemble*. Mais s'il lui racontait tout, ce charme quasi mystique serait rompu. Elle était si heureuse qu'il ne pouvait pas lui imposer cette déception. Ni en subir le contrecoup.

— Devrais-je déboucher la bouteille de vin ? demanda-t-il en se disant que les choses seraient peut-être plus faciles après un verre.

— Mmmh... oui. Du vin, donne-moi du vin, dit-elle d'un ton euphorique en tournant sur elle-même jusqu'à ce qu'elle se retrouvât dans les bras de Tom. Mais avant, embrasse-moi.

Malgré les dix-huit années passées auprès d'elle, Tom éprouvait toujours le même émoi. En quelques minutes, ils passèrent d'une succession de baisers aux verres de vin, puis au lit. Ce qui se passa alors entre eux les étonna par son intensité, et Tom perdit toute envie de révéler son secret.

— As-tu jamais cru que ce pourrait être ainsi après toutes ces années ? demanda Claire.

— Non, murmura-t-il d'une voix presque brisée par l'émotion. Jamais.

— Je t'aime.

— Moi aussi, je t'aime.

— Mais tu es si sombre, pourtant, dit-elle en caressant le visage de son mari. Tom... qu'y a-t-il ? Je n'arrête pas de penser que quelque chose ne va pas. Tu sembles si préoccupé.

Tom se contraignit à sourire, prit sa main et en embrassa la paume. Il quitta le lit un instant pour revenir aussitôt avec leurs verres remplis. En relevant ses oreillers, il s'assit à côté d'elle.

— À nous, dit-il en levant son verre. Puisse l'année scolaire être favorable.

Ils burent et Tom posa son verre sur un de ses genoux soulevé sous les couvertures. En regardant le paysage qui s'offrait à lui, par la fenêtre située devant le lit, il n'arrêtait pas de réfléchir aux différentes façons d'aborder l'histoire de Monica et Kent Arens. L'idée de tout révéler le terrifiait, mais il savait qu'il devait le faire.

Claire vint se blottir contre lui et frotta le pied de son verre sur la poitrine de Tom.

— Sais-tu ce que j'aimerais pour dîner ? Des mets chinois. Linda Wanamaker dit qu'elle a mangé dans un endroit nommé la Lanterne chinoise. Il paraît qu'on y prépare le homard d'une façon exotique et tout à fait délicieuse. Du homard, ça te plairait ? Tom ? reprit-elle comme la réponse tardait à venir, Tom, m'écoutes-tu ?

— Désolé, chérie, répondit-il en s'éclaircissant la gorge.

— Je te demandais si tu voulais manger des mets chinois ce soir.

— Des mets chinois... ah, mais oui.

— Alors, la Lanterne chinoise, ça te va ?

— C'est parfait, fit-il avec une joie tout artificielle. Parfait.

Claire ne s'y trompa pas. Quelque chose tracassait Tom et elle ne savait pas si elle devait le questionner ou laisser tomber. Elle laissa sa tête posée contre sa poitrine pendant encore de longues minutes.

— Claire... fit-il enfin.

Des coups discrets résonnèrent à la porte.

— Le thé, annonça une voix. Je vais laisser la desserte ici.

Tom quitta le lit et enfila sa robe de chambre, en gardant pour lui ce qu'il était sur le point de dire.

À la Lanterne chinoise, ils mangèrent un repas gargantuesque. Quand ils rompirent leurs *fortune cookies,* Tom s'attendait presque à ce que le message de Claire dise : « Votre mari vous révélera un secret qui vous fera mal. » Mais il ne lui dit rien ce soir-là. Tom passa la nuit éveillé, laissant le secret qui le rongeait empoisonner la joie qu'il aurait dû éprouver à se retrouver seul avec sa femme. La peur constituait pour lui une expérience nouvelle et terrible. Mis à part les accidents de la circulation évités de justesse et les blessures que les enfants s'étaient infligées quand ils étaient bébés, sa vie avait été plutôt sereine. L'habitude de remettre les choses à plus tard lui était également étrangère. En tant que directeur d'école, Tom devait prendre des décisions importantes chaque jour, et il s'acquittait de cette tâche avec sagesse et assurance. Sa situation actuelle lui révélait un aspect de lui-même qu'il ne connaissait pas et dont il n'était pas fier. Chaque fois qu'une voix intérieure lui criait de tout révéler, une force encore plus grande le poussait à se taire.

Au cœur de la nuit, Claire se tourna et tendit un bras vers Tom, mais sa main ne rencontra que des draps froids. Elle ouvrit les yeux et réalisa qu'elle n'était pas chez elle, mais à Duluth, dans une auberge. En levant la tête, elle aperçut le profil de son mari devant la fenêtre. Étonnée, elle l'appela à voix basse, mais il ne l'entendit pas. Il ne manquait qu'une cigarette pour donner le portrait complet d'un homme tourmenté. Claire s'assit dans le lit. Son cœur se mit à battre un peu plus fort tandis que Tom restait immobile à regarder l'obscurité planant sur le lac.

— Tom ? Qu'y a-t-il ?

— Oh, Claire, fit-il, surpris. Navré de t'avoir réveillée. Je n'arrivais pas à dormir. Ce doit être le lit.

— Tu en es sûr ?

Dans l'ombre, il regagna le lit, attira sa femme contre lui et s'étendit près d'elle en écartant ses cheveux blonds pour qu'ils ne lui chatouillent pas le nez.

— Dors, maintenant, chuchota-t-il en l'embrassant sur le front.

— À quoi pensais-tu ?

— À une autre femme, répondit-il en posant une jambe entre les siennes. Voilà, es-tu satisfaite ?

Elle devrait faire preuve de patience et espérer que Tom lui parlerait de ce qui le tracassait tant, au moment qu'il jugerait propice.

Il ne lui dit rien le matin suivant, quand ils firent de nouveau l'amour aux premières lueurs de l'aurore, ni quand ils prirent leur petit-déjeuner dans la spacieuse salle à manger, ni quand ils allèrent faire une promenade et descendirent le long escalier pour contempler les vagues du lac Supérieur qui déferlaient sur la rive en créant une multitude de petits arcs-en-ciel dans l'air.

Il ne lui dit rien non plus l'après-midi, tandis qu'ils roulaient vers le nord et s'arrêtaient pour admirer les rivières semées de blocs rocheux et les cascades bruyantes, en se demandant si Wesley Gardner avait visité ces endroits quand il était venu pêcher l'éperlan. Ils parlèrent de choses et d'autres : du nombre de fois qu'ils referaient semblables excursions quand les enfants seraient partis étudier à l'extérieur, du collège que Robby choisirait, de la façon dont les nouveaux professeurs s'en tireraient à l'école. Tous deux reconnurent qu'ils redoutaient l'horrible jour de la rentrée, quand toute l'école semblait devenir la proie du chaos.

Au cours de la conversation, Claire trouva souvent que Tom semblait distrait, en retrait dans son monde à lui.

— Tom, j'aimerais que tu me dises ce qui ne va pas.

Il se tourna vers elle et Claire lut tout son amour dans son regard, mais il y avait autre chose aussi, un sentiment qui l'inquiéta soudain. Elle se mit à passer en revue le comportement insolite de Tom, ces derniers jours : ses fréquentes distractions, son insomnie, son inquiétude évidente, le retour de sa galanterie d'autrefois, quand il avait ouvert la portière de la voiture pour elle, la façon dont il l'avait embrassée dans la salle de cours, ce week-end romantique, qu'il avait suggéré après avoir répété pendant des années qu'ils étaient trop occupés. Tom agissait comme un homme qui se sentait coupable de quelque chose.

Peu de temps avant qu'ils prennent le chemin du retour, une pensée terrible la frappa : *Oh mon Dieu, il y a peut-être réellement une autre femme !*

Cinq

La rentrée scolaire se fit sous une pluie diluvienne. Chelsea et Robby prirent Erin Gallagher chez elle, laissèrent la Nova sur le terrain de stationnement réservé aux élèves, et coururent vers l'entrée en se protégeant le mieux possible de leurs cartables. Le temps qu'ils se mettent à l'abri, les cheveux de Chelsea pendaient lamentablement, sa chemise de batiste était détrempée et le bas de son jean blanc était mouillé.

— Ah, flûte ! s'écria-t-elle avec dépit. Regardez mon pantalon ! Et mes cheveux... zut !

Elle souleva une mèche de cheveux d'un air penaud poussée à l'intérieur par la foule d'élèves qui arrivaient derrière elle. À l'intersection des corridors, devant la direction, son père occupait sa place habituelle et surveillait les élèves, comme le faisaient les professeurs entre chaque cours. Tandis que Robby agitait la main en tournant le coin, Chelsea s'arrêta brièvement à la hauteur de Tom.

— Bonjour papa. Puis-je utiliser le miroir dans ton bureau ?

— Bien sûr, chérie. Bonjour Erin. Alors, quel effet ça fait d'être en onzième ?

— Nous sommes de grandes filles, maintenant, monsieur Gardner, répondit-elle gaiement pendant qu'elles passaient les portes vitrées.

— Bonjour Dora Mae. Bonjour madame Altman.

— Bonjour Chelsea, bonjour Erin. Plutôt humide, dehors, hein ?

— Un véritable aquarium ! Nous allons nous arranger un peu.

Dans le bureau de Tom, elles branchèrent le fer à friser et ouvrirent la porte de la penderie.

— Oh, regarde-moi ce gâchis ! se lamenta Chelsea. J'ai passé quarante-cinq minutes devant mon miroir, ce matin.

— Au moins, toi, tu peux te friser les cheveux à nouveau, dit Erin en attendant son tour. Quand les miens sont mouillés, il n'y a rien à faire pour qu'ils redeviennent lisses. Dépêchons-nous et allons retrouver Judy, reprit-elle en parlant d'une de leurs amies.

— Vas-y sans moi. Je ne peux pas.

— Pourquoi ?

— J'ai quelque chose à faire.

— Quoi ?

— Tu te souviens de ce garçon dont je t'ai parlé ?

— Quel garçon ?

— Celui à qui j'ai fait visiter l'école. Je lui ai promis d'aller le voir dans sa classe ce matin... pour lui dire bonjour et voir s'il a besoin de quelque chose, s'il a des questions. Ça ne doit pas être drôle de se retrouver au milieu d'une foule d'inconnus...

— Chel-seaaa ! dit son amie en lui donnant un petit coup d'épaule. Voilà pourquoi tu as utilisé toute une bombonne de fixatif et que tu te désolais tellement sur l'état de ton jean !

— Bien sûr que non, idiote.

— Allez, tu peux tout me dire.

— Il n'y a rien à dire et je ne me désole pas. D'ailleurs, il n'est pas que mouillé, fit-elle en inspectant l'arrière de ses jambes. Il y a de la boue et les taches vont rester.

— Quel est son nom, déjà ? Kent comment ? demanda Erin quand elles quittèrent le bureau.

— Arens.

— Ah oui. Tu me raconteras, au déjeuner. Tu vas au premier service ?

— Oui, mais je suis également censée lui montrer comment les choses fonctionnent à la cafétéria... Ça fait partie de mes tâches, tu sais ?

— Une tâche pas trop désagréable, je parie. Bonne chan-ance ! dit Erin en quittant son amie à reculons dans le corridor.

L'air était humide et sentait le denim mouillé. Les conversations étaient ponctuées de couinement de semelles de caoutchouc sur le carrelage fraîchement ciré. Un garçon siffla pour attirer l'attention d'un ami et s'écria : « Eh, Troy ! Attends-moi ! » Les jeunes filles qui venaient d'arriver sous la pluie laissaient une traînée de parfums dans leurs sillages. Une vingtaine de jeunes saluèrent Chelsea pendant qu'elle se hâtait vers la classe de M. Perry.

Le local était rempli d'élèves dont la moitié attendaient en discutant par petits groupes entre les rangées de pupitres. Un des amis de Robby, Roland Lostetter, aperçut Chelsea dans l'embrasure de la porte et la salua de sa grosse main. Roland était un grand garçon costaud, dont le large torse était surmonté d'une petite tête enfantine, avec des cheveux bruns frisés coupés ras.

— Oh, Chelsea ! T'es dans la mauvaise classe. C'est pour les grands, ici.

— Salut, Pizza. Je ne fais que passer.

En entendant le nom de Chelsea, Kent Arens se retourna et vit la jeune fille à son tour, pendant que Pizza Lostetter lançait son cahier sur un pupitre libre et s'avançait vers elle d'un pas nonchalant.

— Alors, qu'est-ce qui t'amène ? demanda Pizza avec le grand sourire condescendant d'un ancien qui va faire un brin de conversation avec la petite sœur d'un ami.

— Je fais partie du groupe d'étudiants chargés d'accueillir les nouveaux, et voici justement celui que je dois rencontrer. Bonjour Kent. Avez-vous fait connaissance ?

— Plus ou moins, répondit Pizza en haussant légèrement les épaules, sur le terrain de football.

— Kent Arens, voici Roland Lostetter, mieux connu sous le nom de Pizza.

Ils se serrèrent la main en marmonnant leurs salutations.

— Tu nous excuseras, Pizza, mais je dois parler à Kent.

— Bien sûr.

— Alors... comment ça va ? demanda Chelsea en souriant lorsqu'ils furent seuls.

— Bien, je pense. J'ai trouvé ma première classe, en tout cas, répondit-il en regardant brièvement autour de lui.

Chelsea devait lever la tête pour le regarder dans les yeux. Sa chemise, comme la sienne, avait été mouillée par la pluie, mais ses cheveux étaient trop courts pour que l'eau les décoiffât et ils brillaient comme si Kent avait utilisé du gel.

— As-tu besoin de quelque chose ?

— Euh, oui... fit-il en tirant une carte bleue de sa poche de poitrine et en y soulignant un nom du bout de son pouce soigneusement manucuré. Peux-tu me dire à nouveau comment prononcer le nom de ce professeur ?

— « Bruhl », répondit-elle. Comme « houle ».

— Ah oui ! Merci.

— On va te désigner un casier aujourd'hui, ici même, et chaque élève doit acheter son propre cadenas. Ma classe est juste derrière le coin, au cent dix. Après la première période, si tu veux, je t'aiderai à trouver ton casier et plus tard, nous irons à la cafétéria ensemble. Tout y est automatisé, et je dois te montrer comment le système fonctionne. Tu vas devoir déjeuner avec moi aujourd'hui.

— Je n'ai rien contre, fit-il avec un petit sourire. À quelle heure est le déjeuner ?

— Nous devons aller au premier service, celui de onze heures quarante-trois. L'après-midi s'en trouve rallongé de beaucoup, mais au moins les plats sont chauds.

Kent avait d'incroyables yeux bruns et de longs cils épais qui remuaient Chelsea à l'intérieur, mais elle dissimula son émotion sous un air désinvolte.

— Bon... je crois que je vais y aller. À tantôt, dit-elle en revenant immédiatement sur ses pas. À propos, Pizza Lostetter est tout à fait gentil. Il te dira tout ce que tu as besoin de savoir.

— D'accord, je m'en souviendrai.

Chelsea fit un signe de la main à Pizza, qui lui cria « Salut ! » pendant qu'elle quittait la classe.

À la fin de la première période, Kent attendit la jeune fille devant sa classe. En approchant, Chelsea s'aperçut que l'accueil discret de Kent lui était déjà familier : juste un sourire timide, les

94

yeux fixés sur elle. Il ne cherchait pas à avoir l'air sexy, mais il l'était indéniablement. À plusieurs reprises, elle avait été témoin du protocole que devait observer un garçon attendant sa petite amie dans le corridor : il se tenait immobile en la regardant s'approcher, souriait quand elle arrivait à sa hauteur, puis se tournait en plaçant son épaule juste derrière la sienne, et lui adressait la parole pour la première fois pendant qu'ils s'éloignaient ensemble. Kent Arens agissait exactement comme les petits amis attitrés des autres jeunes filles, et elle s'imagina un moment être la petite amie de Kent.

— Comment était ton premier cours ? demanda-t-elle.

— Comme à la manœuvre. Mme Tomlinson est réputée pour ça, mais je crois que je vais bien l'aimer. Et le tien ?

— C'était bien. Apparemment, il va falloir lire beaucoup les journaux pour avoir de bonnes notes, cette année. Quel est ton numéro de casier ? demanda-t-elle tandis qu'ils se frayaient un chemin à travers une foule bruyante.

— Le mille quatre-vingt-huit.

— Par ici.

Autour d'eux, les élèves les plus jeunes couraient alors que les anciens marchaient d'un pas nonchalant. Les professeurs, eux, semblaient monter la garde devant leurs classes et c'est ainsi que Claire Gardner les aperçut et leur sourit.

— Bonjour Kent. Bonjour Chelsea.

— Bonjour maman.

— Bonjour madame Gardner.

— Prend-elle bien soin de vous, Kent ?

— Tout à fait, madame.

— Bien. Nous nous reverrons en cinquième période.

Le casier de Kent se trouvait au centre de cinq longues rangées de ses semblables, dans un coin de l'édifice principal. Au bout de chaque rangée, une grande fenêtre étroite donnait sur le toit du rez-de-chaussée. À l'extérieur, la pluie continuait de tomber dru. Les néons suspendus au plafond conféraient une teinte bleutée à la chevelure noire de Kent.

Le jeune homme ouvrit son casier. « Vide », fit-il, et sa voix résonna contre le métal tandis que d'autres élèves se faufilaient derrière eux. En essayant de se glisser à travers la foule, une jeune fille fit perdre l'équilibre à Chelsea, qui s'agrippa au dos de Kent. Quand ses seins le touchèrent, il tourna la tête vers elle.

— Désolée, balbutia-t-elle, embarrassée.

— Il y a du monde, ici, remarqua-t-il en fermant la porte de son casier parmi le vacarme que faisaient des centaines d'autres portes.

Chelsea ne rougit pas, mais dissimula son visage pour la même raison que Kent le faisait.

— As-tu obtenu ton NIP ? demanda-t-elle pendant qu'ils se dirigeaient vers la cafétéria.

— Mon quoi ?

— Ton numéro d'identification personnel. On a dû te le donner tout à l'heure.

— Oh, ça. Oui, je l'ai.

— Et as-tu apporté ton chèque ?

— Oui.

— Tant mieux, parce que tout est informatisé, ici. Aujourd'hui, c'est la seule journée où tu pourras remettre ton chèque à midi. Les autres jours tu devras l'apporter le matin, avant l'école. Les cuisiniers sont ici chaque matin trente minutes avant le début des cours. Tu leur remets ton chèque, ils le déposent dans le compte portant ton NIP, et l'ordinateur enregistre tes achats du jour. Bonjour madame Anderson, dit Chelsea en s'adressant à une blonde bien en chair portant un uniforme blanc et un filet à cheveux, voici un nouveau, Kent Arens.

— Bonjour Kent, dit la femme. Tu es entre bonnes mains avec Chelsea, ajouta-t-elle en prenant le chèque et la carte de Kent, et en tapant quelques chiffres sur son clavier.

— Oui, madame, fit-il doucement, et de nouveau Chelsea se sentit légèrement attirée par lui.

— Il y a quatre files et autant d'ordinateurs : la file principale, la file pour le choix à la carte, celle des biscuits et du lait malté, et celle des salades. Tu peux choisir ce qui te plaît, la caissière l'inscrit à l'ordinateur, et tu composes ton NIP. Ainsi, il n'y a aucune manipulation d'argent.

Ils se retrouvèrent quelques minutes plus tard au milieu de la salle encombrée et bruyante, après avoir choisi leurs repas.

— Tu vas vraiment manger tout ça ? s'étonna-t-elle en voyant la montagne sur son plateau.

— Et toi, tu arrives à survivre avec ça ? demanda-t-il à son tour.

— Eh, Chelsea ! fit une voix. Par ici !

— C'est mon amie Erin. Ça ne te fait rien que nous mangions avec elle ?

— Non, allons-y.

Chelsea fit les présentations et s'assit, mais s'aperçut, à son grand embarras, que son amie dévisageait Kent avec une insistance gênante. Autour d'eux, également, d'autres élèves leur jetaient des regards empreints de curiosité.

— Il paraît que tu viens du Texas, se mit à caqueter Erin, que tu joues au football, que tu vis dans ce nouveau quartier chic près du lac Haviland, que tu suis le cours d'anglais avec la mère de Chelsea, que tu as pris beaucoup de cours avancés, que tu veux aller à Stanford grâce à une bourse de football, et que tu conduis une Lexus turquoise vraiment sensass...

La fourchette de Kent s'arrêta à deux centimètres de sa bouche. Le jeune homme regarda Erin, puis Chelsea, puis de nouveau Erin.

— Erin ! s'écria Chelsea. Je ne lui ai rien dit de tout ça, reprit-elle à l'adresse de Kent, je te le jure.

— Ben, c'est un nouveau, après tout. Les gens veulent savoir, fit Erin.

— Erin, vraiment. Tais-toi.

Erin haussa les épaules et se remit à manger. Ils demeurèrent tendus pendant le reste du repas.

— Je ne lui ai rien raconté de tout ça, juré, dit Chelsea à Kent quand son amie fut enfin partie en emportant son plateau vide. J'ignore de qui elle le tient.

— C'est sans importance. D'ailleurs, elle a raison : les nouveaux font toujours l'objet d'une grande curiosité. Et puis, qu'est-ce que ça peut faire, l'origine de ces rumeurs ?

— Mais elle t'a embarrassé. Je suis désolée.

— Non, pas du tout.

— Eh bien moi, j'étais embarrassée !

— Oublie ça, Chelsea. C'était elle, pas toi.

— Alors, tu me crois ?

— Bien sûr, fit-il en la regardant dans les yeux tout en écrasant le contenant de lait qu'il venait de terminer.

De l'autre côté de la salle, près du comptoir à salades, Tom Gardner surveillait. Chaque jour, il essayait de passer deux des trois périodes de repas à la cafétéria, car il croyait fermement que pour établir de bonnes relations avec les jeunes dont il était responsable, il devait être vu d'eux le plus souvent possible. Ici, les élèves sentaient qu'ils pouvaient l'aborder et lui parler. Ils blaguaient avec lui d'une façon dont ils ne pouvaient le faire en aucune autre circonstance, et Tom surprenait des conversations qui en disaient long sur la vie qu'ils menaient à la maison. Souvent, le directeur avait eu l'occasion de prévenir certains problèmes avant qu'ils ne deviennent vraiment sérieux.

Mais aujourd'hui, le problème qu'il avait sous les yeux était peut-être en train de devenir très grave et il ne pouvait intervenir. Chelsea et Kent Arens. Ils mangeaient déjà ensemble, bien que ce fût – Dieu merci ! – avec Erin, l'amie de sa fille. La conversation ne semblait pas tellement animée, à table, mais comment diable s'y était-elle prise pour aller le retrouver ? De tous les nouveaux présents à la bibliothèque, ce jour-là, pourquoi lui ? On ne pouvait nier que le garçon était attirant, bien fait et bien habillé. Quelle jeune fille ne s'y intéresserait pas ? Chelsea également était jolie. Quel jeune homme la dédaignerait ?

Quand Erin eut terminé son repas et quitté la table, les laissant tous deux seuls, côte à côte, Tom observa immédiatement un changement dans leur attitude. Ils se regardèrent plus ouvertement et se mirent à parler davantage. Par leurs regards, on pouvait deviner qu'ils ne discutaient pas des cours de l'après-midi.

Tom se dit que la culpabilité le rendait paranoïaque. Après tout, ils ne s'étaient rencontrés que jeudi passé, et ne s'étaient vus que deux fois. Pourtant, si tous les éléments étaient réunis, ces deux fois pouvaient être plus que suffisantes.

D'un air aussi dégagé que possible, il avança lentement dans leur direction et s'arrêta derrière eux en se croisant les bras, dans la pose que tout le monde, à l'école, lui connaissait.

— Alors, bien mangé?

Tous deux se retournèrent subitement, comme un miroir et son reflet.

— Oh, bonjour monsieur Gardner.

— Bonjour papa.

— Comment se déroule votre première journée, Kent?

— Très bien, monsieur. Mais si je ne me suis pas égaré, c'est uniquement grâce à Chelsea.

— Il n'y avait pas de système informatique à la café de son ancienne école, alors je lui ai montré comment les choses fonctionnent.

— Vous feriez mieux de vous dépêcher, cependant, dit Tom en jetant un coup d'œil à l'horloge murale, les cours reprennent dans quatre minutes.

— Oh! fit-elle en se levant. Je ne l'avais même pas remarqué! Viens, Kent, je vais te montrer où laisser ton plateau.

Ils s'en furent sans dire au revoir, laissant Tom les suivre des yeux en se demandant s'il n'avait pas tort de craindre une attirance entre eux. Cinq jours. Ils ne se connaissaient que depuis cinq jours, et Chelsea n'était pas du genre à craquer comme ça pour un garçon. À ce chapitre, d'ailleurs, elle était bien plus sensée que la plupart de ses amies. Tom et Claire avaient souvent remercié le ciel d'avoir une fille qui ne gâchait pas ses études en courant après les garçons.

Pourtant, quand il leur avait adressé la parole, ils avaient sursauté.

Tom passa le reste de la journée à régler la montagne de problèmes qui ne manquaient jamais de survenir à la rentrée. Il parvint à mettre la main sur un remplaçant temporaire du professeur qui avait reçu une meilleure offre, et convainquit la direction du district de fournir davantage de pupitres pour la classe de Mme Rose. Il reçut l'appel d'un reporter du journal local, fit quelques commentaires sur l'année scolaire qui débutait, et établit un mode de communication entre son bureau et le journal pour l'avenir. Un agent vint lui rapporter les plaintes des résidants des environs : certains élèves faisaient fi des règles de stationnement dans leurs rues. Malgré tout, Tom réussit à voir dix-huit jeunes qui avaient fumé dans les toilettes, ou qui désiraient un permis de stationnement. À 15 h 02, à la fin de la dernière période, il effectua sa ronde dans les corridors, puis regagna son bureau, où deux couples de parents l'attendaient. À 15 h 40, il arriva avec dix minutes de retard à la réunion des sciences sociales, puis consacra une bonne heure à donner divers coups de téléphone, dont celui à Bob Gorman, qui avait demandé la diffusion des matchs de football universitaires à la télévision communautaire. À la fin de leur conversation, Tom demanda des nouvelles de Kent.

— Le nouveau, Kent Arens ? Il est très bien, Tom. C'est un athlète exceptionnel ! Il devait avoir un sacré bon entraîneur, parce qu'il est rudement travailleur. Sa présence a stimulé toute la ligne offensive ! Merci de me l'avoir envoyé. Ce sera un atout majeur pour l'équipe.

— Vous savez, Bob, j'ai déjà été entraîneur moi-même. Nous pouvons habituellement repérer les plus prometteurs, pas vrai ?

Quand il eut raccroché, Tom se tourna vers les photographies de sa famille, et revit Chelsea et Kent en grande discussion à la cafétéria. Ce garçon était en passe de devenir un héros dans l'équipe de football, ce qui le grandirait davantage aux yeux de Chelsea, qui était meneuse de claque. Comment diable réussirait-il à les séparer si une attirance réelle naissait entre eux ?

Tom passa une main sur son front en soupirant, épuisé par une journée mouvementée, chargée des problèmes habituels de la première semaine, et tourmenté par ses problèmes personnels.

En jetant un coup d'œil à sa montre, il constata avec étonnement qu'il était passé dix-huit heures. Il téléphona immédiatement chez lui.

— Bonjour, c'est moi.

— Bonjour, répondit Claire.

— Écoute, je viens tout juste de voir l'heure. Je suis désolé. Je ne m'étais pas rendu compte qu'il était si tard.

— Rentres-tu?

— Oui. Je serai là dans quelques minutes.

— Parfait, mais... Tom? Vas-tu rester à la maison, ce soir?

— Non, désolé. Je dois revenir ici à dix-neuf heures pour une réunion du conseil des parents.

— Ah... tant pis, dit-elle d'une voix qui trahissait sa déception.

— Je suis vraiment désolé, Claire.

— Oh, ça va. Je comprends.

— À tout à l'heure.

Tom soupira, éteignit sa lampe de bureau et sortit. Quand il arriva à la maison, il suspendit son veston à l'arrière de sa chaise et embrassa sa femme dans le cou.

— Bonsoir chérie. Qu'y a-t-il pour dîner?

— Du poulet et des fettucini. Assieds-toi. Les enfants! cria-t-elle en direction du plafond, le dîner est servi!

Tom desserra sa cravate et prit sa place habituelle à l'une des extrémités de la table. Quand toute la famille se fut assise et que les plats eurent commencé à circuler, il demanda à la ronde comment la journée s'était déroulée.

— Très bien, s'écria Chelsea avec enthousiasme.

— J'ai cette cloche de M. Galliaupe comme professeur principal, dit Robby, qui était dans une phase négative et mettait la patience de tout le monde à l'épreuve.

— Pourquoi dis-tu que c'est une cloche? demanda patiemment son père.

— Ah, papa, tout le monde est au courant, sauf toi! As-tu vu comment il s'habille? Et il dit des choses tellement ridicules!

— Tout le monde n'a pas autant de goût que papa, intervint Chelsea, pas vrai, maman?

— En effet, répondit Claire en arrêtant son regard sur Tom. Et toi, comment a été ta journée?

— Chargée, mais assez bien, pour un jour de rentrée. Et de ton côté?

— Il y avait assez de pupitres pour tout le monde, personne ne m'a tutoyée, et je pense être tombée sur des élèves assez intelligents.

— Que penses-tu de Kent Arens, demanda Chelsea ?

— Tout le monde sait ce que tu en penses, toi, en tout cas, coupa Robby. Il paraît que tu manges déjà avec lui.

Un changement subtil dans l'attitude de Tom, la façon dont il se tendit, regarda furtivement sa femme et détourna les yeux encore plus vite, avertit Claire que quelque chose inquiétait son mari. Elle aurait pu jurer, durant deux brèves secondes, qu'une vague de peur avait failli le submerger. Mais que pouvait-il craindre ? Ils parlaient simplement d'un nouvel élève que Tom lui-même avait vanté la semaine dernière. Elle décida d'y aller à fond.

— Il est très poli, me semble intelligent et ne craint pas d'intervenir en classe. C'est tout ce que j'ai découvert pour l'instant.

— Qu'est-ce que ça peut te faire si j'ai mangé avec lui ? Je lui sers de guide, idiot.

— Ouais, mais Dieu sait où ça va te mener de lui servir de guide. Tu ferais bien de te méfier de lui, Chels.

— Papa, voudrais-tu lui expliquer ce que signifie servir de guide aux nouveaux dans cette école ? Parce que Monsieur n'a sûrement pas le temps de se pencher sur la question. Il est trop occupé à se faire des biceps aussi gros que la tête dans la salle d'haltérophilie.

À nouveau, Claire observa furtivement son mari et s'étonna de sa réaction. Elle connaissait trop bien Tom pour se méprendre sur cette légère coloration des joues, sur ce mouvement du cou, comme si son col de chemise le serrait trop. Il agissait toujours ainsi quand il se sentait coupable de quelque chose. Lorsqu'il s'aperçut que le regard de sa femme était posé sur lui, il sembla se concentrer sur le contenu de son assiette et fit taire les enfants.

— Ça suffit, vous deux ! Chelsea, il est un peu trop tôt, encore, pour... enfin, pour rencontrer des garçons. Ta mère et moi avons toujours été heureux de voir que tes études passaient avant tout, et j'espère que ça ne changera pas cette année.

— Papaaa ! s'exclama-t-elle, désemparée. Tout ce que j'ai fait, c'est lui montrer comment fonctionnait la cafétéria. Qu'y a-t-il de mal à ça ?

— Mais rien, ma chérie. Seulement... eh bien... bredouilla Tom en jetant un regard à Claire. Bon, oublie ça.

— Il semble être un brave garçon, Tom. Tu l'as dit toi-même, intervint Claire.

— D'accord, d'accord ! s'écria-t-il en se levant brusquement pour rincer son assiette. Laissez tomber, j'ai dit.

Dieu du ciel, pensa Claire. *Il est tout rouge !*

— Il y a du dessert, fit-elle en le suivant des yeux.

— Non merci, lança Tom en se dirigeant rapidement vers la salle de bains, laissant à Claire la pénible impression qu'il cherchait à s'échapper.

Tom partit pour sa réunion quinze minutes avant l'heure indiquée. Robby se rendit au centre commercial Woodbury pour s'acheter quelques articles scolaires, et Chelsea alla chez Erin pour fabriquer des pompons. Une fois seule, Claire entreprit de plier une pile de vêtements restés dans la sécheuse, repassa quelques blouses froissées, et s'assit à la table de la cuisine pour lire les quatrains qu'elle avait demandés à ses élèves. Le sujet en était : « Une heure de votre été ». Le premier disait :

À bord de ma fusée,
J'ai descendu une rivière.
Jusqu'au fond j'ai plongé
Sans jamais mouiller ma crinière.

L'auteur décrivait sans doute un des manèges du parc d'amusement Valleyfair. Subitement, Claire eut une idée et se mit à chercher dans la pile de feuilles le poème de Kent Arens, dans l'espoir d'y trouver un indice sur ce qui tracassait tant son mari.

Au loin, à des milliers de milles
M'attend la nouvelle maison.
Dix-huit roues, un camion, une autre ville
Transformeront en homme le garçon.

Un jeune homme laissant derrière lui, le jour de son déménagement, ses amis et la vie qui lui était familière. Claire sentit immédiatement beaucoup de sympathie pour Kent, mais cela n'expliquait pas le comportement étrange de son mari.

Elle lut encore une douzaine de poèmes et revint à celui de Kent, qu'elle relut trois fois avant de se mettre à tourner en rond dans la cuisine. Pourquoi Tom était-il si inquiet?

Tout était silencieux dans la maison. On n'entendait que la faible pluie, à l'extérieur, qui coulait le long des moustiquaires et brouillait la vue de la cour faiblement éclairée. L'air était lourd et chargé d'humidité.

Claire était mariée à Tom depuis si longtemps qu'elle croyait le connaître aussi bien qu'elle-même. Ce qui le préoccupait à Duluth semblait avoir empiré ici. Tom Gardner ressentait de la culpabilité, la chose crevait les yeux. S'il s'agissait vraiment d'une autre femme, que ferait-elle?

À vingt heures trente, elle téléphona à Ruth.

— Ruth, es-tu occupée? Es-tu seule? Puis-je venir?

Ruth avait vécu à côté d'eux depuis que les enfants étaient petits. Elle avait gardé Robby et Chelsea quand Claire était retournée au travail. Ruth lui avait prodigué sa sympathie quand Claire avait perdu sa mère. En seize ans, elle n'avait jamais manqué un seul des anniversaires de Claire et n'avait jamais oublié les cartes de souhaits et les cadeaux pleins de gentillesse. Quand elle avait attrapé sa terrible grippe et qu'elle avait dû s'aliter pour deux semaines, Ruth lui avait apporté son déjeuner tous les deux jours sans jamais faillir.

Mais il y avait plus. Ruth était la seule personne au monde à savoir que Claire avait déjà été tentée par John Handelman, quand ils dirigeaient ensemble une pièce de théâtre pour l'école. Les soirs où Tom devait travailler tard, elle avait entendu Claire souhaiter qu'il eût un autre genre d'emploi, tout en s'efforçant de taire son ressentiment. Elle avait aussi confié à son amie que Tom l'avait épousée parce qu'elle était enceinte, et qu'un profond sentiment d'insécurité était resté en elle.

Claire avait établi avec Ruth Bishop des liens d'amitié que

chaque nouvelle difficulté semblait renforcer. Peu importait l'heure, Ruth était toujours là.

Dans le salon, chez Ruth, elles restèrent un moment assises chacune à leur bout du canapé en écoutant la musique de Chopin que dispensait le magnétophone.

— Où est Dean?

— Il s'exerce à son club, répondit Ruth, penchée sur son petit point. Du moins, c'est ce qu'il dit...

— Avez-vous discuté?

— Non.

— Pourquoi?

— Parce que je suis sûre, maintenant, qu'il y a une autre femme. Je me suis rendue à ce club, l'autre jour, et j'ai attendu dans la voiture jusqu'à ce qu'il sorte avec elle. Je l'ai vu l'embrasser avant qu'elle monte dans son auto.

— Oh, Ruth, fit Claire d'un ton navré. J'espérais tellement que tes soupçons ne soient pas fondés.

— Eh bien, ils le sont. Tout à fait.

— Et tu n'as rien dit à Dean?

— Non et je n'ai pas l'intention de lui en parler. Qu'il aborde le sujet lui-même s'il en a le courage. Sinon, qu'il vive avec son secret et qu'il souffre! J'espère qu'il va souffrir, parce que moi, en tout cas, j'ai mal.

— Ruth! Tu ne penses pas ce que tu dis. On ne peut être au courant d'une telle chose et ne pas en parler.

— Moi, je le peux, tu verras! Je n'ai pas l'intention de finir comme ces divorcées que je connais. Elles ont dû se battre en cour; elles ont vu tous leurs biens dispersés; elles ont perdu maison et mari; elles ont dû demander à leurs enfants de choisir entre leur père et leur mère. Il ne nous reste que dix ans avant la retraite, à Dean et à moi. Comment vais-je finir si je le perds? Je ne serai plus qu'une vieille femme qui devra voyager seule, manger seule, dormir seule. Sans parler de ce que sera ma vie de retraitée avec un seul revenu. Peut-être ne s'agit-il que d'une passade qui finira bientôt, sans que les enfants n'en sachent jamais rien. Je ne veux pas qu'ils l'apprennent, Claire. Je ne veux pas qu'ils cessent de l'aimer, peu importe ce qu'il a fait. Peux-tu le comprendre ?

— Bien sûr. En moi, il y a aussi quelque chose qui ne veut pas savoir, qui voudrait que tout soit parfait entre Dean et toi, comme avant. Mais ce n'est pas le cas. Fermer les yeux là-dessus ne réglera rien.

— Je ne veux pas en discuter avec toi, Claire. Tu travailles dans un milieu où l'on croit que la seule chose à faire, quand arrive un problème, c'est de l'affronter. Pourtant ça ne marche pas pour tout le monde. J'ai eu beaucoup de temps pour réunir mes preuves et réfléchir à la conduite que je devais adopter. J'ai eu mes premiers soupçons il y a des mois. Des mois, tu comprends ! Et j'ai décidé que si jamais les choses en venaient au pire, ce serait à lui de m'en parler, pas le contraire.

— Qu'est-ce qui a éveillé tes soupçons ?

— Il est devenu distrait... Tu sais, quand tu as passé la majeure partie de ta vie auprès d'un homme et qu'il se met à agir différemment, l'intuition féminine te met sur le qui-vive. Parfois, ce n'est pas ce qu'il fait qui est bizarre, mais la façon dont il le fait. Il y a aussi l'expression sur son visage, l'impression qu'il donne d'être loin, même quand il est près. Et puis... Oh, Claire, dit Ruth d'une voix étouffée en regardant attentivement son amie, pas toi aussi ? Tom n'a pas une maîtresse ?

— Tom ? Mon Dieu, Ruth, ne sois pas stupide.

— Tu ne vois pas l'air que tu fais. Que se passe-t-il ?

— Ce qui se passe ? Que veux-tu qu'il se passe ? Nous revenons d'un week-end en amoureux à Duluth, l'aurais-tu oublié ?

— C'était un subterfuge !

— Voyons, Ruth. Tu sais très bien que si je soupçonnais Tom de me cacher quoi que ce soit, je lui en parlerais immédiatement.

— Alors, l'as-tu fait ?

Sous le regard inquisiteur de son amie, la fausse assurance de Claire s'effondra. Elle enfouit son visage dans ses mains.

— Ce n'est rien, dit-elle en espérant ne pas se tromper. Juste mon imagination...

— C'est ce que j'ai d'abord cru, moi aussi.

— Mais il est si aimant! dit Claire en relevant la tête, les mains crispées l'une sur l'autre. Plus que jamais! Ruth, c'est la vérité... Le voyage à Duluth a été parfait. Ces derniers temps, il n'arrête pas de venir me voir aux moments les plus inhabituels pour m'embrasser, me prendre dans ses bras... Nous avons toujours cherché à séparer nos vies privées du travail, mais il est venu dans ma classe, l'autre jour, et m'a embrassée. Je ne parle pas d'un petit geste affectueux, mais d'un véritable baiser passionné! Pourquoi ferait-il cela?

— Je te l'ai dit : c'est un subterfuge. Il essaie de détourner tes soupçons. Je sais très bien que Dean a essayé de faire la même chose à plusieurs reprises. Je crois même savoir le jour où il a couché avec elle pour la première fois, parce qu'il m'a envoyé des fleurs, ce jour-là, en plein milieu de l'été, quand j'avais toutes les fleurs que je voulais dans mon jardin. Les hommes agissent ainsi quand ils sont coupables de quelque chose.

Claire quitta brusquement le canapé et se rendit à la fenêtre pour étudier le tableau pointilliste que formaient les gouttes de pluie glissant le long de la moustiquaire.

— Oh, Ruth! Ce que tu dis est tellement cynique.

— Cynique? J'ai bien le droit d'être cynique. Tu parles à une femme qui vient juste de voir son mari en embrasser une autre. Qu'est-ce que Tom a fait d'autre?

— Rien. Absolument rien.

— Mais si tu es venue me voir ce soir, c'est pour ça, n'est-ce pas? Pour me parler de lui parce qu'il est différent?

— Je ne peux m'empêcher de penser que quelque chose ne va pas.

— Ne lui en as-tu pas parlé? N'as-tu pas cherché à faire face, comme tu m'as suggéré d'agir avec Dean?

Claire demeura silencieuse, le dos tourné à Ruth, pendant que les fines gouttes de pluie poursuivaient leur descente. Les lumières de la rue produisaient une tache vaguement dorée sur l'asphalte luisante devant le garage. Ruth n'attendait pas de réponse à sa question et n'en reçut aucune. Claire resta muette, les épaules voûtées, pendant que résonnaient dans la pièce les accents funèbres de Chopin.

Quand Claire partit, peu de temps après, elle embrassa longuement son amie, qui se pencha pour lui dire à l'oreille.

— Fie-toi à moi : ne lui demande rien, car lorsque tu sauras, les choses ne seront plus jamais comme avant.

— Mais je dois le faire, ne comprends-tu pas ? répondit Claire en fermant les yeux. Je ne suis pas comme toi. Je dois savoir.

— Bonne chance, alors, fit Ruth en la serrant encore dans ses bras.

Les enfants étaient revenus et avaient regagné leurs chambres. Tirant réconfort de leur présence, Claire toucha leurs portes de la main et y posa son front. Derrière celle de Robby, elle entendait le rythme étouffé d'une musique rock, tandis qu'un rayon lumineux passait sous celle de Chelsea. Claire frappa doucement et ouvrit.

— Salut, je suis de retour. J'étais chez Ruth.

— Salut, fit Chelsea, qui se brossait les cheveux. Réveille-moi à six heures quinze, demain, veux-tu ?

— D'accord.

Peu importait ses propres soucis, Claire réalisa qu'elle ne devait jamais les imposer à ses enfants. Elle referma la porte et se rendit à sa propre chambre, où elle enleva ses chaussures. La moquette était humide, mais elle résista à l'envie d'allumer le chauffage. On était à cette époque incertaine de l'automne, entre la douceur du mois d'août et l'âpreté des froids d'octobre. Claire alluma une petite veilleuse, à côté de quelques livres sur un coffre de cèdre, enfila son pyjama d'été et prit un vieux châle qu'elle affectionnait particulièrement. Elle s'en enveloppa et prit une pose dramatique au milieu des ombres de la chambre, devant le miroir de sa table de chevet. Son reflet avait l'air profondément triste. Les commissures de ses lèvres étaient affaissées et seule une lumière furtive éclairait ses yeux. Elle récita doucement une réplique d'un vieux film dont elle ne se rappelait plus les vedettes ni le titre. Olivia de Havilland, peut-être, dans *To Each His Own*. « Tom, Tom, m'as-tu oubliée ? » Non, le héros du film ne s'appelait pas Tom. Elle ne se souvenait vraiment plus. Avec la grâce d'une ballerine, elle quitta la pièce et se dirigea vers le côté opposé de la maison pour tenir compagnie à la pluie.

Quand Tom rentra, il aperçut sa femme, recroquevillée dans un fauteuil à bascule en osier, sur la véranda. Ses genoux relevés étaient enveloppés dans un châle brun à franges. Une chandelle solitaire brûlait dans une lampe-tempête, sur la petite table. Au-dessus de la moustiquaire qui entourait la véranda, des gouttes d'eau se formaient au bord des bardeaux du toit et tombaient lourdement sur les hémérocalles. À l'étage, la radio de Robby jouait encore, mais la nuit humide et sombre semblait étouffer tous les sons.

Tom resta immobile. Il n'avait fait aucun secret de son arrivée et elle n'ignorait pas qu'il était là. Pourtant, elle continuait de se bercer, le regard perdu vers la cour qui baignait dans l'obscurité.

Tom finit par pousser un soupir.

— Veux-tu m'en parler ? demanda-t-il.

Claire ne répondit pas immédiatement et continua de se bercer, deux fois, trois fois. L'osier craquait comme la mâture d'un navire tandis qu'elle continuait de fixer la moustiquaire.

— Je ne sais pas, dit-elle en s'essuyant une paupière avec un poing enveloppé dans son châle.

Toujours vêtu de son complet, mais la cravate desserrée, Tom restait appuyé contre le cadre de la porte-fenêtre, les mains dans les poches. Il savait que sa femme avait un penchant pour la tragédie. C'est elle qui dirigeait les représentations théâtrales, à l'école, et on disait que sa façon d'enseigner évoquait le jeu d'une actrice. Depuis longtemps, Tom avait renoncé à la blâmer pour cette touche dramatique qu'elle apportait dans leurs rares disputes. Après tout, c'était un peu la seconde nature de sa femme. La nuit obscure et humide, la chandelle, le fauteuil berçant et le châle étaient tous les éléments d'un décor soigneusement choisi. Il soupira à nouveau et pencha la tête.

— Nous ferions mieux, ne trouves-tu pas ?

— Je le suppose.

Tom s'avança en traînant les pieds, tira une chaise d'osier et s'assit à côté d'elle. Il voyait l'épaule et le visage de sa femme, éclairés par la flamme de la chandelle. Il appuya ses coudes sur ses genoux et attendit.

Claire renifla de nouveau.

— D'accord, fit-il en s'efforçant de ne pas perdre patience. Tu ferais mieux de tout me dire.

— Il y a un problème entre nous. Je le sais depuis Duluth.

Tom resta immobile et penché. L'occasion se présentait à lui de soulager enfin sa conscience, mais il avait terriblement peur de la réaction de sa femme. Pour la première fois, elle tourna la tête vers lui, lentement, comme dans un film au ralenti. La pâle lumière de la chandelle conféra beaucoup de profondeur à ses orbites, ainsi qu'une faible lueur à ses yeux. Elle n'était pas maquillée et sa coiffure était défaite.

— Me le dirais-tu, Tom, si tu avais une maîtresse ?

— Oui.

— En as-tu une ?

— Non.

— Et si je te disais que je ne te crois pas ?

— Claire, c'est ridicule.

Devant la difficulté qu'il éprouvait à tout lui révéler, la colère devint une échappatoire facile.

— Vraiment ?

— Au nom du ciel, qu'est-ce qui t'a donné une idée pareille ?

— Pourquoi m'as-tu emmenée à Duluth ?

— Parce que je t'aime et que je voulais que nous nous échappions ensemble pour quelques jours !

— Mais pourquoi maintenant précisément ?

— Tu le sais très bien. Dès la rentrée, je n'ai plus de temps à moi. Regarde, c'est déjà commencé ! Il est vingt-deux heures et j'arrive à peine. Mais j'étais à l'école, pas avec une autre femme !

Après une longue et difficile journée, Tom se sentait épuisé et n'avait pas le cœur de faire face à la nuit de pleurs et de reproches que déclencherait immanquablement son aveu à propos de Kent. D'ailleurs, il était plus facile d'être l'accusateur que l'accusé.

— J'ai évoqué la possibilité que nous allions passer un week-end ailleurs, toi et moi, durant les cinq dernières années, et tout d'un coup l'idée t'enchante. Pourtant, une fois là-bas, tu t'es montré si préoccupé que j'ai eu l'impression que tu oubliais que j'étais à tes côtés, au lit.

— Je n'ai pas de maîtresse ! s'écria Tom en se levant brusquement.

— Chut ! Pas si fort, Tom.

— Je me moque bien qu'on m'entende dans tout le quartier ! Je n'ai pas de maîtresse ! D'abord, où trouverais-je le temps ? Je suis à l'école toute la journée et je me tape les soirées par-dessus le marché. Mais je sais qui t'a mis cette idée en tête ! poursuivit-il en pointant un doigt accusateur vers la maison voisine. Tu as parlé à Ruth, n'est-ce pas ? Qu'avez-vous fait, toutes les deux ? Vous avez comparé vos notes ? Elle croit que Dean a une aventure, alors forcément je dois en avoir une aussi. Pour l'amour du ciel, jamais je ne comprendrai ce qui se passe dans la tête des femmes !

Tom bouillait. En se levant, il saisit son fauteuil par le dossier et le plaqua sans ménagement à l'endroit même qu'il occupait précédemment.

— C'est toi qui as voulu en parler, rétorqua-t-elle.

— Je ne m'attendais pas à une accusation aussi grotesque ! J'ai tout à fait le droit d'être furieux !

— Je t'ai demandé de ne pas crier.

— Si tu ne voulais pas qu'on m'entende, tu n'aurais pas dû choisir la véranda comme décor du premier acte ! Crois-tu que je n'ai pas tout de suite compris ton manège ? continua-t-il d'un ton ironique en battant l'air de sa main. L'éclairage dramatique, la pluie, et l'épouse fidèle blessée dans sa confiance, enveloppée dans son châle et démaquillée. Tu me sous-estimes, Claire.

— Papa ? fit timidement Chelsea derrière eux.

— Va te coucher, Chelsea, ordonna sèchement Tom en se retournant vers sa fille.

— Mais vous vous disputez...

— En effet. Ça arrive tout le temps entre gens mariés. Ne t'inquiète pas, tout ira mieux demain matin.

— Mais... jamais vous ne vous querellez.

— Ça va, chérie, dit-il en l'entourant de ses bras pour l'embrasser sur le front. Embrasse ta mère et va te coucher.

— Mais j'ai entendu ce qu'elle disait, papa... que tu as une maîtresse.

— Je n'ai pas de maîtresse ! s'écria-t-il, exaspéré. Chelsea, reprit-il d'un ton glacial, en essayant de retrouver son calme, vas-tu faire ce que je te dis ? Embrasse ta mère et va te coucher. Nous serons encore ici, et à l'école, tous les deux demain matin. Rien n'est changé !

— Bonne nuit, maman, murmura Chelsea en embrassant sa mère dans la lumière vacillante.

— Tu n'étais pas censée entendre tout cela, Chelsea. Ne t'inquiète pas, mon amour, et va te coucher.

— Viens, maintenant. Montons, dit Tom en soufflant la chandelle après que leur fille eut disparu.

Il gagna leur chambre avant elle et enleva ses vêtements avec des gestes brusques, le dos tourné à la porte. Claire entra silencieusement dans la pièce et le regarda, reconnaissant sa colère dans chacun de ses mouvements. Il suspendit ses pantalons, enleva sa chemise et la jeta dans le panier d'osier de la salle de bains sans lui adresser un regard.

Claire se coucha et attendit. Tom revint dans la chambre, éteignit la lumière et lui tourna le dos. Quelques minutes s'écoulèrent avant qu'elle ne reprenne la parole.

— Tom, il faut que tu comprennes.

— Que je comprenne quoi ?

— Tu as raison, fit-elle en retenant ses larmes de son mieux. J'ai parlé avec Ruth, c'est vrai. Elle a vu Dean avec une autre femme, mais elle ne veut pas en parler avec lui, de crainte d'avoir à affronter la réalité ensuite. Je ne suis pas comme ça – nous ne sommes pas comme ça, Tom. À l'école, chaque jour, nous sommes confrontés à toutes sortes de problèmes. Quel genre d'éducateurs serions-nous si nous prétendions que l'inaction est la meilleure conduite en cas de conflit ? Crois-tu que je n'avais pas peur, ce soir, quand je t'ai dit ce qui me tracassait ? Mais que pouvais-je faire d'autre ? J'étais inquiète et je t'ai exprimé cette inquiétude. Je croyais faire ce qu'il fallait.

— Bon, grommela-t-il, étendu à côté d'elle, en s'assurant qu'ils ne se touchaient d'aucune façon. Tu as vidé ton sac, à mon tour maintenant. Si vraiment j'avais eu des aventures, je ne serais peut-être pas aussi furieux, mais tu m'as vraiment porté un coup bas. Tout d'abord, je t'aime et je croyais faire quelque chose de bien pour notre couple en t'emmenant à Duluth. Mais toi, tu t'en moques complètement et à la première occasion, tu me lances tes accusations au visage. Ça m'a blessé, tu comprends ? Lorsque je t'ai épousée, je t'ai juré fidélité et j'ai tenu parole, bon Dieu ! Si tu veux savoir la vérité, je ne *pense* même pas à d'autres femmes. On dit pourtant que ce genre de fantasme est normal. C'est Ruth Bishop qui t'a mis ces idées dans la tête et cela me met encore plus en rogne. Ruth Bishop a besoin d'un psychiatre, voilà ce qu'il lui faut ! La prochaine fois que tu vas la voir et qu'elle se remet à déblatérer contre son mari, ne me mets pas dans le même panier, parce que c'est extrêmement vexant ! Le pire, c'est que par ta faute, Chelsea a tout entendu.

— C'est toi qui as commencé à crier, Tom, répliqua Claire tandis que deux larmes coulaient le long de ses joues.

— Combien de temps crois-tu qu'elle va garder ça en tête ? Si jamais nous nous disputons à nouveau, elle va s'en souvenir et croira que j'ai réellement une maîtresse.

— Je lui dirai, demain matin, que j'ai fait erreur.

— Oui, c'est ça, dit-il en lui tournant le dos.

Il eut connaissance du moment où elle se mit à pleurer quand il ressentit les faibles secousses du matelas. Claire tira un mouchoir de papier de la boîte sur sa table de chevet, mais elle était trop fière pour se moucher et continua à pleurer en silence. Tom aussi s'efforçait de contenir le flot d'émotions qui menaçait de le submerger. Sa fille l'avait entendu se faire accuser injustement d'être infidèle, alors qu'il vénérait sa femme et qu'il ne lui avait pas donné le moindre motif d'inquiétude à ce sujet en dix-huit ans de mariage ! Ce qui s'était passé avec Monica Arens était arrivé avant qu'il ne prononçât ses vœux, et cela n'avait rien à voir avec leur dispute de tout à l'heure. Pourtant, cette faute ancienne revint torturer Tom. Après tout, c'était plutôt à lui de demander pardon à son épouse au lieu de l'attaquer.

Remplis de désillusion et d'amour, les deux époux continuèrent de faire face aux murs opposés de la chambre. Du côté de Claire, la fenêtre était légèrement ouverte et l'air frais arrivait sur le bras de Tom, le faisant frissonner, mais il aurait préféré mourir plutôt que de bouger le moindre muscle. Il ne comprenait pas la force qui le poussait à rester ainsi immobile, mais il s'y conformait néanmoins. *Ne lui fais pas savoir que tu es éveillé. Ne prends pas le risque de bouger et de la toucher. Qu'importe si elle a aussi mal que toi, qu'elle reste là, dans le noir, à sangloter. Qu'elle se sente aussi mortifiée que toi!*

Claire finit par se moucher. *Vas-y*, pensa-t-il, *pleure! Pourquoi devrais-je te consoler après que tu m'as attaqué de la sorte?* À travers les murs, il entendit le robinet de la salle de bains et supposa que c'était Chelsea, troublée et incapable de dormir, hantée par le choc que devait lui avoir causé cette pénible scène. *C'est vrai, c'est moi qui ai commencé à crier, mais qui ne l'aurait pas fait?*

Dans son dos, Claire déplaça ses pieds furtivement et Tom comprit qu'elle aussi sentait le besoin illogique de rester immobile. C'était stupide et inexplicable, mais les amants qui se querellent n'agissent jamais autrement.

Tom sentit que son corps commençait à se venger insidieusement. Il fit glisser lentement son bras vers sa tête et se pinça les narines, qui s'étaient mises à piquer.

Comment a-t-elle pu me mésestimer ainsi? Comment a-t-elle pu ne pas voir à quel point je l'aime?

Une larme solitaire coula de son œil gauche et s'écrasa contre l'oreiller en y faisant un petit rond humide et tiède qui se refroidit presque instantanément.

Claire tressaillit et Tom comprit qu'elle s'endormait enfin. Que lui dirait-il, demain matin? Cette sensation d'étouffement l'aurait-elle quittée, alors? Les yeux de Claire seraient gonflés et révéleraient au monde entier qu'elle avait pleuré, chose qu'elle détestait entre toutes.

Ils s'étaient rarement querellés au cours de leur vie commune. Durant les périodes d'abstinence forcée, pendant et après les grossesses, ils avaient eu leurs prises de bec, comme la plupart des couples mariés. Leur pire dispute avait eu lieu au sujet d'une des enseignantes, Karen Winstead, qui avait flirté avec Tom après son divorce. « Je ne veux plus voir cette femme dans ton bureau ! » avait crié Claire, ce qui était déraisonnable, car tous les professeurs devaient parler au directeur d'un sujet ou d'un autre, après tout. Les choses s'étaient envenimées quand il avait fait remarquer que John Handelman, professeur d'anglais lui aussi, aimait bien aller trouver Claire dans son bureau pour de longues conversations. Cette crise de jalousie mutuelle s'était prolongée tard dans la nuit. Le lendemain de ce soir-là, également, les yeux de Claire étaient rougis.

Au milieu de la nuit, Tom s'éveilla en sursaut, convaincu que sa femme ne dormait pas. Elle n'avait pas remué ni dit quoi que ce fût, mais il savait que ses yeux étaient ouverts. Dix-huit années passées à dormir à ses côtés avaient fini par lui conférer une espèce de sixième sens à ce sujet.

Sous les couvertures, le cœur de Tom semblait ballotter de gauche à droite à chaque battement, comme il arrive parfois durant le sommeil. Il ouvrit les yeux, rien de plus, mais Claire en eut immédiatement conscience.

Après de longues minutes d'immobilité, elle finit par craquer.

— Tom ? murmura-t-elle en posant une main sur son épaule.

Il chavira vers elle et la pressa contre son corps de toutes ses forces tandis que son cœur semblait se gonfler.

— Claire... oh, Claire, murmura-t-il en éprouvant à la fois un amour indestructible envers elle et un dégoût profond envers lui-même pour l'avoir accusée, alors que sa propre culpabilité était la première responsable de leur mésentente.

— Pardon. Oh, mon Dieu, je t'aime tellement, sanglota-t-elle.

— Moi aussi, je t'aime et je te demande pardon.

Leur étreinte, pour aussi passionnée qu'elle fût, leur semblait inadéquate devant la force de leurs émotions. Ils ne pouvaient tout simplement pas fusionner.

— Je le sais... Je le sais... dit-elle à travers de profonds sanglots. Pardonne-moi. Je ne peux pas... Je ne peux pas dormir à côté de toi en sachant que je t'ai fait mal. Je ne peux rien... rien faire sans toi.

Tom lui coupa la parole en l'embrassant à nouveau jusqu'à ce qu'elle soit à bout de souffle. Il l'entendit haleter contre lui et sentit ses mains plonger sous la bande élastique de son pyjama pour presser ses fesses. Un instant plus tard, elle était nue jusqu'à la taille et vibrait sous le poids de son mari. Ses jambes et ses mollets le retenaient contre elle en formant un cœur autour de ses hanches. Tous les liens qu'ils avaient forgés en dix-huit ans se renouèrent : les vœux qu'ils avaient prononcés le jour de leur mariage, les mésententes du passé et de cette nuit encore, la jalousie occasionnelle qui était venue leur rappeler à quel point ils s'aimaient, l'amour qu'ils partageaient pour leurs enfants et leur souhait que Robby et Chelsea connaissent une existence aussi heureuse que la leur, et qu'ils ne souffrent jamais à cause de leurs parents. Ils avaient placé énormément d'énergie dans leur union, leur carrière et leur vocation de parents. Pour toutes ces raisons et bien d'autres, ils s'aimaient et se respectaient. Lorsque leur mariage s'était vu menacé, ils avaient tous deux connu la peur.

Mais la peur s'enfuyait, maintenant, chassée par cet acte d'amour qui était bien plus qu'un échange sexuel. C'était un acte de contrition, de renouveau et de promesse.

Quand leur passion fut assouvie et qu'ils se furent reposés en silence, enlacés, Claire caressa la joue de son mari.

— Ne me quitte jamais, murmura-t-elle.

— Pourquoi devrais-je te quitter ?

— Je n'en sais rien. Mais promets-moi que tu ne le feras jamais.

— Je promets de ne jamais te quitter, dit-il en sentant, par la légère pression de ses doigts, que son inquiétude était réelle.

Claire disait parfois ces paroles, sans raison, et Tom ignorait absolument d'où lui venaient ces craintes. Il posa une main sur ses cheveux et caressa sa joue du bout de son pouce.

— Claire, pourquoi dis-tu de telles choses ?

— Je ne sais pas. Peut-être est-ce à cause du fait que tu t'es senti obligé de m'épouser. Cette idée ne semble jamais me quitter.

— Je t'ai épousée parce que je le voulais.

— Oui, mais loin au fond de moi... oh, je ne sais pas, Tom.

Elle n'avait jamais réussi à lui faire comprendre comme à Ruth, l'insécurité profonde que lui avait laissée cette grossesse avant mariage. Des années auparavant, Tom lui avait dit qu'il se sentait vexé par un tel sentiment et ils s'étaient querellés à ce propos. Il ne fallait pas que cela se répète ce soir.

— Tom, je suis si fatiguée... Dormons maintenant.

Ils se turent et se tournèrent tous deux du même côté. Tom enveloppa les seins de sa femme de ses mains. Ils soupirèrent et Claire posa une main sur la hanche de Tom. Ainsi réconfortés, ils s'endormirent.

Six

Dix-huit heures quarante-cinq, vendredi soir, quatre jours après la rentrée. Les vestiaires de l'équipe de football du HHH avaient des allures de camp scout au moment de la distribution des hot-dogs. C'était la première partie de la saison et les soixante-dix membres de l'équipe se préparaient dans l'enthousiasme. On criait, les portes métalliques claquaient, les conversations étaient ponctuées du bruit des clous des chaussures contre le sol. Le rouge et le blanc des chandails semblaient donner une teinte rosée à l'air humide, éclairé par les néons. De solides garçons assis à califourchon sur les bancs faisaient des mouvements de réchauffement. Même un aveugle aurait compris où il se trouvait à l'odeur si particulière de sueur, de vapeur, de ruban adhésif et de béton imprégné d'eau, jamais vraiment sec.

Robby Gardner inséra ses protège-hanches dans ses pantalons et les fixa, puis démêla les cordes élastiques de ses épaulières et les attacha pendant que deux mètres plus loin, Jeff Morehouse blaguait avec Kent Arens et lui donnait en jouant un coup de poing à l'épaule. Ensemble, ils rirent. Robby ne savait pas ce qui l'irritait tellement chez le nouveau, mais il n'aimait pas que ses meilleurs amis s'entendent si bien avec cet Arens. Pizza Lostetter avait commencé à discuter avec lui, et plus d'une fois, il avait aperçu Chelsea en grande conversation avec le nouveau, près de son casier.

L'instructeur sortit de son bureau, une planchette à pince à la main. Il était vêtu d'un pantalon bleu, d'une veste rouge et blanc à fermeture éclair, et d'une casquette rouge ornée des lettres HHH.

Il souffla brièvement dans son sifflet et obtint tout de suite l'attention générale.

— Ça va. Ouvrez grand vos oreilles ! Ce soir, c'est notre première partie. Nous jouons devant nos partisans et l'équipe doit établir une norme pour elle-même. Je sais que vous avez tous travaillé dur, mais vous allez redoubler d'ardeur avant que la saison soit terminée, et ça commence aujourd'hui. L'équipe de Blaine est notre adversaire le plus coriace, comme toujours. Pour gagner, nous devons pouvoir compter sur une offensive futée et une défensive qui démarre au quart de tour. Vous vous demandez tous qui va jouer ce soir, qui va monter au combat, alors je ne vous ferai pas languir plus longtemps. Voici l'alignement pour ce soir : Gardner, quart-arrière ; Baumgartner, demi gauche ; Pinowski, arrière gauche...

Tandis que les noms défilaient, certains jeunes redressaient les épaules, alors que d'autres baissaient légèrement la tête, mais tous gardaient le silence.

— Arens, demi.

Les yeux de Robby allèrent immédiatement vers Jeff Morehouse, qui avait occupé cette position l'an dernier et qui espérait le faire encore cette année. *Lisez le nom de Jeff!* pensa-t-il. *Lisez-le!* Pourtant le nom ne fut pas cité. Robby n'arrivait pas à s'imaginer remettant le ballon à quelqu'un d'autre. Jeff et lui étaient coéquipiers depuis les petites ligues, à l'école primaire.

L'entraîneur termina la lecture de sa liste et se lança dans son petit laïus d'avant-match pour rappeler à chacun son rôle, selon ce qu'il avait pu apprendre de l'équipe adverse : une répétition de ce qu'ils avaient entendu toute la semaine lors de l'entraînement. Robby observa furtivement Arens, qui semblait se tenir au garde-à-vous, et qui écouta presque sans cligner des yeux durant les quatre minutes que dura le discours. Même sa capacité de concentration irritait Robby.

— ...alors allez-y, les gars, et montrez-leur quelle équipe est la meilleure !

Robby émergea de ses réflexions en réalisant que Bob Gorman avait fini de parler. Saisissant son casque, il se mit à trotter en direction du terrain, l'air renfrogné, derrière Kent Arens.

Les estrades commençaient à se remplir et les meneuses de claque entrèrent en action dès que l'équipe parut. La fanfare entama la marche de l'école et l'air familier résonna dans le crépuscule. Robby aperçut sa sœur qui chantait avec les autres jeunes filles. Elle se tourna à moitié quand Arens passa derrière elle.

— Eh, Robby ! Vas-y, frérot ! cria-t-elle sur son passage avant de reprendre l'hymne de l'école.

D'aussi loin qu'il pouvait se souvenir, Robby Gardner avait attendu ce moment. Une douce nuit d'automne, la pelouse coupée ras sous ses crampons, les cuivres retentissant dans ses oreilles, les couleurs de l'école partout... C'était sa dernière saison comme quart-arrière, sa dernière année à cette école. Son corps était prêt au combat. Même Chelsea était là pour l'encourager. Oui, cela aussi, c'était bien. Mais ce qui venait de se passer dans le vestiaire l'empêchait d'éprouver une satisfaction totale. Que devait ressentir ce pauvre Jeff, relégué au banc par un blanc-bec du Texas qui lui volait sa place en balançant des « Oui monsieur, non monsieur » ? À ce moment précis, Jeff le rattrapa et se mit à courir à ses côtés.

— Dis donc, vieux, c'est vache.

— Ouais, mais... tu sais bien : c'est l'entraîneur qui décide.

— Peut-être, mais cette fois, il se trompe.

— Tu ferais mieux de ne pas le dire trop fort, sinon toute l'équipe va faire des tractions japonaises.

Les tractions japonaises étaient un exercice épuisant, une punition qu'aucun membre de l'équipe n'aurait voulu voir infliger à ses camarades. Ils atteignirent le milieu du terrain. En tant que capitaine de la ligne offensive, il revenait à Robby de diriger le réchauffement.

— Allez, dispersez-vous, et que ça saute ! cria-t-il en soumettant le groupe de joueurs à une rigoureuse série d'exercices et d'étirements. Trouvez-vous un partenaire, maintenant ! reprit-il au bout de quelques minutes. Arens, ici !

Kent trotta jusqu'à lui. L'hostilité de Robby à son égard devint immédiatement flagrante. Sans avertissement, il leva sa jambe en direction du jeune homme, qui l'attrapa par le talon et la tint en l'air pendant que Robby se penchait jusqu'à toucher son genou de son front. Il prit tout son temps, étirant d'abord la jambe droite, puis la gauche. Ce fut ensuite le tour de Kent.

— Alors, qu'est-ce qui se passe entre ma sœur et toi ?

— Rien, fit Kent en se redressant.

— Je t'ai vu avec elle dans les corridors.

— Oui. Elle est gentille.

— Alors, qu'est-ce qui se passe ? Je veux dire : tu vas sortir avec elle, ou quoi ?

— Et si je le faisais, y verrais-tu des objections ? demanda Kent en changeant de jambe.

— Je n'en vois aucune. Ce n'est pas de mes affaires... Tant que tu la traites correctement...

— Qu'est-ce qui te tracasse, Gardner ?

— Rien.

— Tu en es sûr ? D'accord, je suis nouveau et j'ai pris la place d'un de tes amis, mais nous devons jouer ensemble et si tu as une dent contre moi, mieux vaut régler ça maintenant.

— Au contraire, répliqua Robby avec un faux aplomb. T'es blanc comme neige, mon bonhomme.

Pourtant, quand ils passèrent aux lancers de réchauffement, Robby envoya le ballon à Arens avec autant de férocité que possible, l'atteignant en pleine poitrine encore et encore, incapable de le faire grogner ni reculer. Kent l'attrapa chaque fois et finit par lancer aussi fort. Surpris, Robby chancela et le ballon rebondit sur le sol.

— Qu'est-ce qui te prend, Gardner ? cria Kent. Garde donc ça pour Blaine !

Enfin, les joueurs se rassemblèrent pour les consignes de dernière minute.

— Deux joueurs à surveiller, dit Bob Gorman. À l'offensive, le numéro trente-trois : Jordahl. Ceux d'entre vous qui l'ont affronté en athlétisme savent qu'il court comme un lièvre. Les ailiers devront ne jamais le perdre de vue. À la défensive, c'est le numéro quarante-huit, Wayerson. Il fait un mètre quatre-vingt-douze et ses bras sont aussi longs que ceux de King Kong. Il peut vous rabattre une passe en moins de deux. Ne le laissez pas approcher du ballon, compris ? Ce sont les deux joueurs que vous devez arrêter pour gagner, ne l'oubliez pas ! Maintenant, allez-y à fond !

Les joueurs formèrent un cercle et unirent leurs mains, poussèrent un hurlement et se séparèrent.

Trois minutes après le début du premier quart, l'entraîneur demanda une feinte et une longue passe. Kent attrapa le ballon, déjoua les bloqueurs adverses et courut jusqu'à la zone de but pour un toucher.

La foule explosa et les meneuses de claque se mirent à bondir, tandis que la fanfare entonnait la marche de l'école. Arens fut instantanément entouré de ses coéquipiers qui donnèrent de grands coups sur son casque en criant à tue-tête.

Robby Gardner, lui, resta silencieux. Il tint le ballon pour le botté d'un point et courut à toutes jambes vers la ligne de touche. Une fois hors du terrain, il retira son casque sans dire un mot de félicitations à son demi. Aux côtés de Jeff Morehouse, il regarda les sept points s'inscrire au tableau d'affichage, avec un sentiment bien éloigné de l'esprit d'équipe qu'on attendait de lui.

Kent compta un nouveau but durant le troisième quart en plongeant la tête la première par-dessus la mêlée, à deux verges de la zone de but. Au cours du dernier quart, il réussit à ouvrir une brèche dans la défense ennemie, permettant à son quart-arrière de se faufiler pour un toucher qui mit fin à l'égalité entre les deux équipes. Les Sénateurs remportaient la victoire.

En quittant le terrain aux côtés de Kent Arens, Robby réalisa que tous ses coéquipiers trottaient avec enthousiasme autour d'eux.

— Bien joué, Arens, fit-il du bout des lèvres.

— Merci, répondit l'autre avec froideur.

Ils se séparèrent sans même avoir échangé un regard.

Les derniers joueurs quittaient le vestiaire lorsque Bob Gorman s'approcha de Robby.

— Gardner, passe dans mon bureau quand tu auras fini.

— Tout de suite, lança le jeune homme par-dessus son épaule en enfilant sa veste de cuir. Eh, Jeff ! J'arrive dans une minute. Je dois parler à M. Gorman. Tiens, prends les clés de ma voiture. Si tu vois Brenda, demande-lui si elle veut manger un hamburger avec nous, d'accord ?

Dans son bureau, Bob Gorman était affalé dans son vieux fauteuil et considérait attentivement une feuille de statistiques.

— Ferme la porte et assieds-toi, fit-il en se redressant d'un air sombre.

L'entraîneur laissa passer quelques secondes de silence tandis que Robby s'asseyait, restant dans l'expectative.

— Alors, finit par dire Gorman. Il n'y a pas quelque chose dont tu voudrais me parler ?

— Moi ? fit Robby d'un ton stupéfait.

— Il s'est passé quelque chose de pas catholique sur le terrain, ce soir, et j'aimerais bien savoir quoi.

— Je ne comprends pas. On a bien joué. On a gagné, non ? répondit Robby avec une innocence mal feinte.

— Ça va, Gardner, inutile de jouer au plus fin avec moi ! Tu fais la tête depuis qu'Arens est arrivé parmi nous. Ce soir, tu as joué comme si tu te fichais de ce qui se passait sur le terrain.

— Mais nous avons gagné !

— Il ne s'agit pas de ça, Gardner, et tu le sais ! Il s'agit de ta participation à l'équipe, de ton *esprit* d'équipe, du fait que l'équipe doit passer avant tout !

D'accord, je sais déjà tout ça. Où voulez-vous en venir ? pensa Robby.

— Alors, qu'est-ce qui cloche entre Arens et toi ?

— Mais rien !

— Dis donc, Robby. Arrête de faire l'andouille. Je suis entraîneur des Sénateurs, et quand l'unité de mon équipe est menacée, je veux savoir par quoi. Ce ne serait pas parce qu'Arens a évincé ton vieux pote Morehouse, par hasard ?

Robby serra les dents sans rien dire et fixa son regard sur un appuie-livres en forme de balle de golf sur le bureau de son entraîneur.

— C'est bien ça, n'est-ce pas ? Ça et le fait que vous avez tous vécu la pire période de l'entraînement sans qu'Arens y ait participé ?

— Je suis désolé, monsieur, mais Jeff a travaillé dur pour faire partie de l'alignement.

— C'est *moi* l'entraîneur, ici! tonna Gorman. C'est *moi* qui décide qui joue et qui ne joue pas, et je prends ma décision en fonction de ce qui vaut le mieux pour l'équipe. Toi, par contre, tu sembles avoir oublié que si tu fais passer tes problèmes au premier plan, c'est toute l'équipe qui en souffre. Où étaient les grandes tapes dans le dos et les félicitations quand Arens a compté son premier toucher? Et son deuxième?

Robby baissa la tête en silence. L'entraîneur se pencha vers lui.

— Ça ne te ressemble pas, Gardner, dit-il en baissant le ton. Arens est bon. Très bon. Tout le monde, dans l'équipe, joue mieux depuis son arrivée. Ce soir, c'est grâce à lui que tu t'es retrouvé dans la zone des buts. Je m'attendais à ce que tu fêtes ça avec lui.

— Désolé, monsieur, grommela Robby.

— S'il y a quelque chose de personnel entre Arens et toi, reprit Gorman en se redressant, laisse ça en dehors du terrain. Tu es trop bon joueur pour oublier une règle aussi fondamentale et trop bon quart-arrière pour finir la saison en spectateur. Ne me force pas la main, Robby, parce que je ferai passer l'équipe avant tout, quoi qu'il arrive. Compris?

Robby fit piteusement signe que oui et Gorman le renvoya du revers de la main.

— Ça va, maintenant. Sors d'ici et passe un bon week-end. On se reverra à l'entraînement, lundi.

Robby jouait au football depuis qu'il avait été assez grand pour porter un casque et jamais, au cours de toutes ces années, on ne l'avait traité de la sorte. Il s'était déjà fait passer un savon en compagnie de ses coéquipiers, mais seul, jamais! Il quitta le bureau de l'entraîneur animé d'une rancune encore plus vive contre Kent.

Dans le vestiaire des filles, les meneuses de claque étaient aussi en train de se changer.

— Je donnerais n'importe quoi pour que Kent Arens me demande de sortir avec lui! lança Erin à Chelsea.

— Dis donc, et que fais-tu de Rick?

— Rick ne fait pas partie de l'équipe de football, et puis c'est un tel despote !

— Mais Erin, interjeta Chelsea en baissant la voix, comment peux-tu dire ça après que Rick et toi... Tu sais...

— Nous nous sommes disputés, hier, Rick et moi.

— À propos de quoi ?

— À propos de Kent. Il m'a vu lui parler entre deux cours. Chelsea, je crois que Kent commence à s'intéresser à moi. Tu es son amie. Pourrais-tu lui laisser entendre que je craque vraiment pour lui et que je sortirais avec lui s'il me le demandait ?

— Que tu craques pour lui ? Erin, comment pourrais-je lui dire une telle chose ? Je serais beaucoup trop gênée.

— Il ne s'agit pas de le lui dire, mais de le sous-entendre.

— Erin... vraiment...

— Ne me dis pas que tu en pinces pour lui, toi aussi...

— Pas exactement.

— Toi aussi ! Oh non, Chels, ce n'est pas vrai ! Je croyais que tu passais tout ce temps avec lui parce que tu le devais.

— Il est très gentil, Erin. Enfin, il est bien élevé et ne crie pas, contrairement à la plupart des autres garçons. Mais surtout, ce n'est pas le genre à qui on peut dire qu'on craque pour lui.

— D'accord, d'accord, fit Erin avec dépit. Je voulais juste te le demander. Je n'imaginais pas que tu voulais le garder pour toi toute seule.

— Je ne le garde pas pour moi toute seule et ne dis pas ces choses-là si fort. C'est ainsi que naissent les rumeurs. Je vais porter mon uniforme dans mon casier. On se retrouve devant l'entrée.

— D'accord. Dans trois minutes.

Les deux amies se séparèrent dans le corridor en portant sur l'épaule leur chandail et leur jupe accrochés à un cintre. Dans le coin des casiers, peu de lumières étaient restées allumées, et les salles de cours étaient closes. Les choses avaient l'air tellement différentes ici, le soir. Chelsea pouvait même entendre les déclics de son cadenas tandis qu'elle composait la combinaison avec le bout de son pouce. Elle tira un petit sac à main de son casier, se mit du rouge à lèvres et referma la porte avant de se diriger vers l'entrée principale. En chemin, elle passa devant les cinq rangées étroites des casiers des plus vieux.

— Eh, Chelsea ! C'est toi ? fit une voix dans l'ombre.

— Kent ? dit-elle joyeusement. Salut. Tu as joué une partie superbe. Je comprends maintenant comment tu as pu obtenir une place au sein de l'équipe.

— Merci. J'ai eu de bons entraîneurs au Texas.

— Mmh... Non, c'est autre chose, je crois. Comme le dit toujours mon père : « On peut montrer à jouer à quelqu'un, mais on ne peut lui montrer à être bon. »

Chelsea s'appuya contre un casier et regarda Kent recevoir le compliment avec une humilité non feinte.

— Eh ! Il n'y a pas de quoi avoir honte.

— Je n'ai pas honte. C'est juste que...

Kent haussa les épaules et ils rirent tous deux de bon cœur. Le silence retomba entre eux.

— De temps en temps, je regardais vers les lignes de côté et je t'apercevais en train de crier, et je me disais : « Eh, je la connais, celle-là. C'est Chelsea. » J'étais bien content de te voir là-bas.

Le silence reprit. Leurs yeux se rencontrèrent pour se quitter tout aussitôt, en leur procurant un délicieux malaise.

— Alors, tu rentres avec tes amies, ou quoi ?

— Quelquefois. Quelquefois, aussi, je conduis, mais c'est Robby qui a la voiture, ce soir. Et toi ?

— Ma mère est venue voir la partie, mais elle ne voulait pas attendre pendant que je me changeais, alors elle est rentrée en me disant de lui téléphoner si je voulais qu'elle vienne me chercher. Pizza a dit qu'il me raccompagnerait, si je voulais.

— Oh, fit Chelsea en semblant s'intéresser vivement au cadran d'un cadenas qu'elle grattait du bout de l'ongle.

Kent referma la porte de son casier, mais ils restèrent sans bouger, peu pressés de quitter l'intimité que leur offrait la pénombre.

— Habites-tu loin d'ici ? s'enquit-il.

— À trois kilomètres.

— Par là, c'est ça ? dit-il en pointant du doigt la direction qu'elle lui avait désignée l'autre jour.

— Oui, c'est ça.

— Je peux te raccompagner, offrit-il en se plaçant bien droit devant elle, les mains enfoncées dans les poches de son blouson.

— Ça va te faire faire un long détour.

— C'est sans importance : la nuit est belle.

— Te voilà, Chelsea! s'écria Erin en s'arrêtant brusquement entre les deux rangées de casiers. Qu'est-ce qui te retient... oh!

— Je parlais avec Kent.

— Salut, Kent. Alors, Chelsea, tu viens ou quoi?

— Non, pars sans moi. Kent va me reconduire.

L'expression d'Erin perdit soudain de sa vivacité et les commissures de ses lèvres s'abaissèrent légèrement sous l'effet d'une pointe de jalousie.

— Tu ne veux pas venir au resto avec nous?

— La prochaine fois, d'accord?

— Bon, d'accord... Enfin... Appelle-moi demain, tu veux? Salut, dit Erin en continuant de considérer avec envie la bonne fortune de sa camarade.

— Je crois qu'elle t'aime bien, tu sais, fit Chelsea lorsque le bruit de pas de son amie se fut éloigné.

— Elle est gentille, mais elle n'est pas exactement ce qu'on pourrait appeler mon type.

— Oh? Et quel est ton type? demanda Chelsea tandis qu'ils gagnaient la sortie du pas tranquille de ceux qui ont tout leur temps.

— Je n'en suis pas encore sûr, mais quand je le saurai, je te le dirai.

Les sons étouffés de leurs propres mouvements les unissaient au milieu de la quiétude inhabituelle de l'édifice vide. Kent ouvrit la lourde porte d'entrée et laissa sortir Chelsea dans la nuit d'automne. Dehors, quelques automobiles quittaient encore le terrain de stationnement et quelqu'un klaxonna en les saluant de la main. Le terrain de football était maintenant plongé dans l'obscurité, mais les lampadaires devant eux projetaient sur le sol des cônes lumineux à intervalles réguliers. Ils traversèrent la rue. Dans le ciel, une demi-lune répandait une lumière crémeuse sur le monde endormi et transformait les trottoirs en minces rubans de couleur pâle, entrecoupés par les ombres profondes des arbres qui entouraient les pâtés de maisons. Au loin, un chien aboya. Ils avancèrent lentement dans la nuit, comme un jeune couple prêt à explorer une amitié nouvelle qui promettait d'aller bien plus loin.

— T'ennuies-tu du Texas ? demanda Chelsea.

— Mes amis me manquent, surtout mon meilleur ami, Gray Beaudry.

— Gray Beaudry. Les gens du Sud ont des noms si romantiques.

— Gray Richard Beaudry. On l'appellait « Rich », ce qui nous faisait bien rire, car c'est exactement ce qu'il est : riche comme Crésus. La famille de sa mère a fait fortune dans le pétrole. Tu aurais dû voir leur maison : une immense piscine, un tas de chambres d'invités... Un véritable palace.

— Et tu voudrais être riche, un jour ?

— Je n'en sais rien. Ce ne serait pas si mal. Et toi ?

— Pas vraiment. J'aimerais mieux être heureuse.

— Oui, bien sûr. Qui ne le voudrait pas ? L'argent ne console pas quand on broie du noir.

La conversation roula sur leurs propres parents, leur situation matérielle respective et la part de bonheur qu'ils avaient reçue. Selon Kent, la réussite avait toujours été le but premier de sa mère. Elle avait travaillé dur pour cela, et leur nouvelle maison était une grande source de fierté pour elle. Chelsea dit qu'il en allait probablement de même chez elle. Comme elle obtenait ce qu'elle demandait la plupart du temps, ses parents devaient être assez à l'aise. Elle avait toujours également su qu'ils étaient heureux ensemble. Kent raconta qu'il avait toujours trouvé étrange que sa mère soit parfaitement heureuse même si elle n'avait jamais été mariée, et Chelsea répondit qu'il était amusant de constater à quel point les gens étaient différents. Son père et sa mère n'auraient jamais su être heureux autrement que mariés.

— Quelle est cette histoire à propos de la façon dont Pizza a hérité de ce surnom ? demanda Kent en changeant brusquement de sujet.

— Il te l'a raconté ?

— Pas lui directement, mais quelqu'un d'autre. Je pense qu'il craint encore de l'avouer.

— Pourtant tout le monde est au courant. Le dernier jour d'école, il y a deux ans, il a téléphoné à la pizzeria en se faisant passer pour mon père et a fait livrer sept grandes pizzas chez nous.

— Et ton père a payé?

— Que pouvait-il faire d'autre?

— C'est difficile à croire, dit Kent en éclatant de rire. Il faut vraiment être d'un calme à toute épreuve pour agir comme ça. A-t-il au moins tenté de savoir qui lui avait joué ce mauvais tour?

— Oh, il s'en est immédiatement douté. Roland s'était fait prendre pour je ne sais plus quelle broutille et mon père l'avait gardé en retenue à l'école à la fin de l'année. Mon père était sûr que le coup venait de lui. L'an dernier, chaque fois qu'on nous a servi de la pizza à la cafétéria, il allait le voir – tu sais comment il s'y prend, en s'arrêtant juste derrière les gens quand ils sont attablés – et lui demandait : « Alors, Roland, comment est la pizza, aujourd'hui? » C'est curieux, mais Roland s'est mis à aimer mon père à partir de ce moment-là. Il a même passé l'été dernier à tondre le gazon et à faire de l'entretien pour le district scolaire. C'est mon père qui l'a aidé à obtenir l'emploi.

— Je peux te dire quelque chose? fit Kent au bout d'un moment de silence.

— Quoi?

— Je t'envie d'avoir un père comme le tien. J'ai peut-être eu l'air un peu brusque, l'autre jour, quand tu m'as posé des questions sur le mien, mais j'ai vu comment M. Gardner... enfin, ton père agit avec toi et les élèves, et je crois que tu as raison : il est vraiment chic.

— Merci, répondit-elle en souriant. Je le pense aussi. Voici ma rue, dit-elle comme ils approchaient d'un coin. Quatrième maison à gauche.

Leurs pas ralentirent. Il enfonça ses pouces dans les poches arrière de son jean et son coude effleura celui de Chelsea. Ensemble, ils regardèrent leurs pieds avancer lentement sous les ombres qui semblaient bleues sur l'asphalte. Ils approchèrent de la maison.

— Alors, est-ce que tu sors avec quelqu'un ?

— Non.

— C'est bien, dit-il après l'avoir regardée à la dérobée.

— Et toi ? Est-ce qu'il y a une fille, au Texas, à qui tu envoies des lettres ?

— Non, répondit-il. Il n'y a personne.

— C'est bien, fit-elle également, la joie au cœur.

Ils tournèrent ensemble et remontèrent l'allée menant au garage. Comme les portes en étaient fermées, Chelsea entraîna Kent vers l'entrée de la maison et s'arrêta au pied des deux marches menant au perron de ciment.

— Merci de m'avoir raccompagnée. Je suis désolée que tu aies un si long chemin à faire pour rentrer chez toi.

— Ce n'est rien, dit-il en posant un pied sur une des marches juste derrière elle. Si j'avais eu l'auto, ç'aurait été plus simple. Ma mère est censée m'en acheter une, mais elle n'a pas encore eu le temps de s'en occuper.

— Ça va, j'aime bien marcher. Belle nuit, n'est-ce pas ? dit-elle en levant les yeux au ciel.

— En effet, fit-il en l'imitant.

Au bout d'un instant, leurs regards s'abaissèrent de nouveau et se fixèrent l'un sur l'autre. Kent redescendit son pied de la marche.

— Eh bien... dit-elle d'un ton qui signifiait « Je ferais bien d'y aller ».

Ils restaient immobiles, cloués sur place par l'idée qu'ils pouvaient s'embrasser s'ils le voulaient, prisonniers de ce splendide moment d'anticipation qu'ont immortalisé de si nombreux journaux intimes de jeunes filles.

Kent tenta sa chance et se pencha légèrement vers Chelsea, dans une attitude qui lui laissait le choix. Chelsea attendit, le visage levé. Il se pencha davantage et l'embrassa en gardant les mains dans les poches, sans rien tenir pour acquis. Il avait des lèvres douces et innocentes, comme celles de la jeune fille. Quand il se redressa, ils sourirent tous les deux.

— À la prochaine, dit-il.

— Oui... à la prochaine.

Kent recula de plusieurs pas avant de tourner le dos pour s'en aller.

Sept

Tom ne passait que peu de samedis matin à se reposer à la maison. De nombreuses activités communautaires se déroulaient à l'école et le directeur devait être présent. L'édifice servait à tout : des associations de l'âge d'or y organisaient des petits-déjeuners ; des groupes venaient utiliser la piscine ; on donnait des cours de danse dans le gymnase ; les salles de cours abritaient les réunions du club de jardinage...

Le lendemain de la partie de football n'était pas une exception. Tom se prépara à quitter la maison peu après huit heures trente.

— Que fais-tu aujourd'hui ? demanda-t-il à sa femme en rinçant sa tasse de café.

Depuis la nuit de leur querelle, ils traitaient leur amour comme une chose particulièrement fragile et précieuse, et faisaient preuve de beaucoup de tendresse l'un envers l'autre.

— D'abord je vais à l'épicerie, ensuite je fais un peu de ménage, et finalement je prépare mes cours. Quand tu reviendras, pourrais-tu jeter un coup d'œil au robinet d'eau chaude de la cuisine ? Je crois qu'il y a un problème.

— Bien sûr. À plus tard, dit-il en l'embrassant au passage.

Claire le retint par la manche et réclama en silence un meilleur baiser. Ils se quittèrent à regret, avec un sourire.

— Au revoir.

— Je rentre dès que possible.

Ils se sourirent à nouveau, mais de façon complice, se promettant implicitement des retrouvailles intimes.

Tom passa la matinée à son bureau, profitant du calme inhabituel qui y régnait pour étudier le budget de l'école et essayer de trouver un endroit pour le cours de russe, qui serait enseigné par télévision interactive dans quatre autres districts scolaires du Minnesota. Peu avant midi, Robby frappa à la porte.

— Salut, papa.

— Bonjour, dit Tom en laissant tomber son crayon. Tu t'entraînais à la salle d'haltérophilie ?

— Oui, mais maintenant, ma voiture refuse de partir. Je crois que la batterie est morte.

— Eh bien, j'étais prêt à rentrer, fit Tom en rassemblant ses papiers. Allons voir ce que c'est.

Les activités prévues ce jour-là à l'école étaient presque terminées. Tom verrouilla les portes de verre du bureau de la direction, passa d'abord par la cafétéria et jeta un coup d'œil aux corridors du rez-de-chaussée. Tout était tranquille. Quelque part dans l'édifice, les employés d'entretien travaillaient et la radio de Cecil jouait doucement dans l'aile ouest.

Dehors, ce jour de septembre était parfait. Sous le ciel bleu pâle, les érables qui bordaient le trottoir et les grands ormes dans les cours des maisons avoisinantes conservaient leurs riches teintes de vert. De l'autre côté de la rue, un homme lavait une automobile rouge dans son allée. Dans de tels moments, Tom éprouvait un curieux vide. Cet endroit pouvait sembler si solitaire sans son bourdonnement habituel d'activité. Quand il trouvait le terrain de stationnement vide, il avait toujours envie de rentrer au plus tôt chez lui.

Le père et le fils prirent l'auto de Tom et firent le tour de l'école pour se rendre vers le terrain de stationnement des élèves. Toute seule au milieu de la surface asphaltée, la Nova de Robby avait l'air d'une vieille chaudière rouillée.

— Que s'est-il passé quand tu as essayé de démarrer ?

— Absolument rien.

— Nous ferions mieux de prendre les câbles de survoltage, alors.

Tom plaça sa voiture face à celle de son fils et alla chercher les câbles dans le coffre arrière. Tandis qu'il les reliait à sa batterie, son fils vint se pencher à côté de lui sous le capot.

— Je crois que je ferais bien de te le dire, commença-t-il, parce que tu vas l'apprendre de toute façon. L'entraîneur m'a passé un savon hier soir.

— Ah oui ? fit Tom en gardant le visage penché sur ce qu'il faisait.

— C'était à propos d'Arens. Il pense que j'ai une dent contre lui.

— Est-ce exact ? demanda Tom par-dessus son épaule.

— Je n'en sais rien, fit Robby d'un air renfrogné en haussant les épaules.

Tom sortit de sous le capot en se frottant les mains.

— Tu peux m'en parler, Robby. Je ne vais pas te faire la leçon, tu sais.

— Écoute, papa. Jeff a passé la partie sur le banc !

De toute évidence, Robby ne savait pas comment réagir. Ce n'était pas le moment de lui faire la morale.

— Et comment Jeff l'a-t-il pris, lui ?

— Je ne sais pas. Il n'a pas dit grand-chose.

— Alors tu l'as dit pour lui ? fit Tom après avoir marqué une légère pause.

— Pas vraiment. Mais Jeff et moi jouons ensemble depuis des années !

Robby se retourna pour s'appuyer contre le pare-choc de l'auto de son père, l'air exaspéré. Tom étudia la courbe de ses épaules pendant un instant, s'essuya les mains avec son mouchoir et prit à son tour la même pose. Côte à côte, les bras croisés, ils fixèrent leur regard sur l'homme qui lavait son auto de l'autre côté de la rue. Le soleil, maintenant à son zénith, réchauffait leur dos. L'étendue d'asphalte qui les entourait leur donnait l'impression qu'ils étaient les deux seuls habitants d'une île.

— Tu oublies que j'ai assisté à la partie, hier, reprit Tom. Je crois savoir ce qui a irrité l'entraîneur. Au fait, ce qui se passe entre lui et toi dans le vestiaire est strictement personnel. Je ne lui demande pas de compte sur la façon dont il te traite, pas plus qu'il ne m'en parle.

Robby tourna la tête vers son père sans rien dire. Loin au nord du terrain de stationnement, une volée de corneilles monta au-dessus d'un arbre avant de disparaître à nouveau dans le feuillage.

— Les choses changent, fit Tom d'un ton méditatif. On trace le parcours de son existence à sa guise, jusqu'à ce que survienne quelque chose d'inattendu qui bouleverse tout. Comme ce serait bien de pouvoir mettre sa vie en ordre une fois pour toutes et d'arrêter le temps. Mais rien ne reste en place. On grandit, on se fait des amis. Puis c'est le collège et on les perd de vue. Mais on rencontre d'autres gens. Parfois on se demande pourquoi la vie est ainsi. Je peux te dire que chacune des rencontres que tu feras te transformera dans une certaine mesure. Chaque choix crucial, chaque expérience émotionnelle aura un effet sur toi. C'est ainsi qu'on forme son caractère.

— Alors tu crois que l'équipe passe en premier ? Avant Jeff ? fit Robby en faisant rouler un caillou d'un léger coup de pied.

— Je crois que c'est à toi de décider.

Robby leva les yeux vers les arbres, d'où les corneilles s'envolaient à nouveau en faisant des figures changeantes dans les airs. Tom posa une main sur l'épaule de son fils et s'éloigna du pare-chocs.

— Allons. Essayons de faire démarrer ce tas de ferraille.

Peu de temps après, ils arrivèrent à la maison chacun dans sa voiture. Tom fit entrer la sienne dans le garage et Robby s'arrêta dans l'allée. Il essaya immédiatement de faire redémarrer la Nova, mais sans succès. Tom s'approcha, écouta le bruit du démarreur qui grondait en vain et calcula mentalement le prix d'une nouvelle batterie. Robby descendit de son auto et fit claquer la portière.

— Plus rien à faire.

— Je m'y attendais. Au moins, c'est arrivé avant l'hiver.

Ils rentrèrent ensemble. L'aspirateur trônait au milieu du salon et la cuisine était encombrée, comme si le rangement de l'épicerie avait été brusquement interrompu.

— Nous sommes ici, en train de manger de la soupe, fit la voix de Claire en provenance de la véranda. Prenez des bols et des cuillères !

Claire et Chelsea étaient assises autour de la petite table ronde, où un casserole d'acier inoxydable et une assiette de biscuits soda disputaient l'espace à une pile de circulaires. Chelsea, vêtue d'un tee-shirt trop grand pour elle sur lequel figurait un perroquet, appliquait du vernis sur ses ongles d'orteils. Elle en finit un, prit une cuillerée de soupe et commença à vernir un autre ongle. Claire, elle, portait un jean, un chemisier de batiste et une casquette de base-ball.

— Servez-vous, dit-elle en faisant tinter sa cuillère dans son bol.

— Quoi de neuf ? demanda Tom en effleurant de la main le dos de sa femme tandis qu'il passait derrière sa chaise.

— Mmmh... pas grand-chose. Ton père a téléphoné. Rien d'important. Il voulait seulement dire bonjour. Et de votre côté ?

— La Nova a sans doute besoin d'une nouvelle batterie. Il a fallu la survolter à l'école. Maintenant, elle refuse de démarrer.

— Quelle sorte, la soupe ? demanda Robby en soulevant le couvercle de la casserole.

— Brocoli et jambon.

— Avec du fromage ? demanda-t-il en ouvrant grand les yeux.

— Bien sûr.

— *Super*, maman ! J'ai rudement faim.

— Quelle surprise, répondit Claire en souriant tandis que le père et le fils s'asseyaient et se servaient. Tenez, prenez des biscuits.

Robby en brisa quelques-uns au-dessus de son bol et entreprit d'en faire disparaître les morceaux dans sa soupe tout en gardant un œil sur sa sœur.

— Pourquoi te peinturlures-tu les ongles d'orteils comme ça ? C'est la chose la plus idiote que tu aies jamais faite.

— Ouais ? Et qu'est-ce que ça peut te faire, monsieur Muscle ?

— Dis donc, tu sais combien d'heures d'entraînement il m'a

fallu pour obtenir ce résultat ? Et puis qui va les voir, tes orteils, de toute façon ?

Chelsea envoya à son frère un regard peu amène.

— Kent Arens aime les doigts de pied rouges, ou quoi ?

— S'il les aime, ça ne te regarde pas.

— Il paraît qu'il t'a raccompagnée à pied, hier soir, après la partie.

La cuillère de Tom resta suspendue au-dessus de son bol.

— Ça non plus, ça ne te regarde pas.

— Il ne sait pas conduire, peut-être ?

— Mon Dieu, tu as l'air tellement viril quand tu essayes de rabaisser ceux dont tu es jaloux, répliqua Chelsea en soufflant sur ses orteils pour faire sécher le vernis.

— Moi, jaloux de Kent Arens ? Avec son accent à la noix, on ne comprend pas la moitié de ce qu'il dit.

— Eh bien il me plaît, à moi, son accent. Et oui, il m'a raccompagnée hier soir. Satisfait ? Désires-tu savoir autre chose ?

— Ça va, vous deux ! intervint Tom en s'efforçant de dominer l'appréhension qui s'emparait de lui. À vous entendre, on croirait que vous êtes deux ennemis mortels. Robby, n'oublie pas ce dont nous avons parlé à l'école.

— De quoi avez-vous parlé à l'école ? demanda Chelsea, soudainement intéressée par ce qui ne la regardait pas.

— Chelsea... répliqua Tom, sur le point de rappeler les règles concernant le respect de la vie privée dans la famille.

— Oh, d'accord... Mais dis-lui de ne rien faire pour éloigner Kent Arens. Il est vraiment gentil et je l'aime beaucoup.

Les paroles de Chelsea frappèrent Tom de plein fouet. Sa gorge se contracta et son estomac parut chavirer. Qu'avait-il fait ? Par lâcheté, il avait tu la vérité et maintenant, Chelsea avait le béguin pour son propre frère ! Il avait besoin d'être seul pour y voir clair. Il se leva pour porter son bol à la cuisine.

— Tom, fit Claire en le voyant quitter la véranda, tu as à peine mangé.

— Désolé, chérie. Je n'ai pas vraiment faim.

Dans la cuisine, il rinça son bol. Il aurait dû tout raconter une semaine et demie auparavant, la première fois qu'il avait rencontré Kent Arens. Toutes ces vies – six vies – touchées par cette relation père-fils. Il avait attendu trop longtemps pour faire la seule chose honorable dans les circonstances.

— Écoute, chérie, dit-il assez fort pour couvrir le bruit de l'eau coulant dans le lavabo, je vais au centre commercial pour acheter une batterie d'auto neuve. Je regarderai le robinet d'eau chaude plus tard, d'accord ?

— Ne devrais-tu pas y jeter un coup d'œil avant, au cas où tu aurais besoin de pièces ?

Tom alla retrouver sa femme et l'embrassa sur le front, en regrettant amèrement tout le chagrin qu'il allait causer.

— L'auto importe davantage. Je reviens bientôt, d'accord ?

Il prit sa voiture et se rendit au centre commercial Woodbury pour appeler Monica Arens d'un téléphone public. Elle répondit au troisième coup.

— Monica ? Ici Tom Gardner.

— Oh...

— Je dois vous parler.

Un silence à l'autre bout du fil.

— Maintenant.

— C'est impossible.

— C'est important.

— Malheureusement, je suis occupée et...

— Monica, je me moque bien de ce que vous faites ! C'est extrêmement urgent ! Kent a raccompagné ma fille Chelsea chez nous après la partie de football, hier soir !

— Je vois, répondit-elle après un nouveau silence. La porte principale de la réception est-elle ouverte le samedi ?

— Kent est près de vous, c'est ça ?

— Oui.

— Va-t-il vous croire, si vous lui dites qu'on a besoin de vous au travail ?

— Oui.

— Je suis au centre commercial Woodbury. Pouvez-vous venir ici ?

— Je le crois, mais je ne pourrai pas rester longtemps. Je n'ai pas fini de m'installer et il reste encore beaucoup à faire ici.

— Savez-vous où c'est ?

— Oui.

— Dans combien de temps pouvez-vous venir ?

— J'y serai dans une quinzaine de minutes.

— Il y a un restaurant nommé Ciatti's. C'est un peu en retrait. Je conduis une Taurus rouge. Elle sera garée du côté nord-ouest de l'édifice. Dans quinze minutes.

— Oui, très bien. Au revoir.

Tom ne garda aucun souvenir de l'achat de la nouvelle batterie, de son attente à la caisse, du chèque qu'il fit. Il était avant tout conscient d'une vive douleur aux épaules, de la boule qui s'était formée au fond de sa gorge et de l'intense mal de tête dont il souffrait. Le samedi, comme d'habitude, le centre commercial était bondé. Il pouvait tomber sur un étudiant du HHH à tout moment. Était-ce une bonne idée de rencontrer Monica sur le terrain de stationnement ? Il consulta sa montre : treize heures trente-cinq. Dans quinze minutes les restaurants seraient peut-être moins achalandés et les autres voitures s'éloigneraient.

Il se rendit à l'endroit prévu et attendit sous un soleil de plomb qui transforma sa voiture en véritable four. Le terrain de stationnement était à moitié plein, mais déjà deux autos partaient. Tom baissa les vitres, appuya un coude à l'extérieur et se mit à regarder fixement le mur de briques du restaurant devant lui en se mordillant la lèvre inférieure.

La Lexus se gara à sa droite et il se sentit immédiatement coupable de bien plus qu'une aventure vieille de dix-huit ans. Deux automobiles côte à côte, une femme quittant la sienne pour monter dans l'autre – cela aurait toutes les apparences d'un rendez-vous clandestin. Croyant atténuer sa culpabilité, Tom bondit hors de son véhicule au moment où Monica descendait du sien et attendit de voir ce qu'elle ferait. La voyant se diriger vers l'arrière des deux voitures, il l'imita.

Ils ne se saluèrent pas et restèrent immobiles près de leurs véhicules, en cherchant un endroit où poser leurs regards.

— Merci d'être venue, pensa-t-il à dire.

— Je ne savais pas quoi faire d'autre. Kent était juste à côté de moi lorsque le téléphone a sonné.

— Moi non plus, je ne savais pas quoi faire d'autre que vous appeler.

Elle portait des lunettes solaires et un sac à main en bandoulière. Sa robe était un autre de ces vêtements sans forme ni style qui rappelait avec plaisir à Tom qu'il avait épousé une femme d'apparence plus vivante. Il osa lever les yeux vers elle, mais tout dans son attitude et l'inclinaison de ses lunettes disait qu'elle préférerait mourir plutôt que de lui rendre son regard.

Le soleil automnal plombait sur l'asphalte et brillait sur la carrosserie de leurs véhicules.

— Ne voulez-vous pas venir vous asseoir dans mon auto pour que nous discutions de tout ça ?

Elle le regarda brièvement derrière ses verres fumés. Ses lèvres formaient un mince ruban décoloré. Sans répondre, elle se dirigea vers le côté droit de la Taurus et s'installa sur le siège du passager.

Lorsque Tom se fut installé derrière le volant, un lourd silence tomba entre eux. Manifestement, ils étaient embarrassés de se trouver là. S'ils avaient eu quelque attachement sentimental à cette partie de leur passé, les choses auraient été plus faciles, mais ils n'éprouvaient que du remords, sans même se souvenir clairement de la brève rencontre à l'origine de leur réunion d'aujourd'hui. Tom finit par prendre la parole en s'éclaircissant la gorge.

— Écoutez, j'étais très énervé quand je vous ai appelée et je n'ai pas vraiment réfléchi au moment ni à l'endroit où nous nous rencontrerions. J'ai seulement saisi le téléphone et j'ai composé votre numéro. Si vous préférez, nous pouvons aller quelque part prendre un jus et...

— Ça ira très bien ici. Vous avez dit que Kent a raccompagné votre fille chez vous la nuit dernière.

— Oui. Je l'ai appris il y a une heure à peine.

— Je suppose donc que vous désirez dire à votre famille qui il est en réalité.

— Il le faut. Je ne connais la vérité que depuis dix jours et chacun d'entre eux m'a paru infernal. Je suis incapable de dissimuler quoi que ce soit à ma femme, incapable.

Monica appuya son front contre la paume d'une main.

— La seule raison pour laquelle je n'ai pas tout révélé sur-le-champ, poursuivit Tom, c'est que j'ai pensé qu'il nous fallait en discuter auparavant. Vous devriez annoncer la nouvelle à Kent au cours du week-end, vous aussi, pour que tout le monde soit au courant en même temps. Je ne voudrais pas qu'il l'apprenne à l'école, de la bouche d'un de mes enfants.

— Non, ce ne serait pas bien.

Quelques secondes s'écoulèrent, tandis qu'ils envisageaient la façon dont les choses se dérouleraient.

— J'ai vraiment paniqué quand j'ai appris qu'il l'avait ramenée, dit Tom.

— Je comprends, dit-elle d'un ton qui sembla plutôt indifférent.

Aux yeux de Tom, Monica parut dépourvue d'émotion, parfaitement maîtresse d'elle-même, et rien sur son visage ou dans l'inflexion de sa voix ne révélait sa pensée.

— A-t-il fait mention de Chelsea?

— Une seule fois.

— Qu'a-t-il dit?

— Pas grand-chose.

— Rien à propos d'elle personnellement?

— Non.

— La façon dont ils ont été attirés l'un vers l'autre est vraiment incroyable, continua Tom. Je les ai vus tout au long de la semaine. Ils se rencontraient près de leurs casiers avant les cours, ou à la cafétéria. J'espérais qu'elle ne faisait que lui expliquer le fonctionnement de l'école, mais... malheureusement pas.

Quelqu'un sortit du restaurant, entra dans une automobile garée un peu à gauche de leurs voitures et s'en alla, laissant un grand espace libre autour d'eux.

— Écoutez, dit Monica en changeant légèrement de position, je dois vous avouer la vérité. Kent a bel et bien dit quelque chose d'important à propos de Chelsea.

— Quoi donc ?

— Il a dit qu'il l'enviait d'avoir un père.

Tom resta un moment silencieux, bouleversé.

— Nous nous sommes disputés, poursuivit Monica, ce qui nous arrive rarement. J'ai compris à quel point il était important pour lui de savoir. Il... il est temps que je lui dise.

— Alors allez-vous le faire ? Avant lundi ?

— Y a-t-il une autre solution ?

— Vous savez, mon fils Robby ne s'est pas montré exactement amical avec Kent sur le terrain de football. À vrai dire, je crois qu'il est jaloux. J'ignore quel effet aura cette nouvelle sur eux.

— Soyons honnêtes, Tom. Nous ignorons quel effet aura cette nouvelle sur chacun d'entre nous, à part moi. Ma vie va probablement continuer comme avant. Mais *vous*, vous aurez à vous débattre au milieu d'un tourbillon d'émotions contradictoires.

Tom réfléchit un moment et poussa un profond soupir en s'enfonçant davantage dans son siège.

— Étrange. J'ai justement eu une discussion avec Robby, ce matin, sur l'effet que chaque personne rencontrée a sur vous, et sur la façon dont les choix cruciaux forment le caractère. Peut-être disais-je cela pour mon propre bénéfice. Je ne le réalise que maintenant.

Une voiture arriva à leur gauche. Ses vitres étaient baissées et la radio jouait à l'intérieur. Tom tourna la tête juste comme la conductrice se penchait pour fermer le son. La femme l'aperçut, sourit et agita la main en sa direction.

— Bonjour Tom, lança-t-elle.

— Bonjour Ruth, répondit-il en se redressant brusquement.

Ruth sortit de son auto et se dirigea vers eux.

— Oh, merde ! murmura-t-il.

— Qui est-ce ? chuchota Monica Arens.

— Notre voisine.

— Bonjour, Cl... oh... fit Ruth en se penchant vers la fenêtre ouverte. Pardon, je croyais que tu étais avec Claire.

— Monica Arens, je vous présente notre voisine, Ruth Bishop.

Ruth sourit légèrement, les yeux brillants d'intérêt.

— Je suis juste venue chercher quelques-uns de leurs petits pains pour le dîner. Ce sont les favoris de Dean, et pour une fois, il sera là ce soir.

Tout en parlant, elle se pencha davantage et étudia Monica avec une curiosité non dissimulée.

— Claire est-elle à la maison ?

— Oui. Elle fait du ménage aujourd'hui.

— Ah.

Ruth sembla attendre quelque chose, une explication peut-être, mais comme rien ne venait, elle laissa sa main glisser du bord de la portière.

— Bon, je ferais bien d'aller chercher mes petits pains. Heureuse de t'avoir rencontré, Tom. Dis bonjour à Claire.

— Certainement.

— Ça règle le problème, maugréa Tom en la regardant s'éloigner. Si je ne dis pas immédiatement à Claire ce que je faisais ici, Ruth s'en chargera.

— Et moi, je dois rentrer pour parler à Kent, dit Monica en restant pourtant immobile. Je ne sais jamais quoi dire dans des moments semblables. Je me sens si maladroite.

— Moi aussi.

— « Bonne chance » ferait l'affaire, je suppose.

— Bonne chance à vous aussi.

— Devrions-nous nous rencontrer à nouveau ? demanda-t-elle.

— Nous verrons.

— Oui... Oui, vous avez sans doute raison.

— Je crois que ce sera inévitable.

— Ce que nous allons faire... c'est bien la bonne solution, n'est-ce pas, Tom ?

— Absolument.

— Oui... Absolument, répéta-t-elle comme pour essayer de s'en convaincre. Mais alors, pourquoi est-ce que j'hésite tellement à rentrer chez moi ?

— À cause de la peur, j'imagine.

— Oui, j'imagine.

— Ce n'est pas très agréable, n'est-ce pas ?

— Non, c'est affreux.

— Je vis avec la culpabilité depuis que vous avez franchi le seuil de mon bureau. Dans un sens, ça me soulage de tout révéler et de faire face aux conséquences, quelles qu'elles soient. Mon esprit était... je ne sais pas... ailleurs, pourrait-on dire.

— Oui... eh bien...

— La revoilà, dit Tom en apercevant Ruth qui revenait vers eux avec un sac de papier blanc dans les bras.

— Votre mariage est-il solide, Tom? demanda Monica en suivant la femme des yeux.

— Oui, très.

Ruth Bishop se dirigea vers son auto et leva son sac à bout de bras pour qu'il soit bien visible.

— J'en ai une douzaine! cria-t-elle. Dean ferait mieux de rentrer ce soir!

Tom lui adressa un sourire pour la forme.

— Tant mieux, parce que vous aurez à compter là-dessus, dit Monica. Maintenant, je crois que je devrais vraiment partir, ajouta-t-elle lorsque la voiture de Ruth eut disparu. J'ai bien hâte de voir cette journée prendre fin.

— Bonne chance, dit encore une fois Tom. Et merci d'être venue.

— Ce n'est rien.

Ils se laissèrent avec un certain sentiment de tristesse, la tristesse de deux personnes rattrapées par leur passé et qui, malgré leur absence d'attirance physique, se sentaient néanmoins liées par un sort commun. Elle allait retrouver son fils et lui, sa famille. Tous deux allaient révéler une partie cachée de leur vie et faire face aux conséquences. En quittant le terrain de stationnement dans des directions opposées, ils éprouvèrent à nouveau un certain regret, car ils n'auraient même pas un souvenir chaleureux auquel s'accrocher au cours du bouleversement que leurs vies allaient connaître.

Lorsque Monica rentra chez elle, elle trouva son fils étendu sur le canapé du salon, en grande conversation au téléphone portatif. Un de ses pieds reposait sur la table à café et se balançait de gauche à droite comme un essuie-glace. Le menton sur la poitrine, il affichait un grand sourire.

— Ne mets pas tes pieds sur les meubles, dit Monica en traversant la pièce.

Imperturbable, Kent croisa sa jambe et poursuivit sa conversation.

— Non, je te l'ai dit, presque jamais... Tu veux m'apprendre, ou quoi ? Non, où ? Non, nous n'avons jamais eu de danse à l'école. Il y a eu ces grandes soirées chez les Beaudry, une fois ou deux. Il y avait des orchestres et tout le tralala... Rich m'a invité, mais nous n'avons fait que regarder les plus vieux danser, parce que ce n'était vraiment pas de notre âge... La rentrée ? Qui a dit qu'il fallait absolument danser parce que c'était la rentrée ?

— Kent, je dois te parler. Pourrais-tu raccrocher, je te prie ? dit Monica, en revenant de la cuisine, où elle était allée se laver les mains.

— Je parle à une amie, maman, chuchota Kent en couvrant le microphone de sa main.

— Abrège, s'il te plaît, répéta-t-elle en regagnant la cuisine.

— Désolé, Chelsea, mais je dois te laisser, reprit Kent au téléphone. Maman a besoin de moi pour quelque chose. Dis, tu vas être chez toi, plus tard ? Je t'appellerai peut-être... Oui, bien sûr... Moi aussi... Au revoir.

Kent se leva et se dirigea vers la cuisine en balançant le téléphone d'une main à l'autre.

— Dis donc, maman, qu'y a-t-il de si urgent, qui m'empêche de terminer ma conversation ?

Monica arrangeait inutilement les fruits dans un bol de verre taillé.

— Qui était cette fille ? demanda-t-elle.

— Chelsea Gardner.

Elle posa son regard sur lui tandis que sa main restait sur une pomme verte. Son expression était si vide que Kent crut que sa mère venait de perdre son emploi.

— Maman ? Qu'est-ce qui se passe ? demanda-t-il en cessant de jongler avec le téléphone.

— Allons dans le salon, Kent, répondit-elle en emportant la pomme sans s'en rendre compte.

Kent s'assit sur le canapé qu'il occupait juste auparavant et Monica s'installa dans le fauteuil placé à angle droit. Elle se pencha et appuya ses coudes sur sa jupe fraîchement repassée, en faisant tourner la pomme dans ses mains.

— Kent, je vais te dire la vérité sur ton père.

Le jeune homme retint son souffle et tout en lui sembla s'arrêter, comme durant les quelques secondes où il avait plongé pour la première fois du haut du grand tremplin.

— Mon père? répéta-t-il comme s'il s'agissait d'un sujet entièrement nouveau.

— Oui. Tu as raison : il est temps.

— Je t'écoute, fit-il en agrippant le téléphone.

— Kent, ton père est Tom Gardner.

— Tom Gardner? fit-il au bout d'un moment d'incrédulité. Tu veux dire... M. Gardner, le directeur?

— Oui, dit-elle calmement.

Dans sa main, la pomme avait cessé de tourner.

— Mais... Mais c'est le père de Chelsea.

— Oui, reprit-elle tout aussi doucement. C'est ça.

Kent ferma les yeux et s'appuya contre le dossier du canapé. Il serrait encore le téléphone dans sa main droite, le pouce fortement replié contre l'appareil.

M. Gardner, un des hommes les plus gentils qu'il avait jamais rencontrés, qui lui souriait et lui disait bonjour tous les matins de la semaine, et qui lui mettait parfois la main sur l'épaule, un homme qu'il avait aimé dès le moment où il l'avait rencontré, un peu pour la façon dont il traitait ses enfants, mais aussi pour la façon dont il traitait les enfants des autres. Un homme qu'il verrait chaque lundi et chaque jour d'école pour le reste de l'année. L'homme de qui il recevrait son diplôme.

Le père de Chelsea.

Et – bon Dieu – il avait embrassé Chelsea hier soir !

Les sentiments les plus contradictoires se bousculèrent dans l'esprit du jeune homme, qui se mit à trembler. En ouvrant les yeux, il vit un coin du plafond à travers un brouillard de larmes.

— J'ai ramené Chelsea chez elle après la partie.

— Oui, je sais. Je viens de quitter Tom, il y a quinze minutes à peine. C'est lui qui me l'a appris.

— Tu as rencontré M. Gardner? fit Kent en se redressant. Es-tu... Je veux dire, est-il?...

— Il n'est rien pour moi, sinon le père de mon fils. Nous nous sommes rencontrés uniquement pour discuter de ce qui vient de se passer, et pour convenir de tout révéler.

— Alors, il est au courant à mon sujet. Tu disais qu'il ne savait rien.

— Je sais et je suis désolée, Kent. Je n'ai pas l'habitude de te mentir, mais tu comprendras facilement pourquoi je n'ai pas cru bon que tu saches... Jusqu'à cette histoire avec Chelsea.

— Oui, eh bien, il ne s'est rien passé entre nous, compris? dit-il en haussant le ton.

— Bien sûr que non, répondit-elle en baissant les yeux vers la pomme qu'elle tenait toujours.

De toute évidence, sa mère était soulagée, bien qu'il ne lui ait jamais donné de raisons de croire qu'il courait après les filles. Non, jamais il n'avait eu ce genre de comportement.

— Et depuis combien de temps est-il au courant à mon sujet?

— Depuis le jour où je t'ai inscrit. J'ai su qu'il était le directeur de l'école uniquement lorsqu'il est venu à notre rencontre, à son bureau.

— Donc, il n'a jamais su que j'existais?

— Non.

Kent se pencha et enfouit sa tête dans ses mains, le téléphone plaquant ses cheveux contre le côté de son crâne. La pièce devint terriblement silencieuse. Monica posa délicatement la pomme sur la table à café comme si les deux objets étaient faits de verre filé. Elle était assise d'une manière presque guindée, les deux mains croisées, paumes tournées vers le haut, et fixait sans mot dire un rectangle de lumière que le soleil découpait sur le tapis. Elle aussi avait les larmes aux yeux. Après plusieurs minutes lugubres, Kent releva la tête.

— Pourquoi lui as-tu dit qui j'étais ?

— Il m'a questionnée après t'avoir reconnu.

— *Reconnu* ?

— Tu lui ressembles beaucoup.

— Ah oui ?

Monica fit un signe de tête affirmatif. L'idée sembla ébranler le jeune homme. Le trop-plein d'émotions dont Kent était victime parut soudain se déverser hors de lui avec une violence qu'il ne comprit pas.

— Toute ma vie, tu m'as tenu dans l'ignorance, et maintenant, non seulement tu me dis qui est mon père, mais en plus, tu affirmes que je lui ressemble ! Eh bien, vas-y, parle ! Dis-moi ce qui s'est passé ! Ne me force pas à te poser trente mille questions !

— Tu ne vas pas aimer ça.

— Je m'en moque bien, crois-moi ! Je *veux* savoir !

— C'était un garçon que je croisais parfois au collège, expliqua Monica après avoir pris quelques secondes pour rassembler ses pensées. Nous avions même eu un cours ensemble – je ne me souviens plus duquel. Je l'avais toujours trouvé beau, mais nous n'étions jamais sortis ensemble. Je ne le connaissais pas vraiment. Lors de ma dernière année, je travaillais comme livreuse dans un restaurant italien. Une nuit de juin, le restaurant a reçu commande d'une demi-douzaine de pizzas, que j'ai dû porter à un enterrement de vie de garçon. C'est lui qui a répondu à la porte. Il... Je ne sais plus... Il m'a agrippée par le poignet et m'a fait entrer. Il y avait beaucoup de bruit et tout le monde avait beaucoup bu. Il y avait un grand nombre de bouteilles de bière et des jeunes filles court vêtues. Il s'est souvenu de moi et a passé le chapeau pour qu'on me remette un gros pourboire, en m'invitant à revenir prendre une bière après le travail. Je n'avais jamais... je n'avais jamais rien fait de semblable auparavant. J'étais sans doute ce qu'on appellerait une oie blanche. Je passais le plus clair de mon temps à étudier. J'étais très disciplinée et ne songeais qu'à atteindre les buts que je m'étais fixés. J'ignore pourquoi je l'ai fait, mais je suis retournée là-bas après le travail. J'ai pris une bière, puis une autre, les choses se sont enchaînées et je me suis retrouvée au lit avec lui. Deux mois plus tard, j'ai découvert que j'étais enceinte.

— Un enterrement de vie de garçon, fit Kent d'un ton sinistre. J'ai été conçu lors d'un enterrement de vie de garçon.

— Oui, murmura-t-elle, mais ce n'est pas le pire.

Kent attendit sans dire un mot.

— C'était *son* enterrement de vie de garçon, ajouta-t-elle en rougissant.

— Le sien ?

— Il s'est marié la semaine suivante.

— Oh non ! Ce n'est pas vrai... s'exclama-t-il au bout d'un moment. Avec Mme Gardner, *mon professeur d'anglais* ?

Monica fit signe que oui et baissa les yeux en se frottant le bout d'un ongle avec son pouce. Kent lança le téléphone dans un coin du sofa, où il rebondit contre les coussins.

— Une coucherie, dit-il avec dégoût.

— Oui, dit sa mère sans chercher à se défendre.

— Est-ce que Chelsea est au courant ?

— Personne ne le sait dans sa famille. Il doit être en train de le leur dire, maintenant.

Kent porta un bras devant ses yeux. Sa mère regarda le long corps de son fils, sa bouche, qu'il raffermissait contre les larmes, le menton et la mâchoire, couverts d'une barbe claire qu'il rasait maintenant chaque jour, la gorge qui se gonflait chaque fois qu'il ravalait ses larmes. Elle se pencha vers lui et frotta le rude denim qui couvrait son genou.

— Kent, je suis désolée, murmura-t-elle.

— Oui, je m'en doute.

Monica continua de frotter le genou de son fils sans savoir quoi faire. Kent se mit brusquement debout, comme s'il voulait échapper au toucher de sa mère.

— Écoute, maman, lança-t-il en se dirigeant à grands pas vers la porte, je dois sortir... Je ne sais pas... Je n'arrive pas à penser. Il faut que j'aille faire un tour, d'accord ? Ne t'inquiète pas. Je dois partir...

— Kent ! cria-t-elle en se précipitant derrière lui.

Mais il venait déjà de descendre les trois marches extérieures et la porte d'entrée se refermait derrière lui.

— Kent ! Attends ! Ne prends pas l'auto, nous pouvons encore parler...

— Rentre, maman !

— Mais...

— Tu as eu dix-huit ans pour te faire à l'idée. Laisse-moi au moins quelques heures !

Il fit claquer la portière et démarra dans un grand bruit. La Lexus recula trop vite dans l'allée en pente, heurtant l'asphalte de la rue de son pare-chocs. Kent s'éloigna en trombe en laissant derrière lui des traces noirâtres.

Huit

Pour Tom, le chemin du retour à la maison ressembla à une plongée en enfer. Comment dirait-il la nouvelle à Claire ? Comment réagirait-elle ? Que penseraient ses enfants ? Verraient-ils en lui un lâche ? Un menteur qui avait trompé leur mère la veille de son mariage et qui avait ensuite dissimulé son méfait pendant tant d'années ?

Il parlerait d'abord à Claire – c'était le moins qu'il puisse faire – avant d'annoncer la chose aux enfants et de subir le contrecoup terrible qui ne manquerait pas de venir. Claire méritait d'apprendre la vérité en privé, de le frapper, de l'insulter... de faire ce qu'elle voudrait sans que les enfants soient là et voient tout.

Quand il arriva à la maison, Claire avait mis Chelsea et Robby au travail. Ils rangeaient leurs chambres et le bruit de l'aspirateur résonnait à l'étage. Tom trouva sa femme à quatre pattes dans le salon, en train d'épousseter la tablette sous une table de coin. Comme elle était vulnérable, confiante ! Elle avait cru qu'ils avaient réglé leur situation, l'autre nuit en se pardonnant mutuellement et en faisant l'amour ! Il posa un genou à terre à côté d'elle, regrettant amèrement d'avoir à la blesser.

— Claire ?

Elle sursauta et se cogna la tête contre le meuble.

— Ouille ! s'exclama-t-elle en se frottant l'occiput à travers sa casquette de base-ball.

— Oh, pardon ! Je croyais que tu m'avais entendu arriver.

— Non ! Ouh là ! Ça fait mal !

En grimaçant, elle se retourna et s'assit sur le tapis. Avec son

153

chemisier froissé, son jean et sa casquette du HHH, on lui aurait donné vingt-cinq ans. Tom sentit son cœur se gonfler d'un amour infini et subit à nouveau tout le poids de sa culpabilité.

— Ça va ? demanda-t-il en lui pressant le bras.

— Je vais survivre.

— Claire, il s'est passé quelque chose et je dois t'en parler... loin des enfants. Viendrais-tu faire un tour avec moi ?

— Qu'y a-t-il, Tom ? Tu sembles inquiet, dit-elle en se mettant à genoux devant lui. Quelque chose ne va pas ?

— Allons faire un tour. Viens, répondit-il en l'aidant à se relever. Robby ? Chelsea ? Venez ici un instant... Maman et moi devons partir pour une heure environ et je veux que vous soyez ici lorsque nous reviendrons.

— Bien sûr, papa. Où allez-vous ? demanda Chelsea.

— Je vous expliquerai lorsque nous reviendrons. Finissez de ranger vos chambres et restez ici, compris ? C'est important.

— D'accord, dirent-ils ensemble, intrigués.

— Tom, reprit Claire lorsqu'ils se furent installés dans la voiture, tu m'effraies. Vas-tu me dire ce qui ne va pas ?

— Dans un instant. Allons d'abord à l'école élémentaire Valley. La cour devrait être vide. Nous pourrons parler là-bas.

Tout le long du trajet, Claire resta rigide comme si elle avait revêtu une armure dont la seule partie mobile était la tête. De temps en temps, elle jetait un regard vers son mari et scrutait son profil tendu. Tom se rendit jusqu'à l'arrière de l'école, dont le terrain de stationnement jouxtait la cour. Ici, les enfants avaient fait leur cours élémentaire, avaient joué à la marelle ou au ballon. La vue de l'édifice et de sa cour baignant dans le soleil de cette fin d'après-midi produisit en eux une vague de nostalgie.

— Viens, fit Tom en éteignant le moteur. Allons nous promener.

Elle le suivit avec appréhension, comme si elle voyait une calamité se profiler à l'horizon. Tom lui prit la main et ils traversèrent à pas lents la pelouse entourant le terrain de softball. Près du monticule, leurs pieds soulevèrent de petits nuages de poussière. Un peu plus loin, l'équipement du terrain de jeu des plus petits créait des formes géométriques contre un ciel violet, tandis que dans leur dos, le soleil se couchait. Ils s'assirent côte à côte sur des balançoires. En dessous, la terre était couverte de sciure de bois.

Claire s'agrippa aux chaînes d'acier, tandis que Tom restait assis, la tête inclinée. Ils ne se balancèrent pas, mais restèrent immobiles, respirant l'odeur de la sciure et de la terre sous leurs pieds. Finalement, Tom s'éclaircit la voix.

— Claire, je t'aime. C'est la première chose que je tiens à te dire, et la plus facile. Le reste va prendre tout mon courage.

— Peu importe ce dont il s'agit, Tom, dis-le. Cette attente est horrible !

— D'accord, fit-il en inspirant profondément. Six jours avant la rentrée, une femme est venue me voir à mon bureau. Elle voulait inscrire un garçon qui s'est avéré être mon fils. Jusqu'à ce jour, j'ignorais son existence, car elle ne m'avait jamais rien dit. Son nom est Kent Arens.

Leurs regards se croisèrent comme il finissait sa phrase. Jamais il n'oublierait le choc, l'incrédulité qu'il lut dans les yeux de sa femme. Pas un de ses muscles ne bougea tandis qu'elle le fixait, les mains serrées sur les chaînes.

— Kent Arens... murmura-t-elle, est ton fils ?

— Oui, Claire, répondit-il aussi doucement que possible. Il l'est.

— Mais... ça signifie que... poursuivit-elle en s'efforçant de calculer.

— Je vais te faciliter les choses. Il a dix-sept ans. Le même âge que Robby. Il a été conçu en juin 1975.

— Le mois de notre mariage ? demanda-t-elle instantanément.

— *La semaine de notre mariage...*

— Oh, fit Claire d'une voix blanche et douloureuse, alors que ses yeux s'agrandissaient et se remplissaient de larmes.

— Je vais te raconter exactement ce qui s'est passé, car la mère n'a jamais rien été pour moi. Absolument rien. Avant tout, tu dois me croire.

— Oh, Tom, fit-elle en se couvrant la bouche de la main.

Il se raffermit dans sa résolution et poursuivit, déterminé à tout dire, maintenant, car seule l'absolue vérité lui permettrait de conserver un minimum de dignité.

— Les semaines précédant notre union sont assez lointaines, et il est difficile de bien se rappeler les événements d'alors. Une chose est cependant restée tout à fait précise dans ma tête : je n'étais pas encore prêt à me marier et – je suis désolé d'être forcé de te le dire, Claire – je me sentais pris au piège, peut-être même un peu désespéré. Parfois, j'en venais à croire... qu'on me forçait la main. Je venais de passer quatre longues années au collège et j'avais fait des plans pour l'avenir immédiat. Je voulais prendre congé tout l'été avant de me trouver un poste dans l'enseignement en automne, m'amuser avec les copains, profiter un peu de ma liberté après toutes ces années passées à respecter des horaires et à étudier. J'avais l'intention de m'acheter une auto neuve, de beaux vêtements, de passer quelque temps au Mexique et un week-end de temps en temps à Las Vegas.

Mais tu t'es retrouvée enceinte et il m'a fallu assister aux cours de préparation au mariage, choisir les alliances et la vaisselle, louer un smoking. Les événements semblaient se précipiter à une vitesse incroyable ! À vrai dire, pendant quelque temps, j'ai eu très peur. Puis, le premier choc passé, la peur a fait place à la colère.

C'est probablement la colère qui m'a poussé à faire ce que j'ai fait, le soir de l'enterrement de ma vie de garçon, lorsque cette fille que je connaissais à peine est venue livrer des pizzas. Si j'ai couché avec elle, c'était par pure rébellion, rien d'autre. Elle a vécu sa vie et moi la mienne, et nous ne nous sommes jamais revus, jusqu'à ce qu'elle vienne à mon bureau avec son fils, la semaine passée.

Les yeux de Claire, remplis d'amertume et de désillusion, se posèrent un instant sur son mari avant de se détourner sous l'effet du choc. Lentement, elle se leva.

— Non, reste, fit Tom en la retenant par le bras. Je n'ai pas fini. L'ennui, quand on raconte ce genre de choses, c'est qu'on ne doit rien oublier et qu'il faut étaler le moins beau avant d'arriver au plus important. Le plus important est que j'ai changé. Après t'avoir épousée, j'ai changé. Je t'aime plus que tout, Claire, conclut-il d'une voix douce.

— Non ! répliqua-t-elle avec force en libérant son bras pour lui tourner le dos et faire face au soleil couchant. Ne me sers pas de platitudes. Après ce que tu viens de m'annoncer, ne me dis surtout pas ça !

— Ce ne sont pas des platitudes. J'ai commencé à prendre conscience de ce que tu représentais pour moi le jour où Robby est né, et chaque...

— Et je suis censée être réconfortée ?

— Tu ne m'as pas laissé finir. Chaque année avec toi a été meilleure que la précédente. J'ai réalisé que j'aimais être père, que j'aimais être un mari, que je t'aimais.

Il comprit qu'elle pleurait au mouvement qui secouait ses épaules.

— Tu as fait ça... avec une autre femme... la semaine même de notre mariage ?

Il savait que ce fait pèserait plus lourd que tous les autres, et qu'il devrait être patient tant qu'elle serait sous le choc.

— Claire... Claire, je suis désolé.

— Comment as-tu pu ? dit-elle d'une voix qui montait sous le coup de l'émotion. Comment as-tu pu faire ça et te montrer à mes côtés devant l'autel quelques jours plus tard ?

Tom baissa la tête et fixa la poussière et la sciure de bois à ses pieds. Depuis sa rencontre avec Kent, il avait refoulé ses émotions, mais maintenant qu'il comprenait à quel point il faisait mal à Claire, les larmes lui montèrent aux yeux. Il les essuya mais constata qu'elles coulaient à nouveau sans qu'il puisse les arrêter. Il n'avait aucune excuse, aussi garda-t-il le silence. Le temps passa tandis qu'ils restaient assis sur leurs balançoires, à regarder chacun dans sa direction.

— Jamais je n'ai su, reprit-elle à travers ses larmes, à quel point tu m'en voulais à cause de ce mariage forcé.

— C'est du passé, Claire, je te le jure. Je t'ai dit comment j'ai compris quelle chance j'avais.

— J'aurais cru qu'une femme serait capable de s'apercevoir d'une telle chose le jour de son mariage. Peut-être étais-je trop heureuse de savoir que... que le père de mon enfant allait m'épouser que j'en ai... oublié de...

Trop blessée pour être consolée, elle se remit à pleurer en étouffant ses sanglots de sa main. Tom lui mit une main sur l'épaule, mais les secousses de son corps lui déchirèrent le cœur.

— Claire, je t'en prie... fit-il en éprouvant une douleur égale à la sienne. Mon Dieu, Claire, je ne voulais pas te faire mal.

— Mais tu l'as fait! répliqua-t-elle en se dégageant. J'ai mal et c'est à cause de toi, et je t'en veux d'avoir agi ainsi!

Elle s'essuyait le nez avec ses mains et prit le mouchoir que Tom lui tendait par-dessus son épaule.

— Tu agissais de façon étrange, ces derniers temps. Je savais qu'il y avait quelque chose d'anormal, mais j'ignorais quoi.

— J'ai tenté de te le dire à Duluth, mais je... sa voix s'étrangla. Ah, bon Dieu!

Un silence pesant s'installa entre eux, étouffant tout sauf le bouillonnement de leurs pensées. La douleur les tenait rivés sur leurs balançoires et les gardait prisonniers l'un de l'autre. Le destin leur jouait un tour cruel au mitan de leurs vies, jusqu'alors placées sous le signe de la sérénité et de la plénitude. Le soir automnal progressait à mesure que disparaissait le soleil à l'horizon et que le ciel prenait des teintes orangées. Un vent léger se leva sur le terrain de jeu.

— Le sait-il? demanda Claire après plusieurs minutes.

— Sa mère va le lui dire aujourd'hui même.

Tout de suite, Tom comprit que sa femme faisait les bons rapprochements, mais en tirait les mauvaises conclusions. Elle restait dos à son mari, les chaînes de sa balançoire formant un X au-dessus de sa tête, mais elle se replaça soudain dans une position normale et Tom put voir son visage. Elle semblait engourdie par la douleur mais son regard le transperça comme une épée.

— Tu l'as vue, n'est-ce pas? C'est là que tu es allé quand tu as dit que tu voulais chercher une batterie neuve.

— Oui, Claire, mais...

— L'as-tu vue à d'autres reprises?

— Écoute-moi. Il a grandi sans jamais savoir qui était son père.

Je ne pouvais pas te parler de lui sans demander la permission à sa mère. C'est de ça que nous avons parlé aujourd'hui. Nous avons décidé d'annoncer la nouvelle à tout le monde en même temps, afin que personne ne l'apprenne autrement.

— Tu n'as pas répondu à ma question. *L'as-tu vue à d'autres reprises ?*

— Oui. Une seule fois. Le jour où j'ai compris que Kent était mon fils.

— Où ?

— Chez elle. Mais nous n'avons fait que parler, Claire, je te l'assure.

Pendant un instant, Claire ne dit rien. La méfiance se lisait dans ses yeux rougis et gonflés par les larmes.

— Elle doit vivre près d'ici.

— Dans Haviland Hills. Elle est arrivée du Texas juste avant la rentrée. Elle est venue inscrire Kent sans savoir que j'étais le directeur de l'école. Claire, je réponds à toutes ces questions parce que je n'ai rien à cacher. Il y a eu cette nuit-là, en mille neuf cent soixante-quinze, et ce fut tout. Je te le jure devant Dieu, il n'y a eu personne d'autre que toi depuis notre mariage.

Les épaules de Claire tombèrent et elle laissa pendre ses mains entre ses jambes. Ses yeux se fermèrent et elle releva la tête jusqu'à ce que la visière de sa casquette pointe vers le ciel. Elle poussa un soupir – un soupir long et sonore – et resta immobile dans l'attitude de quelqu'un qui n'aspire qu'à une chose : la fuite. Elle imprima un léger mouvement à sa balançoire et se mit à aller doucement de l'avant à l'arrière, comme si, inconsciemment, elle voulait faire semblant de ne pas être touchée par les événements. Les pans de son chemisier étaient sortis et ses chaussures de tennis traînaient dans la poussière. Tom attendit, désespéré.

— Eh bien, dit-elle enfin en relevant la tête, comme si elle venait de rassembler ses forces, il faut aussi penser aux enfants, n'est-ce pas ?

La balançoire continua sa légère oscillation, puis s'arrêta brusquement. Claire porta une main à sa bouche.

— Oh, mon Dieu! s'exclama-t-elle d'une voix étouffée. Quel gâchis!

Que pouvait-il faire? Que pouvait-il dire? Sa peine était aussi grande que la sienne.

— Je n'ai jamais voulu vous causer de chagrin, à toi ou aux enfants, Claire. C'est arrivé il y a si longtemps. Ce n'est qu'un incident de mon passé que j'avais enfoui dans ma mémoire.

— C'était il y a longtemps pour toi, mais pour nous, c'est maintenant. Nous devons y faire face *maintenant*, et c'est injuste pour les enfants.

— Crois-tu que je n'y ai pas pensé?

— Je n'en sais rien. Y as-tu pensé?

— Bien sûr que oui, Claire. Tu agis comme si j'étais subitement devenu un monstre. Ne vois-tu pas que j'ai mal, moi aussi? Que je suis désolé et que je voudrais que ça ne soit jamais arrivé? Mais tout ce que je peux faire, c'est me montrer honnête, en espérant qu'ainsi mes proches souffriront moins. En ce qui concerne les enfants, j'ai l'intention de leur parler aujourd'hui même. Je peux le faire seul ou avec toi, comme tu voudras.

— Chelsea va être tellement... tellement... dit Claire en faisant un geste vague. Qui sait ce qu'il y a eu entre eux? Je sais qu'elle était attirée par lui.

— Il ne s'est rien passé entre eux. J'en mettrais ma main au feu.

— Oh, j'en suis persuadée! La première fois? Alors qu'ils ne sortaient même pas encore ensemble? Nous avons quand même inculqué quelques principes à notre fille! Non, je parle de baisers. S'il l'a embrassée, et les jeunes de cet âge le font certainement...

— Nous ne le saurons jamais, parce que je n'ai certainement pas l'intention de le lui demander.

— Non, évidemment. Mais elle aura de la peine tout autant. Et Robby? Il se méfiait déjà beaucoup de Kent... Ils doivent jouer au football ensemble, et moi, je vais le retrouver en face de moi en classe, lundi!

— Je vais aussi le retrouver en face de moi.

— Oh, tu me pardonneras de ne pas te prendre en pitié.

Elle se leva et alla s'appuyer contre le portique. Les mains dans les poches, elle regarda le soleil couchant. Comme il ne voyait à nouveau que son dos, Tom se sentit profondément découragé. La peur avait fini par former une masse au creux de son estomac. Il éprouvait le besoin impérieux de la toucher, de la prendre dans ses bras et de s'assurer qu'ils pourraient survivre à cette épreuve.

Tom quitta sa balançoire et alla la rejoindre. Il hésitait à la toucher, mais craignait de ne pas le faire et toute cette insécurité le rendait maladroit. Il regarda la queue de cheval mal faite qu'elle avait passée par l'ouverture arrière de sa casquette, les reflets dorés de ses cheveux, les manches décolorées de son chemisier froissé. Sa tenue débraillée lui donnait un air d'adolescente vulnérable.

— Claire... murmura-t-il en posant la main sur le col de son chemisier.

— Non ! dit-elle en secouant impérieusement sa main, avant de reprendre sa place contre le poteau. Je ne veux pas que tu me touches. Tu devrais le savoir.

Tom laissa retomber sa main et attendit de longues minutes en regardant dans la même direction que sa femme, tandis que derrière eux, leurs ombres s'allongeaient.

— C'est la trahison qui fait mal par-dessus tout, finit-elle par dire. On croit connaître quelqu'un, puis on s'aperçoit de son erreur.

— C'est faux, Claire. Je suis le même homme qu'avant.

— Plus à mes yeux. Plus maintenant.

— Je t'aime encore.

— On ne fait pas ce genre de choses aux gens qu'on aime. On ne va pas voir une autre femme chez elle. Surtout pas quand on lui a déjà fait un enfant.

— Enfin, Claire ! Je te l'ai dit : cette histoire est arrivée en mille neuf cent soixante-quinze. C'est une parfaite étrangère !

Claire renifla doucement et continua de regarder ses pieds. Finalement, elle se tourna vers lui et la lueur qu'il vit dans ses yeux lui glaça le sang.

— Jamais je n'aurais cru pouvoir éprouver un tel sentiment à ton égard. Jamais. Je croyais que ce que nous avions construit ensemble était inviolable, que nous avions le genre de mariage qui résisterait à tout, car nous faisions tout pour le préserver. Mais maintenant, Tom Gardner, je te hais. Je voudrais te frapper pour ce que tu nous as fait, à moi et à notre famille.

— Si ça peut te soulager, vas-y donc. Dieu sait que je le mérite.

Claire balança son bras droit et gifla son mari si violemment qu'il chancela. Immédiatement, elle recula d'un pas, estomaquée. La joue de Tom était rouge et ses yeux étaient agrandis par la surprise. En dix-huit ans de mariage, il n'y avait jamais eu de violence entre eux.

Tom fit un pas en arrière, en mettant un peu plus d'espace entre eux. Ils étaient tous deux embarrassés, incertains de ce qui allait maintenant se passer. Lentement, la colère rougit l'autre joue de Tom.

— Que veux-tu que je fasse, Claire ? C'est fait. C'est du passé. Que veux-tu que je fasse ?

— Va tout raconter à tes enfants. Dis-leur que leur père n'est pas le genre d'homme qu'ils croyaient. Essaie d'expliquer à Robby pourquoi tu as couché avec une autre pendant que j'étais enceinte de lui. Essaie d'expliquer à Chelsea pourquoi elle ne doit pas faire de choses semblables avec les garçons, bien que tu ne t'en sois pas privé puisque tu ne voulais pas vraiment épouser sa mère ! Vas-y, poursuivit-elle en pointant du doigt la direction de leur maison et dis-leur, Tom Gardner. Va leur fendre le cœur, car il s'agit plus pour eux que d'apprendre l'existence d'un demi-frère. C'est une trahison et ne crois pas qu'ils ne le verront pas !

Elle venait de résumer de quoi Tom était coupable envers leurs enfants, et ce verdict le rendit furieux.

— On dirait que tu vas leur demander de choisir entre toi et moi. Je te préviens : ne fais pas ça, Claire.

— Oh, ne sois pas si faussement vertueux !

Claire ferma les poings et s'efforça de les garder contre ses hanches. Elle sembla chercher d'autres arguments, mais comme si elle ne se faisait plus confiance, elle fit volte-face et partit en direction de l'auto.

Elle fit claquer la portière et serra les bras autour d'elle-même. Son regard se fixa sur les cailloux au bord de l'asphalte, là où l'herbe commençait à se faire rare. Son champ de vision, où le noir et le vert se rencontraient, se mit à onduler sous l'effet des larmes qui s'accumulaient à nouveau dans ses yeux, tandis qu'elle s'apitoyait sur son propre sort.

La semaine de notre mariage...

Il n'a jamais vraiment voulu m'épouser...

Il dit que je lui ai forcé la main...

Tom était resté là-bas, près des balançoires, tête baissée, sans doute pour s'attirer pitié et compréhension. Eh bien, elle n'en avait pas pour lui, ni aujourd'hui, ni demain, ni jamais! Aucun mari ne pouvait jeter une telle douche froide sur sa femme et espérer la voir revenir vers lui comme la petite fille naïve qu'elle avait déjà été. C'était elle qui avait subi un tort irréparable. Elle, pas lui!

Tout au long de sa vie d'épouse, elle avait visé un idéal, non seulement dans sa relation avec Tom, mais aussi avec sa famille. Découvrir ainsi que ses efforts avaient été consacrés à un mariage qu'il n'avait jamais désiré, à un premier fils qu'il n'avait pas voulu, tournait en dérision tout le travail et les émotions qu'elle avait investis durant ces dix-huit longues années. Dix-huit années... qui se terminaient ainsi.

Elle se sentait ridicule de n'avoir jamais rien soupçonné, et blâmait Tom de lui avoir fait part de ces sentiments au moment où tout ce qu'elle voulait, c'était continuer à vivre dans la paisible harmonie qu'ils avaient connue jusqu'à présent. Mais si elle n'avait jamais rien pressenti auparavant, elle doutait de tout, maintenant. La femme qui l'avait autrefois détourné de ses obligations, la mère de son fils, était de retour et elle vivait encore seule. De son propre aveu, Tom l'avait déjà rencontrée plus d'une fois. Quel homme sensé, époux et chef de famille, ne nierait pas la moindre allégation d'aventure extraconjugale? Cette pensée terrifiait Claire, tout en exacerbant sa rage.

Je ne veux pas être de celles qui vivent dans les soupçons! Je ne veux pas être une de ces pauvres créatures à propos desquelles on murmure dans le salon des professeurs. Je veux être la femme que j'étais il y a une heure !

Ses pensées étaient encore pleines de colère et de pitié envers elle-même lorsqu'elle entendit des pas s'approcher de l'auto. Tom monta à bord, fit claquer la portière et mit la clé dans le contact, mais une espèce d'apathie l'empêcha de continuer. Il laissa tomber sa main en fixant le vide devant lui.

— Claire, je ne sais pas ce que je vais leur dire.

— Moi non plus, fit-elle sèchement sans le regarder.

— Je suppose que je devrais y aller directement, comme je l'ai fait pour toi.

— Je le suppose.

— Veux-tu être là ?

— À dire vrai, j'aimerais mieux être à Porto Rico, maintenant. À Calcutta, en Arabie saoudite... n'importe où pour ne pas avoir à vivre ça !

Entre eux, le silence devint de plus en plus long et oppressant. Tom finit par prendre la direction de leur foyer. Durant tout le trajet, Claire refusa de le regarder ou de lui adresser la parole. Il gara l'auto et suivit sa femme dans la maison, absolument terrifié à l'idée de tout raconter à ses enfants et de se déshonorer à leurs yeux.

Dans la cuisine, il suspendit les clés de l'auto à une planche munie de crochets que Robby avait faite à l'école élémentaire. Il se rendit au lavabo pour y prendre de l'eau et trouva la tasse rouge marquée PAPA que lui avait donnée Chelsea pour la fête des Pères. Partout autour de lui, il voyait les marques de l'amour et du respect que ses enfants lui portaient. Il remplit la tasse et but lentement, en cherchant à retarder sa disgrâce.

Quand il se retourna, il aperçut Chelsea à l'autre bout de la cuisine. Elle avait fini son rangement et arrivait au rendez-vous, tel que convenu. Robby vint immédiatement la rejoindre. Tous deux attendirent en silence, une légère inquiétude dans les yeux. Claire avait disparu.

— Asseyons-nous, dit Tom. Je dois vous parler. Certains événements se sont produits, durant ces derniers jours... des événements qui vont changer nos vies dans une certaine mesure. Pas notre vie de famille, poursuivit-il en agitant les mains comme s'il cherchait à lire dans une boule de cristal invisible, mais la vie de chacun de nous, car cette histoire nous concerne tous.

Avant que j'en dise davantage, je veux que vous sachiez que maman et moi en avons discuté auparavant. Nous sommes en train de régler la question entre nous, d'accord? Alors, il n'y a pas de raison d'avoir peur.

Il s'éclaircit la gorge.

— C'est à propos de Kent Arens.

— De Kent? répéta Chelsea, étonnée.

Claire se glissa silencieusement dans la pièce, derrière les enfants, et s'appuya contre le mur, là où seul Tom pouvait la voir. Il croisa ses mains sur la nappe.

— Kent Arens est mon fils.

Pas un mot ne fut prononcé, mais le sang afflua aux joues de Chelsea, et Robby ouvrit la bouche, médusé. Il s'appuya au dossier de sa chaise et agrippa son siège de ses grandes mains.

— J'ai connu sa mère alors que j'étais au collège, mais j'ignorais qu'elle avait eu un fils jusqu'à mercredi passé, lorsqu'elle est venue l'inscrire à l'école.

Robby fut le premier à briser un long silence.

— Tu en es sûr?

Tom hocha la tête.

— Mais... mais quel âge a-t-il?

— Le même que toi.

— Merde, murmura-t-il. Maman est-elle au courant?

— Elle l'est.

— Ça alors, reprit-il.

— Certaines choses devraient rester entre votre mère et moi, mais vous devez savoir et comprendre certaines autres. Jusqu'à aujourd'hui, Kent ignorait qui était son père, mais il doit l'apprendre aujourd'hui, si bien qu'il ne saurait plus y avoir d'erreur dans nos relations avec lui, la prochaine fois que nous le verrons. Je ne sais pas plus que vous ce qui va se passer maintenant, mais je vous demande de comprendre que des difficultés attendent chacun d'entre nous. Tout comme lui, d'ailleurs. Je ne vous dis pas comment réagir devant cette nouvelle. Je ne vous dis pas : « C'est votre frère, vous devez l'aimer. » Chelsea, je sais que tu es déjà devenue son amie et je... je suis navré de te mettre dans cette situation. Robby, je connais également tes sentiments. Ce ne sera pas facile et je comprends ce que vous devez ressentir, mais je vous en prie... si vous éprouvez des difficultés à ce sujet, parlez-en à votre mère et à moi. Vous le ferez, n'est-ce pas ?

Tous deux murmurèrent quelque chose d'inintelligible, mais refusèrent de quitter la nappe des yeux.

— Ce que j'ai fait à l'époque est parfaitement répréhensible. J'ai toujours accordé beaucoup de valeur au respect que vous me portiez en tant que père. Je devais vous dire la vérité, poursuivit-il en avalant péniblement sa salive, et ça m'a paru extrêmement pénible. Je savais que c'était nécessaire, mais je craignais que votre opinion à mon égard ne change. Ce que j'ai fait n'est pas bien, et j'en accepte la responsabilité. Je vous demande pardon, car j'ai blessé votre mère, je vous ai blessés aussi, et je n'ai aucune excuse. Il n'y a pas d'excuse pour une mauvaise conduite, mais jamais je n'ai voulu vous causer le moindre tort, car je vous aime tous... énormément.

Il leva les yeux vers Claire, toujours immobile derrière les enfants. Le visage de sa femme restait de pierre.

— Je dois ajouter autre chose... une question de morale.

Il se rendit compte qu'il pressait fortement ses deux mains jointes contre son estomac, dont l'intérieur était en proie à un tremblement incontrôlable.

— Je vous en prie... ne suivez pas mon exemple. Vous avez toujours été de bons enfants... des enfants honnêtes. Restez ainsi. Je vous en prie.

Ses dernières paroles faillirent s'éteindre dans sa gorge. Un lourd silence suivit.

— Y a-t-il quelque chose que vous aimeriez dire... ou demander ?

— Qu'allons-nous dire à nos amis ? murmura Chelsea, assise toute droite sur sa chaise, les yeux toujours baissés.

— La vérité, lorsqu'il le faudra. Jamais je n'exigerais que vous mentiez pour moi. Kent est mon fils, et il serait absurde de croire que dans un environnement où nous passons cinq jours par semaine tous les quatre – tous les cinq – la vérité ne finira pas par être connue. Kent aussi devra faire face à certains problèmes, ne l'oubliez pas. Je suppose qu'il aura recours à son conseiller pédagogique pour mettre un peu d'ordre dans ses idées. Peut-être voudrez-vous faire de même.

Chelsea cacha son visage dans une main.

— C'est si embarrassant. Notre père... le directeur.

— Je sais. Je suis désolé, Chelsea.

Tom voulait tendre la main et la poser sur le bras de sa fille, mais il sentait qu'il avait en quelque sorte perdu ce droit. L'embarras de Robby semblait avoir cédé la place à une colère sourde.

— Alors, que sommes-nous censés faire ? demanda-t-il. Va-t-il se mettre à venir ici tout le temps, maintenant ?

— Venir ici ? Non, je ne crois pas. Enfin... c'est une question difficile, Robby. Il apprend aujourd'hui qu'il a non seulement un père à l'autre bout de la ville, mais également un demi-frère et une demi-sœur, ainsi que des oncles et des tantes, et même un grand-père, dont il n'a jamais soupçonné l'existence. Je suppose qu'un jour, il éprouvera de la curiosité à leur sujet.

Robby serra les dents et prit une expression dure. Lui aussi pressa les mains contre son estomac, mais son attitude resta rigide.

— Et que se passe-t-il entre maman et toi ? Tu le lui as dit aujourd'hui, ou quoi ?

— Oui, je viens de le lui dire. Elle a pleuré.

Du coin de l'œil, Tom vit sa femme se glisser hors de la cuisine. Robby se retourna juste comme elle disparaissait. De toute évidence, il ne savait pas qu'elle se tenait derrière lui, et c'est d'un air effrayé qu'il continua d'interroger son père.

— Mais qu'y a-t-il entre cette femme et toi ? Est-ce que vous vous voyez encore ?

— Il n'y a rien entre nous. C'est une parfaite étrangère pour moi, maintenant. Appelons les choses par leur nom, vous êtes tous deux assez vieux pour ça : pas d'aventure, pas de liaison, d'accord ?

À quelques occasions, je lui ai parlé, afin de mettre les choses au point à propos de Kent et de savoir quelle conduite adopter.

— Alors pourquoi maman t'a-t-elle demandé si tu avais une maîtresse, l'autre soir ? voulut savoir Chelsea.

— Quand ? Tu ne m'as jamais dit ça ! s'exclama Robby en tournant vivement la tête vers sa sœur.

— Je n'en sais rien, coupa Tom. Peut-être parce que j'étais tendu et distrait. Quand j'ai appris l'existence de Kent, j'ai tout de suite compris qu'il faudrait que j'en parle un jour, et j'avais peur. Votre mère aura mal interprété mon comportement, sans doute. Si j'avais été entièrement honnête, j'aurais tout révélé dès le début. Toute cette histoire serait déjà vieille d'une semaine et tu n'aurais jamais entendu cette conversation, Chelsea.

Un crissement de pneus, dans la rue, mit abruptement fin à leur discussion. Une automobile s'arrêta dans leur allée, juste sous la fenêtre de la cuisine, une portière claqua, et leur sonnette retentit. Robby se leva en repoussant sa chaise, mais déjà on sonnait encore et encore. En deux enjambées, Robby se rendit à la porte, mais ce qu'il vit à travers la moustiquaire le figea sur place.

Kent Arens était dehors et le dévisageait avec colère. Sa voix retentit jusqu'à la cuisine.

— Je veux voir ton père !

Sans attendre, il entra, au moment même où Tom et Claire convergeaient vers l'entrée. Robby s'écarta devant le jeune homme, tandis que Chelsea observait tout en retrait, d'un air contrit.

Le père et le fils s'affrontèrent en silence. Kent gardait les yeux rivés sur l'homme à qui il ressemblerait sans doute dans une vingtaine d'années. La peau foncée, les yeux bruns, les sourcils arqués, la bouche charnue, le nez droit, la mèche rebelle : il détaillait tout cela d'un air méprisant. Aucun sourire, aucun mouvement ne venait adoucir son attitude.

— Je voulais voir par moi-même, lança-t-il avant de tourner les talons.

— Kent ! s'écria Tom en le suivant à l'extérieur. Attends !

Kent avait ouvert la porte de la Lexus et s'apprêtait à y monter. Son expression n'avait rien perdu de sa dureté.

— Vous n'avez même pas essayé de la retrouver ! Vous n'avez même pas essayé de savoir ! cria-t-il. Vous avez baisé avec elle et vous l'avez laissée ! Je suis peut-être un bâtard, mais même un bâtard possède plus de cœur que ça !

Il fit claquer la portière et les pneus de la Lexus crissèrent contre l'asphalte de l'allée. L'automobile recula dans la rue à une vitesse folle.

Tom la regarda s'éloigner en soupirant, accablé. Ce jour finirait-il jamais ? Ce n'avait été qu'une succession d'affrontements, sans répit. Il sentit à nouveau les larmes lui monter aux yeux, mais son sens des responsabilités reprit le dessus. Il se redressa et regagna la maison à grands pas. Les enfants n'avaient pas bougé.

— Où est votre mère ?

— En haut.

— Claire, lança-t-il du pied de l'escalier. Claire, descends !

Lui-même grimpa les marches jusqu'à ce que son regard arrive au niveau de l'étage supérieur. Elle sortit de leur chambre et attendit, bras croisés, au bout du couloir. On aurait dit qu'elle gardait les bras croisés ainsi depuis deux heures.

— Quoi ?

— Il est très perturbé, expliqua Tom d'une voix forte, de façon à ce que les enfants entendent aussi. Je dois téléphoner à sa mère, et pour ne pas que vous vous fassiez d'idées, je commence par vous le dire, à tous ! Je travaille avec des jeunes depuis trop longtemps pour me méprendre sur l'état émotionnel de Kent ! Vous pouvez tous venir juste à côté et tendre l'oreille, mais *je vais téléphoner*.

Dans la cuisine, il décrocha le combiné du téléphone et appela. Monica répondit immédiatement.

— Monica, c'est Tom.

— Oh, Tom, Dieu merci ! Kent s'est enfui avec mon auto et...

— Je sais. Il vient de partir d'ici. Il a fait irruption chez nous avant de repartir comme un fou. Je crois que la meilleure chose à faire, dans son propre intérêt, serait d'appeler la police pour qu'elle le ramène à la maison. Il est furieux.

— C'est bien ce que je craignais, fit-elle en prenant quelques

instants pour réfléchir. D'accord, c'est ce que je vais faire. Tom...
est-ce qu'il pleurait ?

— Non, je ne crois pas. Il était très en colère.

— Oui, c'est dans cet état d'esprit qu'il est parti. Comment
votre famille a-t-elle pris la nouvelle ?

— Mal.

— Bon. Je dois... faire cet appel, reprit-elle après une pause.
Merci, Tom.

— Ça va. Voulez-vous m'appeler quand il reviendra pour me
dire si tout va bien ?

— D'accord.

Lorsqu'il raccrocha, Tom fut immédiatement replongé dans
l'atmosphère funèbre qui régnait dans la maison. Chacun restait soigneusement éloigné des autres et se taisait, réfugié au plus profond
de soi. Les enfants se retirèrent dans leur chambre et Claire regagna
la sienne, laissant Tom dans la cuisine, les yeux fixés sur la tasse
rouge portant le mot PAPA.

C'était fait. Le secret était révélé, la faute avouée. Maintenant
commençait la terrible période de transition, durant laquelle il semblait bien que la famille ne retrouverait jamais son unité. La maison
resta silencieuse. Pas de télé, pas de musique, pas de bruit de pas,
ni de porte s'ouvrant ou se refermant. Rien que le silence. Que
faisaient-ils, ces trois êtres qu'il chérissait ? Étaient-ils recroquevil-
lés sur leur lit, à le détester ?

Chelsea était assise le dos pressé contre la tête de son lit, les
genoux ramenés devant elle, un air consterné sur le visage. Elle
lissait de façon répétée le papier crépon rouge qui ornait son bâton
de meneuse de claque entre ses doigts, comme si elle démêlait ses
cheveux. Déjà, son pouce était taché de rouge et quelques bouts de
papier étaient tombés sans qu'elle y prenne garde. Chelsea repassait
la main dans le pompon, encore et encore, honteuse.

Elle avait embrassé son propre frère.

Que pourrait-elle lui dire la prochaine fois qu'elle le verrait ?
Comment pourrait-elle seulement le regarder en face ? Serait-elle
forcée de le faire – ici même, peut-être – maintenant qu'ils savaient

qu'ils avaient le même père ? Ce serait déjà assez de tomber sur lui à chaque instant, à l'école. Elle essaya de s'imaginer dès lundi matin, passant devant sa rangée de casiers. Elle apercevrait ses yeux au-dessus de la foule et devrait essayer d'agir normalement. Comment agissait-on normalement dans une situation semblable ? Comment pourrait-elle seulement raconter son secret à ses amies ? Son père était le directeur de l'école. Le directeur ! La personne qu'il fallait respecter et prendre comme exemple. Qu'elle se confie ou non, la rumeur se répandrait comme une traînée de poudre. Il ne pouvait en être autrement, maintenant que Kent avait pénétré de force chez eux, pour lancer ses accusations au visage de son père. Tout le monde apprendrait qu'il avait eu un enfant dont il n'avait jamais voulu s'occuper. Peu importait les circonstances, il avait deux fils du même âge, mais un seul était légitime.

Chelsea entoura ses genoux de ses bras et appuya son front contre eux. Son souffle agita légèrement les morceaux de papier, qui se mirent à bruire comme des feuilles mortes à l'automne.

Qu'arriverait-il à sa famille ? Si ce qu'elle venait d'apprendre la dérangeait autant, sa mère devait vivre un véritable enfer.

Elle connaissait l'anniversaire de mariage de ses parents. C'était en juin et Robby était né en décembre. À quel mois était né Kent ? Ça importait peu. Ils étaient nés la même année et de toute évidence, son père devrait s'expliquer. Chelsea tenta de se mettre à la place de sa mère au moment où elle avait appris la nouvelle, mais l'idée que son père ait pu être infidèle était trop grave pour qu'elle puisse vraiment y penser. Les parents des autres jeunes avaient des aventures. Pas les siens.

« Je Vous en prie, mon Dieu, se dit-elle. Que papa et maman s'en sortent. Qu'il n'y ait pas de crise dans notre famille, car il n'y en a jamais eu et je ne sais pas ce qui arriverait si les choses n'allaient plus entre mes parents. Dites-moi quoi faire pour aider maman et je le ferai. N'importe quoi et je le ferai. »

Mais sa mère restait enfermée dans sa chambre, de l'autre côté du couloir, et son père errait quelque part en bas. Il avait eu beau dire de ne pas s'inquiéter, il fallait être idiot pour ne pas voir comment maman était en colère, comment cette histoire avait fait couler ses larmes et créé une distance entre eux. Entre chaque membre de la famille.

Assis sur sa chaise en érable, Robby faisait tourner un ballon de football entre ses mains. Des étagères remplies de livres entouraient son bureau, son écran d'ordinateur était éteint et sa chambre restait silencieuse. Son lit venait d'être fait, l'aspirateur avait été passé sur le tapis bleu, toutes les choses qui traînaient avaient été rassemblées sur les étagères et le coffre, ou étaient empilées dans un coin. Sa veste aux couleurs de l'école pendaient derrière la porte. La nuit tombait sans qu'il allumât.

Il était maintenant assis dans une position quasi identique à celle de son père sur la balançoire, un peu plus tôt : dos courbé, les coudes reposant sur les genoux, pendant que le ballon roulait encore et encore entre ses larges mains.

Un frère. Non, un demi-frère. Du même âge. Conçu quand ? Dans quelles circonstances ? Il avait vécu la majeure partie de sa vie à l'autre bout du pays, sans jamais connaître son père. Qu'allait-il se passer, maintenant qu'il l'avait retrouvé ? Les gens murmureraient, blagueraient, poseraient toutes sortes de questions dont Robby ne connaissait pas les réponses. Kent allait-il s'accrocher à la famille et mettre tout le monde mal à l'aise ? Allait-il être meilleur que Robby sur le terrain de football ? Lui jetterait-il des regards de côté, comme pour l'accuser d'avoir eu un père pour lui tout seul durant toutes ces années ? Ce n'était quand même pas sa faute, non ?

Mais son père... bon Dieu ! Comment ça pouvait-il être arrivé ? Que se passait-il, maintenant, entre sa mère et lui ? Parfois, ils parlaient de leurs anciennes flammes, mais jamais Robby n'avait entendu mentionner le nom de Monica.

Encore cet après-midi, son père disait : « Chaque personne qu'on rencontre nous change un peu. » Chose certaine, Kent Arens venait de transformer radicalement sa famille ! Et qui savait combien d'autres changements surviendraient, et de quelle ampleur ? Tout ce que son père avait dit à propos des choix et de la façon dont ils développaient le caractère... Quel genre de caractère cette histoire allait-elle donner à son père ? Robby avait compris depuis

172

longtemps que sa mère était enceinte quand ses parents s'étaient mariés. Il était peut-être naïf, mais il avait toujours cru que ses parents n'avaient fait l'amour qu'entre eux, qu'ils ne l'avaient jamais fait avec qui que ce fût d'autre. Apparemment, il n'y avait que sa génération qui avait besoin de cours d'éducation sexuelle, de conférences sur le sida, de sermons sur l'usage du condom et de discours parentaux sur la nécessité d'être sage. Alors, c'était quoi, *être sage* ? Robby avait toujours cru que la génération de ses parents était plus sage que la sienne, juste parce qu'elle était plus vieille et qu'il était bien plus facile de ne pas faire de bêtises, dans le temps. Brenda et lui avaient été si souvent près de faire l'amour qu'il en avait parfois eu les nerfs à vif. En fait, il avait même affirmé à ses amis l'avoir fait, parce que sinon, il aurait eu l'air d'un véritable idiot. À vrai dire, il avait une trouille de tous les diables d'aller jusqu'au bout, et Brenda aussi, si bien qu'ils n'avaient que... enfin...

Mais son père avait mis enceintes deux filles en même temps. N'importe qui pouvait prendre un calendrier et comprendre que si Robby et Kent étaient nés la même année de deux femmes différentes, son père avait été pas mal occupé.

Robby lança le ballon dans la corbeille à papier et s'allongea sur son lit.

Kent Arens. Son frère illégitime. Il devrait remettre le ballon à ce type pour le reste de la saison, tandis que sa mère regarderait la scène des estrades.

Pauvre maman. Bon Dieu, que se passerait-il si jamais la chose se savait, à l'école ? À quoi pensait-elle, maintenant, enfermée dans sa chambre ?

Assise au bord de son lit, Claire tira quelques chaussettes emmêlées d'un grand tiroir de la commode qu'elle avait placé près d'elle. Elle entreprit de les regrouper par paires, de les plier soigneusement et d'en faire des piles bien ordonnées. Elle s'arrêta un instant pour sécher ses larmes avec une paire de chaussettes de coton blanc, et poursuivit son travail avec obstination, classant soigneusement bas de nylon et sous-vêtements, comme si la remise en ordre de son tiroir pouvait rétablir l'ordre dans sa vie, comme par magie.

Elle prit une paire de socquettes, les plia et les mit sur la pile correspondante. Elle chercha des échelles sur ses bas-culottes, les plia en deux, puis en quatre et les plaça dans un coin du tiroir, sur une pile qu'elle redressa comme elle aurait voulu redresser son monde.

Subitement, elle se pencha et enfouit son visage dans le coton blanc.

Je ne peux pas... Je ne peux pas...

Je ne peux pas quoi ? Aucune réponse ne vint. Elle frissonna en revoyant ce garçon dévisager Tom avec mépris dans l'entrée. Il lui ressemblait tellement, en plus jeune, qu'elle s'était sentie prise de vertige rien qu'à le regarder.

Comment avait-elle pu ne pas voir la similitude ? Comment pouvait-elle faire face à tout cela, maintenant ? Comment pouvait-elle retourner à la cuisine et reprendre sa vie d'épouse et de mère lorsque la confiance qu'elle avait placée dans son mari venait d'être irrémédiablement ébranlée. Comment pourrait-elle être la même à l'école, lundi ?

Je ne peux pas... Je ne peux pas...

Claire ne comprenait pas pourquoi il importait autant de remettre de l'ordre dans ce tiroir, mais elle se redressa et continua. Ses larmes coulaient de plus en plus et elle finit par se mettre à sangloter. La tête penchée, elle faisait aller et venir ses mains dans ce stupide tiroir, qui était en désordre depuis au moins deux ans et qui aurait pu rester ainsi encore longtemps. Qu'est-ce que ça pouvait faire ?

Finalement, elle abandonna cette tâche futile et se laissa tomber sur le côté. Un profond désespoir s'empara d'elle.

Ohh... Il ne voulait pas m'épouser... Il ne m'aimait pas...

Elle voulait que Tom montât et la trouvât ainsi pour constater à quoi il l'avait réduite, car cet état de tristesse et de léthargie était réel et dévastateur.

Pourtant, mieux valait qu'elle ne le voie pas tout de suite, car elle ne savait plus que lui dire. Pourrait-elle seulement le regarder sans colère ?

Pendant une heure, elle resta étendue dans l'obscurité, jusqu'à ce que les lampadaires de la rue s'allument. L'air qui se glissait dans la chambre par la fenêtre entrouverte devenait de plus en plus frais. De temps en temps passaient des voitures et, à un moment donné, une moto fila à vive allure.

Au bout d'un long moment, elle entendit le téléphone sonner. Claire décrocha le combiné au moment même où Tom répondait, en bas. Elle retint son souffle et écouta.

— Tom ? Ici Monica.

— Est-il revenu ?

— Oui.

— Merci mon Dieu, soupira Tom. Il va bien ?

— Oui.

— Lui avez-vous parlé ?

— J'ai essayé, mais il ne veut pas dire grand-chose. Il est encore trop blessé et en colère.

— Il a probablement le droit de l'être, mais je ne m'attendais vraiment pas à ça. Quand il a foncé chez nous, je n'étais pas du tout sur mes gardes.

— Qu'a-t-il dit ?

— Il m'a traité de salaud pour avoir couché avec vous et vous avoir laissé tomber sans chercher à savoir si vous étiez enceinte.

— Mon Dieu, Tom. Je suis désolée.

— Il a parfaitement raison. J'aurais pu au moins vous téléphoner.

— J'aurais pu le faire moi-même.

— Oh, Monica... fit-il en poussant un autre soupir de lassitude. Qui sait ce que nous aurions dû faire ?

Un silence suivit, durant lequel Claire les imagina tous deux la main crispée sur leur combiné. Quel genre de femme était Monica Arens ? De quoi avait l'air sa maison, et quelle pièce Tom en avait-il vu ?

— J'imagine que votre famille a mal pris la chose, dit l'autre d'un ton rempli de sollicitude.

— Oh, ici c'est terrible. C'est...

Tom sembla trop accablé pour poursuivre.

— Je suis vraiment navrée. Je me sens tellement responsable...

Elle semblait beaucoup se préoccuper de lui.

— Croyez-vous que les choses reviendront jamais à la normale ?

— Je n'en sais rien, Monica. Pour l'instant, je n'en sais vraiment rien.

— Comment votre femme a-t-elle réagi ?

— Elle a pleuré. Elle s'est mise en colère. Elle m'a frappé. Maintenant, tout le monde reste chacun dans son coin.

— Oh, Tom...

Claire entendit leurs souffles un moment, puis Tom s'éclaircit la gorge et reprit la parole d'une voix rauque.

— C'est Claire qui a le mieux résumé la situation : « Quel gâchis ! »

— Je ne vois pas ce que je peux faire pour l'instant, mais si jamais...

— Essayez d'amener Kent à parler, et si jamais vous croyez que le choc est trop fort pour lui, téléphonez-moi. Vous connaissez les signes : dépression, repli sur soi... Il pourrait se mettre à fumer, ou rentrer plus tard que permis. Je le surveillerai de mon côté et je garderai un œil sur son rendement scolaire.

— Très bien. Tom ?

— Oui ?

— Vous aussi, vous pouvez m'appeler n'importe quand.

— Merci beaucoup, Monica.

— Je crois que je dois vous laisser, maintenant.

— Oui, moi aussi.

— Au revoir, alors, et bonne chance.

— À vous aussi.

Claire raccrocha après eux et s'étendit sur le lit, le corps secoué par les battements de son cœur. Elle regretta d'avoir écouté, car maintenant l'autre prenait de façon irrémédiable toutes les apparences de la réalité. Dans sa voix, Claire avait perçu l'ampleur des sentiments qu'elle portait à son mari. Elle les avait entendus parler ensemble, avec des silences plus éloquents que la parole. Elle avait reçu la confirmation que Kent était vraiment leur fils, qu'il y aurait toujours ce lien indestructible entre eux. Claire savait également que ce n'était pas leur dernière conversation. Il y en aurait d'autres.

Elle attendit que son mari montât lui parler du coup de fil, mais en vain. Elle eut alors la certitude que Tom et Monica éprouvaient des sentiments l'un envers l'autre. Comment pouvait-il en être autrement, puisqu'ils avaient choisi de traverser cette épreuve ensemble?

Au bout de quelques minutes, une autre auto passa dans la rue et la tira de sa léthargie. Elle se redressa péniblement, en poussant le tiroir de la hanche. Sa casquette resta sur le lit. En tremblant légèrement, elle lut les chiffres lumineux du réveil. Même pas neuf heures. Il était encore trop tôt pour se coucher, mais elle ne voulait pas quitter la chambre et risquer de se retrouver nez à nez avec Tom, quelque part dans la maison, car il lui faudrait alors décider, choisir quelle conduite adopter.

Elle remit le tiroir à sa place, enleva ses chaussures et son jean, mais garda ses socquettes et son chemisier. Manquant d'énergie pour enfiler un pyjama ou une chemise de nuit, elle se glissa péniblement sous les couvertures et se roula en boule, en tournant le dos au côté du lit qu'occupait Tom.

Peu après, elle l'entendit cogner doucement aux portes des enfants, d'abord à l'une, puis à l'autre, pour leur parler d'une voix que l'épaisseur des murs rendait indistincte. Ensuite, il entra dans leur propre chambre.

Lui aussi se déshabilla dans l'obscurité et s'étendit sur le dos sans toucher sa femme, comme s'il se glissait sur un banc d'église, à côté d'un fidèle en prière.

Le silence s'installa, de même que l'inexplicable nécessité de rester immobile, de faire semblant que l'autre n'existait pas, même si chaque muscle des deux époux commençait à s'ankyloser.

Claire avait mal à la tête à force de pleurer, mais elle regarda le cadran lumineux égrener les heures jusqu'à ce que ses paupières s'alourdissent.

Au milieu de la nuit, elle sentit une main sur son bras, dans un

geste qui l'implorait de se tourner. Elle la secoua et se réfugia
encore plus loin de son côté du lit.

— Non, fit-elle.

Et le silence retomba.

Neuf

Claire s'éveilla vers huit heures, alors que le soleil achevait de dissiper le brouillard de ce dimanche matin, ne laissant que de fines gouttelettes sur les branches des arbres. Derrière elle, Tom sortit du lit et gagna discrètement la salle de bains.

Encore sous le choc des événements de la veille, elle écouta l'eau qui coulait, la vie qui reprenait derrière la porte fermée. Les paroles échangées la veille lui revinrent, et elle sentit la lassitude faire lentement place à la colère. Chaque son provenant de la salle de bains aiguillonnait sa rage. Elle imagina son mari en train de se laver. Il agissait comme si rien n'avait changé. Pourtant c'était tout le contraire.

À l'intérieur de la femme qui s'était, jusque-là, consacrée corps et âme à son mariage, une étrangère venait d'apparaître. Une inconnue vindicative, blessée dans son amour-propre, avait balayé l'ancienne Claire, douce et compréhensive, et cette femme exigeait que Tom souffrît autant qu'elle-même.

Il sortit de la salle de bains et ouvrit la porte de la penderie. Elle entendit les cintres de métal tinter, pendant qu'il choisissait une chemise. Le visage pressé contre son oreiller, Claire suivit des yeux les allées et venues habituelles de son mari dans la pièce. Il finit par s'arrêter à son chevet.

— Tu ferais mieux de te lever, dit-il en finissant de nouer sa cravate. Il est déjà huit heures vingt-cinq. Nous allons être en retard à l'église.

— Je n'y vais pas.

— Claire, ne commence pas. Nous devons rester unis devant les enfants.

— Je n'y vais pas, j'ai dit! s'écria-t-elle en rejetant les couvertures. J'ai les yeux rougis et le visage défait. Allez-y sans moi!

Son explosion de colère les prit tous deux par surprise.

— Écoute, dit-il en lui agrippant le bras comme elle se dirigeait vers la salle de bains, j'ai déjà dit que j'étais désolé. Il faut que nous maintenions les apparences, jusqu'à ce que cette histoire soit reléguée au passé.

— Je t'ai dit de ne pas me toucher! cria-t-elle en se dégageant violemment pour s'enfermer dans la salle de bains.

L'expression des yeux de sa femme le choqua autant que la gifle reçue la veille. Tom comprit qu'il ne devait pas prendre sa réaction à la légère. Il inspira profondément, son cœur battant très fort dans sa poitrine, en se demandant quelle conduite adopter devant l'agressivité et l'intransigeance qu'il découvrait chez elle.

— Claire, lança-t-il d'un ton calme à travers la porte, malgré la peur qui le tenaillait. Que vais-je dire aux enfants?

— Tu n'as pas à leur dire quoi que ce soit. C'est moi qui vais leur parler.

Elle sortit de la salle de bains une minute plus tard, enveloppée dans une robe de chambre, avec toujours les mêmes chaussettes blanches, déformées par un long usage. Tom ne comprit pas ce qu'elle dit aux enfants. Lorsqu'ils montèrent dans la voiture, il vit tout de suite que leur nuit avait été aussi troublée que la sienne, et que l'absence de leur mère, dans un moment où elle avait toujours été avec eux, les jetait dans un état de perplexité extrême.

— Pourquoi maman ne vient-elle pas avec nous? demanda Chelsea.

— Je n'en sais rien. Que vous a-t-elle dit?

— Qu'elle n'était pas « émotivement » prête à sortir aujourd'hui, et que je ne devais pas m'inquiéter. Qu'est-ce que ça veut dire « pas émotivement prête »? Vous êtes-vous disputés, hier soir?

— Nous sommes d'abord allés au parc pour parler. Vous avez été témoins de tout le reste. Il ne s'est rien passé de plus après.

— Elle avait l'air affreuse.

— Elle a toujours l'air affreuse quand elle a pleuré.

— Mais papa, elle vient toujours à l'église avec nous. Va-t-elle cesser de mener une vie normale parce qu'elle est en colère contre toi?

— Je l'ignore, Chelsea. J'espère que non, mais pour l'instant, elle a très mal et je crois qu'il faut lui laisser du temps.

Un étau sembla serrer le cœur de Tom quand il vit combien, l'espace d'une seule nuit, ses enfants avaient été affectés par l'erreur qu'il avait commise il y avait si longtemps. C'était Chelsea qui posait les questions alors que Robby, l'air affligé, s'enfermait dans un inquiétant mutisme.

— Tu l'aimes encore, n'est-ce pas, papa? s'enquit Chelsea avec hésitation.

— Bien sûr, ma chérie, s'empressa de dire Tom en lui prenant la main pour la rassurer. Ne t'en fais pas, nous résoudrons ensemble ce problème. Je ne laisserai jamais rien de mal nous arriver, à ta mère et à moi.

Quand ils revinrent de l'église, le petit-déjeuner les attendait. Claire, douchée, habillée et maquillée, s'affairait dans la cuisine avec son efficacité habituelle, qui lui servait maintenant autant de bouclier que d'arme offensive. Elle s'efforça de sourire pour le bénéfice des enfants.

— Avez-vous faim? Asseyez-vous.

Les enfants prirent place à table en regardant craintivement leur mère dans l'attente de ce qui allait se passer. Tom gardait prudemment ses distances et ne s'approchait de sa femme que pour s'en éloigner aussitôt, conscient du fait qu'elle l'ignorait souverainement pendant qu'elle versait le jus et le café, et qu'elle retirait les muffins du four.

— Attends, laisse-moi faire... dit Tom alors qu'elle prenait un bol et un fouet pour préparer des œufs brouillés.

Claire s'éloigna immédiatement, évitant soigneusement tout contact avec lui. L'aversion qu'elle éprouvait à son égard était si manifeste qu'elle jeta une ombre sur tout le repas. Claire parla aux enfants et leur posa des questions : comment avait été la messe? qu'allaient-ils faire aujourd'hui? avaient-ils des devoirs à terminer?

Ils répondirent avec empressement, tout en ne désirant qu'une seule chose : qu'elle regarde leur père, qu'elle lui parle et lui sourie, comme avant. Leur vœu ne se réalisa pas.

Pas un instant, durant le petit-déjeuner, Claire ne se départit de son air distant à l'égard de Tom. À la fin du repas, elle annonça aux enfants qu'elle les invitait au cinéma pour l'après-midi, mais ils s'excusèrent d'un air déçu et lugubre, et s'éclipsèrent dès que la table fut desservie.

Tom était abasourdi par l'aisance avec laquelle Claire l'évitait. Elle répondait à ses questions, mais ne lui adressait la parole qu'en cas d'absolue nécessité. Il comprit plus que jamais combien il était facile, pour sa femme, de se glisser dans la peau d'un personnage et d'y rester. Elle jouait maintenant le rôle de la femme blessée qui s'efforçait malgré tout de sauvegarder les apparences pour les enfants. On lui aurait sans doute décerné un oscar.

Vers treize heures, il alla la retrouver au salon. Les travaux de ses élèves étaient éparpillés autour d'elle sur le canapé, tandis que la stéréo jouait une musique douce. Claire avait ses lunettes sur le bout du nez et lisait une composition, en apportant à l'occasion des commentaires dans la marge. Le soleil automnal filtrait à travers les rideaux et projetait une colonne rose sur le tapis devant elle. Elle portait un survêtement en tissu éponge et de minces chaussures de toile. Ses jambes étaient croisées et l'un de ses orteils pointait vers le sol. Tom avait toujours admiré la ligne de son pied quand elle était assise ainsi, la façon dont il s'incurvait davantage que chez les autres femmes, ce qui donnait à l'arche une courbe plus prononcée.

Il s'arrêta à l'entrée du salon. Après toutes les rebuffades subies ce matin, il n'osait plus s'approcher. Les mains dans les poches, il resta planté là, à la regarder.

— Pouvons-nous parler ? demanda-t-il.

— Je ne crois pas, répondit-elle après avoir bien pris le temps de finir un paragraphe et d'encercler un mot.

— Quand, alors ?

— Je ne sais pas.

Tom soupira, exaspéré, en tâchant de ne pas se mettre en colère. Sa femme prenait soudain des allures d'étrangère à ses yeux, et il constatait avec angoisse que cette étrangère ne lui plaisait pas.

— Je croyais que tu allais voir un film.

— À quinze heures.

— Puis-je y aller avec toi?

Une fraction de seconde s'écoula avant que les yeux de Claire s'immobilisent sur les feuilles qu'elle tenait devant elle et que ses sourcils se soulèvent de façon hautaine.

— Non, Tom, je ne le crois pas.

— Alors, puis-je savoir pendant combien de temps tu comptes faire comme si je n'existais pas? reprit-il en maîtrisant à peine sa colère.

— Je te parle, non?

— Tu appelles ça parler? fit-il d'un ton ironique en hochant la tête d'un air dégoûté.

Claire mit de côté une pile de feuilles et en prit une autre.

— Les enfants ont peur, continua Tom, ne t'en rends-tu pas compte? Ils ont besoin de savoir qu'au moins nous essayons de résoudre ce problème.

Les yeux de Claire cessèrent de parcourir les feuilles, sans qu'elle daigne les lever vers lui.

— Ils ne sont pas les seuls, fit-elle.

Tom prit le risque d'avancer vers elle et de s'asseoir au bord du canapé, de l'autre côté de la pile de travaux.

— Alors, parlons-en, insista-t-il. Moi aussi, j'ai peur, mais si tu ne fais pas la moitié du chemin, nous n'arriverons jamais à rien.

Le stylo rouge toujours à la main, Claire prit une série de compositions et les mit en ordre en les tapant contre son genou. Par-dessus ses lunettes, elle adressa à Tom un regard dans lequel il lut une touche de mépris.

— J'ai besoin de temps. Est-ce si difficile à comprendre?

— Du temps pour quoi? Pour raffiner ton jeu dramatique? Tu remets ça, tu sais? Mais tu devrais faire attention, Claire, parce que dans le monde réel, toute une famille souffre.

— Comment oses-tu! explosa-t-elle. Tu me trahis, puis tu m'accuses de faire semblant d'avoir mal...

— Ce n'est pas ce que je voulais dire...

— ...alors que c'est moi qui ai entendu mon mari déclarer qu'il ne voulait pas m'épouser...

— Je n'ai jamais dit que je ne voulais pas t'épouser...

— ...et qu'il a couché avec une autre femme! Essaie d'imaginer que tu reçois une telle gifle, et dis-moi comment réagir!

— Claire, baisse le ton.

— Ne me dis pas ce que je dois faire! Je crierai si j'en ai envie, et j'aurai mal si j'en ai envie, et j'irai au cinéma toute seule, parce que maintenant, j'arrive à peine à tolérer ta présence. Alors sors d'ici et laisse-moi panser mes blessures comme bon me semble!

Les enfants étaient encore dans leurs chambres et Tom ne voulait pas qu'ils en entendent davantage. Il partit, ulcéré par la tirade de sa femme. Tout ce qu'il avait voulu faire, c'était montrer à Claire la nécessité de se parler, et non l'accuser de se plaindre sans raison. Sa colère était certainement motivée, mais son entêtement devenait grotesque. Malgré ses dénégations, elle jouait effectivement un personnage. Chaque fois qu'un désaccord était survenu entre eux auparavant, ils en avaient parlé sans attendre, en adultes raisonnables. Si leur union avait duré, c'était avant tout grâce au respect qu'ils s'étaient toujours porté, jusque dans leurs mésententes. Quelle mouche l'avait piquée? Après l'avoir giflé, elle l'évitait, refusait de communiquer, et maintenant piquait une crise et le repoussait. Était-ce bien la Claire qu'il avait épousée?

Abasourdi par ce qu'il venait d'entendre, Tom éprouva le besoin de se confier à quelqu'un.

La maisonnette en rondins de son père semblait tout droit sortie du temps des pionniers, avec ses murs rouge délavé et sa cheminée de pierre. Comme Tom descendait de son automobile, une voix lui parvint de l'autre côté.

— Qui c'est? cria Wesley.

— C'est moi, papa.

— Je suis sous le porche! Viens me rejoindre!

Wesley n'avait jamais voulu faire paver le chemin qui conduisait à sa maison. Seules deux ornières parallèles menaient à sa porte arrière, puis à un vieux hangar où il entreposait son canot à moteur durant l'hiver, près du lac. Il ne se souciait pas beaucoup plus de son terrain et ne tondait l'herbe que deux ou trois fois par année, quand la fantaisie lui en prenait. Le trèfle et les pissenlits prospéraient sous le soleil qui baignait l'avant de la maison, entre de grands pins dont les aiguilles formaient un tapis très épais. Il régnait là une odeur âcre que Tom associait à son enfance, à ce jour où son père lui avait mis pour la première fois une canne à pêche entre les mains en disant : « Tiens, Tommy. Elle est à toi tout seul. Quand elle commencera à prendre un air moche, tu lui donneras quelques couches de vernis et elle t'attrapera du poisson pour des années à venir. »

Wesley Gardner avait beau vivre depuis toujours dans une vieille maison de bois entourée de mauvaises herbes, au bout d'un chemin boueux, et porter des vêtements usés jusqu'à la corde, il prenait un soin jaloux de son attirail de pêche et consacrait des heures à son embarcation.

Tom rejoignit son père à l'avant de la maisonnette. Une boîte de mouches artificielles à ses pieds, Wesley était justement en train d'examiner sa canne à pêche.

— Ben, dis donc ! Quelle bonne surprise !

— Salut papa, dit Tom en montant les larges marches.

— Installe-toi.

Tom s'assit dans un vieux fauteuil rustique dont la peinture n'était plus qu'un lointain souvenir et qui craqua de façon inquiétante sous son poids. En face de lui, Wesley occupait le même type de siège, une canne de fibre de verre coincée entre les jambes. Il tenait un tampon d'ouate imbibé d'un produit nettoyant dans sa main gauche et en frottait un fil, qu'il transférait d'un moulinet à un autre à l'aide de sa main droite, à l'affût de la moindre anomalie dans la ligne. L'odeur du produit nettoyant se mêlait à la senteur de poisson émanant de ses vêtements. Les jambes de sa salopette auraient pu accueillir deux personnes, tant elles étaient larges, et elles laissaient voir la majeure partie de ses chaussettes. Son éternel chapeau bleu trônait encore sur son crâne.

— J'ignore ce qui t'amène ici, mon gars, mais d'après ta mine, ça ne doit pas être de bonnes nouvelles.

— En effet, elles ne sont pas bonnes du tout.

— Parfait. Je n'ai jamais connu de problème qui n'avait pas l'air un peu moins grave ici, vu du porche, quand le lac vous fait des clins d'œil.

Tom regarda les reflets argentés à la surface de l'eau. Cette fois, son père avait peut-être tort. Wesley appliqua encore du liquide à son tampon d'ouate et les deux moulinets se remirent à tourner.

— Papa, puis-je te demander quelque chose?

— Y a pas de mal à demander.

— Tu n'as jamais trompé maman?

— Non, répondit le vieil homme du tac au tac. Jamais eu besoin de le faire. Elle me donnait tout ce qu'un homme peut souhaiter. Avec le sourire, en plus.

Tom savait qu'il pouvait passer tout l'après-midi à lancer des sous-entendus, jamais son père ne lui poserait la moindre question. Il était tellement en paix avec lui-même qu'il n'éprouvait aucun besoin de chercher des défauts chez les autres.

— Jamais, alors?

— Jamais.

— Moi non plus. Mais il s'est passé quelque chose à la maison, à propos d'une histoire qui remonte à l'époque où Claire et moi étions fiancés. Il semble – prépare-toi, papa, c'est plutôt difficile à avaler – il semble que tu aies un petit-fils dont tu n'as jamais entendu parler auparavant. Il a dix-sept ans et fréquente mon école.

Le mouvement des moulinets s'interrompit. Le vieux pêcheur lança un regard vers Tom et se redressa dans son fauteuil.

— Tu sais, fiston, je crois qu'une bonne bière ne nous ferait pas de tort, dit-il au bout de quelques secondes.

Wesley s'arracha de son fauteuil et rentra dans la maison en faisant claquer la vieille porte gauchie derrière lui. Il ressortit l'instant d'après avec quatre canettes de bière, en donna deux à Tom, et se rassit en faisant d'abord porter tout son poids sur les appuie-bras du fauteuil. Les deux hommes ouvrirent chacun une canette et prirent une gorgée en renversant la tête. Wesley s'essuya la bouche du revers de sa main noueuse.

— Eh ben, dit-il, c'est toute une histoire.

— Je l'ai su juste la semaine précédant la rentrée et je l'ai annoncé à Claire hier soir. Elle l'a plutôt mal pris.

— Je m'en doute un peu. Moi-même, ça m'a coupé le souffle, comme qui dirait.

— Elle a mal. Vraiment mal, poursuivit Tom, les yeux tournés vers le lac. Elle ne veut pas que je la touche. Bon Dieu, elle ne veut même pas me regarder !

— Faut lui laisser un peu de temps, mon gars. Tu l'as dit toi-même : c'est un gros morceau à avaler.

Tom but deux gorgées de bière et posa sa canette sur un des appuie-bras de son fauteuil.

— J'ai peur, papa. Je ne l'ai jamais vue comme ça. Hier, elle m'a giflé. Il y a une heure, elle a exigé que je parte. Elle ne peut même pas supporter que je sois dans la même pièce qu'elle. Bon Dieu, papa ! Jamais nous ne nous sommes traités de cette façon ! Jamais !

— Et je suppose que tu ne le mérites pas ?

— Je sais bien que je le mérite. Ce que je lui ai dit était terrible, mais je n'allais tout de même pas le lui cacher. Et tu sais comment nous vivions, Claire et moi. Nous avions tout fait pour obtenir le genre de mariage où chacun des conjoints vit dans le respect de l'autre. C'était la règle de base. Maintenant, elle ne veut même plus m'adresser la parole.

— Les femmes sont des créatures fragiles, fit Wesley après un instant, changeantes.

— Tu parles ! Je viens de m'en rendre compte.

— Ben, fiston, tu l'as mise dans une situation plutôt délicate : deux garçons la même année !

— L'autre femme n'a jamais rien été pour moi. Lorsqu'elle s'est présentée à l'école pour inscrire Kent, je ne l'ai d'abord même pas reconnue. Elle serait passée inaperçue à mes yeux, n'eût été son fils. Seulement Claire n'en croit rien.

— Et toi, le croirais-tu ? demanda Wesley en finissant sa

187

première bière, qu'il posa par terre, à côté de lui. Je veux dire : mets-toi un peu à sa place.

Tom frotta le fond de sa canette contre son genou. Il portait encore les pantalons gris qu'il avait mis pour aller à l'église, mais sa cravate était desserrée.

— Non... je suppose que non.

— Ça signifie que tu vas devoir t'y prendre doucement avec elle. Il va falloir lui faire un brin de cour, dit Wesley en ouvrant sa seconde bière. Évidemment, ça pourrait ne pas être déplaisant.

Tom lança un regard de côté à son père, qui fit exactement de même. Bien vite, cependant, l'air malicieux du vieil homme s'effaça.

— Alors, il s'appelle Kent ?

— Oui, Kent Arens.

— Kent Arens... fit Wesley, comme s'il désirait tester le nouveau nom. De quoi a-t-il l'air ?

— Ah, répondit Tom en hochant la tête, il est incroyable. Il a grandi dans le Sud et possède de très bonnes manières. Il donne du « Monsieur » et du « Madame » à tous ses professeurs. Ses notes sont exemplaires, son dossier scolaire est impressionnant. Il s'est fixé des buts et travaille dur pour les atteindre. Il me ressemble à un point tel qu'on dirait mon sosie.

— J'ai bien hâte de le rencontrer.

— Même sur les photos datant de l'école élémentaire, poursuivit Tom comme s'il n'avait pas entendu son père. Elles étaient toutes dans son dossier, et quand je les ai regardées, je... eh bien... Ça a été un des moments les plus extraordinaires de ma vie. J'étais là, seul dans mon bureau, et je voyais cet enfant.. ce garçon, qui est le mien. Je ne l'avais jamais vu auparavant, et voilà que j'avais sous les yeux des photos, non seulement de *lui*, mais aussi de *moi*. C'était comme si je me revoyais à cet âge. Mais j'ai également compris que si je lui avais donné la vie, je l'avais également empêché de la partager avec moi, tout comme j'avais été privé de sa présence. Je me suis senti coupable et triste. Tellement triste que j'avais le goût de pleurer. D'ailleurs, je l'ai fait – un peu – je crois.

J'ai eu les larmes aux yeux plus souvent, au cours des deux dernières semaines, que durant les dix dernières années.

— Claire sait-elle ça ?

Tom regarda son père et haussa les épaules. Il finit sa bière et la posa également à côté de lui. Les deux hommes restèrent assis en silence, au milieu de l'odeur douceâtre des aiguilles de pin mêlée à celle des roseaux, en provenance du lac. Des cris, au loin, leur firent tourner la tête en même temps. Un couple de malards survola le lac au ras de l'eau et sortit rapidement de leur champ de vision. Le soleil leur chauffait les jambes, mais leurs têtes étaient à l'ombre, protégées par le porche. Wesley s'inclina vers sa boîte de mouches pour en sortir une pierre à aiguiser et un hameçon, qu'il entreprit d'affûter.

— Kent a été conçu une semaine avant mon mariage avec Claire, dit finalement Tom.

Wesley finit son premier hameçon et en prit un autre.

— Chelsea commençait à avoir le béguin pour lui, mais Robby lui en veut d'avoir évincé son meilleur ami de la ligne offensive, au football. Robby est probablement aussi jaloux parce que Kent joue mieux que lui. Demain, à l'école, nous nous retrouverons tous nez à nez. Ce sera peut-être plus difficile pour Claire, qui est le professeur d'anglais de Kent.

Wesley entreprit d'aiguiser son troisième hameçon. La friction du métal contre la pierre produisait un bruit doux, comme le chant d'un grillon dans un jardin. Le vieil homme prit tout son temps, plissant ses yeux myopes pour mieux voir son travail, en s'arrêtant pour vérifier encore et encore, avant de paraître enfin satisfait, et de mettre l'hameçon de côté.

— Vois-tu, mon gars, commença-t-il en posant ses mains sur ses genoux, à un moment donné de sa vie, un homme doit s'établir un code d'honneur et s'y conformer. S'il est père de famille, il donnera l'exemple à ses enfants. Si c'est un mari, sa femme saura qu'elle peut compter sur lui. S'il est un chef, il donnera à ses subordonnés des normes qu'ils s'évertueront d'atteindre. Quand un homme vit sa vie ainsi, il n'a pas à avoir honte de quoi que ce soit. Pas un d'entre nous n'a pu éviter de faire des choses, dans sa jeunesse, qu'il préférerait éviter si c'était à recommencer. Seulement, on ne recommence jamais. Vivre avec ses erreurs passées, ça c'est difficile. On comprend à quelle sorte d'homme on a affaire, quand on voit la façon dont il s'y prend. En fait, c'est une bonne chose de se sentir un peu coupable. Ça évite de commettre d'autres bêtises. Mais il ne faut pas laisser la culpabilité prendre le dessus. Oui, Monsieur, on ne plaisante pas avec la culpabilité. Écoute bien ce que je te dis : c'est bien d'en éprouver un peu, et même beaucoup, mais pas trop longtemps. Mets-la vite de côté et concentre-toi sur ce qui peut être changé.

Tu comprends, Tom, tu ne peux pas modifier la première partie de la vie de Kent, mais tu peux sûrement changer l'autre partie, celle qui commence maintenant. D'après ce que j'ai entendu aujourd'hui, tu as la ferme intention de mieux connaître ton fils. Sois patient avec Claire. Continue de l'aimer comme tu l'as toujours fait. Une fois qu'elle aura surmonté le choc, elle comprendra que ce garçon va ajouter quelque chose à votre vie, au lieu de la briser. Voilà ce qu'il faudra retenir, en attendant qu'un peu de poussière retombe sur tout ça.

Pour l'instant, tu devras continuer d'avancer, comme nous tous, en te disant qu'une grave erreur ne fait pas nécessairement d'un homme bien un salaud. Viens me présenter ton fils, un de ces jours. J'aimerais bien le rencontrer, et peut-être lui montrer comment taquiner la perche, dans le coin des roseaux, près de la pointe. Je lui en préparerai toute une poêlée dans ma friture à la bière, et je lui raconterai quel genre de loustic était son père.

En écoutant son père, Tom sentit qu'on enlevait un poids de ses épaules. Il était maintenant plus détendu et sa tête reposait calmement contre le dossier de son fauteuil. Sa situation lui paraissait un peu moins dramatique.

— Tu sais... commença-t-il.

— Ça, c'est une question bien dangereuse à poser à un vieux moulin à paroles comme moi, coupa Wesley en riant doucement.

— Chaque fois que je viens ici, poursuivit Tom en souriant, je comprends un peu mieux pourquoi je suis devenu un bon directeur.

— Tu veux ton autre bière? demanda le vieux pêcheur, les yeux brillants.

— Non, vas-y.

Wesley reposa ses yeux sur le lac, un léger sourire sur les lèvres, en se disant qu'une bonne bière froide, c'était tellement bon par un agréable après-midi d'automne. Il était heureux que son fils soit venu lui confier ses problèmes, qu'il essaie encore de puiser un peu de sagesse dans la vieille cervelle usée de son père, qu'il le traite comme s'il avait toujours quelque chose à offrir. Ah oui, quelle chance il avait d'être ici, avec son fils, les jambes étendues au soleil, l'attirail de pêche bien en ordre, tandis qu'Anne attendait de l'autre côté. *Oui, madame*, pensa-t-il en levant les yeux vers le ciel bleu, au-dessus du lac qu'elle avait aimé autant que lui. *Nous avons fait du bon travail avec notre Tom. Nous en avons fait quelqu'un de bien.*

Les lundis matin se ressemblaient tous, d'une semaine à l'autre. Tom quittait la maison à six heures quarante-cinq, et Claire, une demi-heure plus tard. Ils se revoyaient à la salle des professeurs, durant la réunion du personnel que Tom présidait.

À la maison, rien n'avait changé. Claire avait dormi de son côté du matelas et s'était habillée derrière la porte close de la salle de bains. Les enfants restaient distants et silencieux. Personne ne s'était retrouvé à table pour le petit-déjeuner. Lorsque Tom, suivant son habitude, était allé dire au revoir à Claire en partant, elle n'avait rien répondu. La maison semblait devenir un lieu maléfique, mais la journée ne faisait que débuter.

En se dirigeant vers la salle des professeurs, ce matin-là, Tom songea à quel point il aurait apprécié occuper un poste ailleurs qu'à l'école, pour pouvoir se perdre dans un travail tout à fait étranger à ses préoccupations familiales. Il se sentait déjà épuisé d'avoir à retrouver Claire au milieu de tous ses collègues, alors que leur différend lui pesait de façon intolérable.

Avant même de refermer la porte derrière lui, il chercha sa femme du regard dans la pièce. Elle était assise à la table du fond et buvait un café sans chercher à prendre part à la conversation de ses voisins ou aux plaisanteries occasionnelles entre les professeurs. Leurs yeux se rencontrèrent brièvement, mais elle détourna aussitôt la tête. Tom se dirigea vers le percolateur, se remplit une tasse de café en rendant des salutations. Il tentait de retrouver son équilibre émotionnel.

Claire et lui avaient déjà connu des mésententes, mais jamais Tom n'avait ressenti une telle hostilité de la part de sa femme dans leur milieu de travail. Le poids immense de sa culpabilité allait sérieusement compliquer son rôle de supérieur hiérarchique.

Les cuisiniers avaient laissé un plateau rempli de roulés au caramel encore chauds. Il en prit un et s'assit à sa place habituelle, au bout de la table centrale. Bob Gorman fit son entrée, vêtu de son survêtement et de sa casquette de base-ball. Il reçut avec une satisfaction évidente les félicitations qu'on lui adressait pour la victoire de son équipe.

— On dirait bien que vous comptez une nouvelle étoile dans vos rangs, Bob, dit Ed Clifton, de la section des sciences. Ce nouveau, Arens, pourrait bien se rendre au championnat.

Le HHH excellait dans les sports, et des commentaires de ce genre étaient monnaie courante durant les réunions du personnel enseignant. Mais lorsque la conversation porta sur Kent Arens, Tom sentit les yeux de Claire se fixer sur lui avec insistance. Le jeune homme faisait bonne impression, c'était évident. Il était du genre à être remarqué autant par les élèves que par le personnel. Lorsque le lien entre le jeune homme et le directeur ferait l'objet de commérages, Claire serait regardée comme une bête curieuse, et les plus hardis s'aventureraient peut-être même à l'interroger.

Tom se leva et ouvrit la réunion avec l'absence de formalité qui le caractérisait.

— Bon. Nous pourrions peut-être nous mettre au travail. Cecil, dit-il au chef d'entretien, nous allons commencer par vous, comme d'habitude.

Cecil fit la lecture d'une série d'activités qui nécessiteraient une attention spéciale durant la semaine. Quelqu'un signala ensuite que certains élèves sans permis de stationnement prenaient les places réservées aux professeurs, un problème qui resurgissait chaque année et qu'on réglait toujours en quelques semaines.

Le directeur des sciences sociales convia Tom à une réunion de sa section et pria le personnel enseignant d'encourager les élèves à visiter les maisons de personnes âgées, à s'occuper des enfants défavorisés, et à prendre part, en général, à des activités civiques.

Un par un, Tom invita les directeurs des sections à prendre la parole, jusqu'à ce qu'il arrivât à Claire.

— Anglais? dit-il.

— Nous manquons encore de manuels, répondit-elle. Où sont-ils?

— Ils arrivent. Nous en reparlerons durant la réunion de la section, demain. Rien d'autre?

— Si, la pièce de théâtre des finissants. Je vais la superviser encore cette année, alors si quelqu'un a le temps de me donner un coup de main, je vous en serais très reconnaissante. Pas besoin de faire partie de la section d'anglais, vous savez. Nous ne refusons personne. Les auditions ne commenceront pas avant la fin du mois et les représentations auront lieu juste avant la Thanksgiving, mais il n'est jamais trop tôt pour offrir vos services.

— Pour les nouveaux, ajouta Tom, Claire monte des productions franchement impressionnantes. L'an dernier, c'était *Le Magicien d'Oz*, et cette année, ce sera...

— *Steel Magnolias*, fit-elle en refusant manifestement de regarder son mari.

Le personnel enseignant, qui connaissait le couple depuis des années, perçut immédiatement le froid sibérien qui régnait tout à coup entre eux. Les professeurs passèrent le reste de la rencontre à jauger la tension anormale entre le directeur et sa femme, et spécialement l'hostilité qui émanait de Claire.

Lorsque la réunion prit fin, Tom se tourna pour adresser la parole à quelqu'un pendant que Claire quittait le salon en évitant son mari par un long détour.

Quelques minutes plus tard, encore troublé par les événements, Tom était à son poste et surveillait l'entrée principale alors que les autobus scolaires commençaient à arriver. Par les grandes vitres, on voyait les élèves sauter sur le trottoir, et se diriger vers les portes en riant et en discutant.

Il aperçut Kent qui descendait de l'autobus. En le regardant s'approcher, Tom sentit son cœur battre. Il n'était pas besoin de bien connaître le jeune homme pour comprendre qu'il était troublé. Le visage sévère, sans parler à quiconque, il se dirigeait vers les portes en gardant les épaules rejetées en arrière et la tête bien droite : la démarche d'un athlète. Sa chevelure noire était enduite de gel et coiffée avec un peigne aux dents larges, suivant la mode. Il portait un jean et un blouson de nylon sur une chemise à motifs cachemire, au col ouvert. Comme d'habitude, ses vêtements étaient impeccables et fraîchement repassés. Son apparence en disait long sur la qualité des soins que lui prodiguait sa mère. Il se démarquait tout de suite des autres élèves non seulement par son élégance et sa mine, mais aussi par sa splendide forme physique. Tom ressentit un pincement au cœur, une fierté mêlée de stupéfaction : ce jeune homme était son fils.

L'anxiété le reprit quand il pensa à la complexité de leurs relations, au passé dont ils devaient absolument discuter, à l'avenir qui demeurait incertain. Chaque détail de leur dernière rencontre lui revint en mémoire. *Vous avez baisé avec elle et vous l'avez laissée !* lui avait-il lancé au visage.

— 'jour M'sieur ! lança une élève en passant devant lui.

— Bonjour Cindy, répondit Tom en revenant au présent.

Quand il se tourna de nouveau vers la porte, Kent la franchissait justement et avançait dans sa direction. Leurs regards se croisèrent et le jeune homme sembla hésiter. Tom sentit le sang affluer à son visage et son cou devenir douloureux comme s'il avait trop serré sa cravate. La rencontre était inévitable : Tom se tenait à une intersection que devait emprunter Kent. Celui-ci allongea le pas comme s'il désirait passer sans rien dire.

— Bonjour Kent, lança rapidement Tom en l'interceptant.

— Bonjour monsieur, répondit docilement Kent sans faire mine de s'arrêter.

— J'aimerais vous parler, aujourd'hui, si vous avez quelques minutes.

— Mon horaire est très chargé, monsieur, fit sèchement Kent en fixant son regard sur le dos des élèves qui le dépassaient, et après les cours, j'ai le football.

Tom rougit légèrement. Un de ses étudiants le rejetait, lui, le directeur.

— Bien sûr... Alors, une autre fois.

Il s'écarta pour laisser passer le jeune homme, en lui présentant de muettes excuses.

Robby était parti plus tôt pour l'école, afin de s'entraîner dans la salle d'haltérophilie, et Chelsea fit seule le trajet en autobus. Pendant de longues minutes, elle regarda par la fenêtre sans rien voir, ne pensant qu'aux événements tristes. Arrivée à destination, elle descendit et se dirigea vers l'édifice, perdue au milieu des autres étudiants, en cherchant des yeux son père, de l'autre côté des baies vitrées. Elle passa les larges portes et l'aperçut immédiatement, toujours à la même place, à l'intersection des deux corridors. Sa présence, à l'endroit où elle avait coutume de le retrouver chaque matin d'école, la rassura un moment. Pourtant, ce week-end avait bouleversé leurs vies. Une ombre planait sur chacune des petites choses qui l'avaient toujours rendue heureuse, et la peur s'était installée au creux de son estomac.

— Salut papa, dit-elle doucement en serrant son classeur jaune dans ses bras.

— Bonjour, chérie.

Les même mots que d'habitude, mais les sourires étaient contraints. Chelsea se sentait comme une étrangère dans un pays inconnu, où les coutumes différaient de celles qu'elle avait pratiquées toute sa vie. Elle détestait manœuvrer avec circonspection au milieu des tensions familiales, alors que rien ne pouvait la guider. Elle avait toujours fait preuve de spontanéité envers ses parents ou dans ses manifestations d'affection, mais maintenant, elle ne savait plus comment les aborder, elle ne savait plus que faire ni que dire.

— Papa, qu'est-ce qui... je veux dire... Quand maman et toi allez-vous vous réconcilier? demanda-t-elle tandis que des larmes lui montaient aux yeux.

Tom l'entoura de ses bras et la tira hors du flot des élèves.

— Chelsea, ma chérie, je suis vraiment désolé de te voir mêlée à tout ça. Je sais que c'est beaucoup demander, mais je t'en prie : continue d'agir exactement comme tu l'as fait jusqu'ici. Concentre-toi sur tes études et profites-en sans perdre ton temps à t'inquiéter à notre sujet. Nous surmonterons cette épreuve, je te le jure, bien que j'ignore quand au juste. Entre-temps, si maman n'est pas comme d'habitude, pardonne-lui. Et si je te semble différent moi-même, alors pardonne-moi aussi.

— Mais papa, c'est si difficile ! Je n'avais même pas envie de venir à l'école, ce matin.

— Je le comprends bien, mais le véritable danger, dans une situation comme celle-ci, c'est que nous y engouffrions toute notre énergie et que nous y épuisions toutes nos forces. Moi aussi, je souhaite que tout redevienne comme avant.

Chelsea baissa la tête, en essayant d'empêcher ses larmes d'abîmer son maquillage.

— Mais jamais rien de semblable ne nous est arrivé auparavant ! Notre famille a toujours été si parfaite.

— Oui, Chelsea, et nous la retrouverons telle qu'elle était. Pas parfaite, car aucune famille ne l'est – je crois que nous sommes en train de nous en apercevoir – mais heureuse. J'essayerai de toutes mes forces, d'accord ?

Elle hocha la tête et des larmes tombèrent sur son classeur. Ils faisaient encore face au mur et Tom avait gardé les bras autour de sa fille. Tous deux avaient conscience des regards curieux, voire étonnés, dans leurs dos. Chelsea essuya ses larmes sans chercher à se dissimuler.

— Puis-je utiliser le miroir dans ton bureau, papa ?

— Certainement. Je vais aller avec toi.

— Non, ça va. Tu n'as pas à le faire.

— Chérie, ça me fait plaisir. Tu es la première personne qui m'ait parlé depuis deux jours, et ça fait du bien.

Ils se rendirent au bureau. Chelsea ouvrit les portes de l'armoire et se cacha derrière elles pour se dérober à la vue des secrétaires. Elle se regarda dans le miroir et essaya d'enlever les traces de mascara sur ses joues, pendant que Tom prenait connaissance des messages qui s'étaient accumulés près de son téléphone. Au bout d'un moment, il revint auprès de sa fille.

En apercevant le regard de son père dans le miroir, Chelsea abandonna ses piètres tentatives pour remettre de l'ordre dans son apparence. Jamais ils n'avaient eu la mine aussi triste.

— Papa, comment dois-je agir envers Kent ? Je ne sais pas quoi lui dire.

— Sois son amie. Il en aura besoin.

— J'ignore si je le pourrai.

Le baiser qu'elle avait échangé avec le jeune homme n'arrêtait pas de la hanter.

— Donne-toi un peu de temps, alors. Lui non plus ne doit pas savoir quelle attitude adopter à ton égard.

— Je ne sais même pas quoi raconter à Erin. Elle va sûrement se rendre compte que quelque chose ne va pas. Je lui ai dit que je ne pouvais pas lui parler, hier, quand elle m'a téléphoné.

— Moi non plus, je ne sais pas. Il vaudrait sans doute mieux y réfléchir un jour ou deux. Beaucoup de sentiments complexes sont en jeu, et ceux de Kent ne sont pas moins importants. C'est aussi à lui de choisir si toute l'école doit apprendre ou non qu'il est mon fils.

Ils se turent un moment. Tom gardait les mains posées sur les épaules de sa fille, et Chelsea fixait les motifs de sa cravate. Comment des vies pouvaient-elles changer aussi radicalement, aussi vite ? La semaine dernière, encore, ils faisaient partie d'une famille unie et heureuse. La jeune fille soupira et sortit de son sac un crayon à paupières et du mascara. Tom retourna à son bureau, mais se lassa bien vite de lire les messages qui y traînaient.

— Alors, que penses-tu de toute cette histoire ? demanda-t-il doucement.

— Je ne sais pas, répondit-elle en haussant tristement les épaules.

— Est-ce que ça te choque ?

— Un peu, fit-elle en baissant les yeux.

— Moi aussi, tu sais. Tu n'aimerais sans doute pas que tout le monde apprenne la vérité.

— Non... je pense.

— M'en veux-tu ? demanda Tom en la faisant pivoter sur elle-même.

Comme elle refusait de lever la tête, il s'accroupit jusqu'à ce qu'il puisse bien voir son visage.

— Peut-être un peu ?

— Peut-être, admit-elle avec réticence.

— Je comprends, Chelsea. À ta place, j'en ferais autant.

— Grand-père est-il au courant ? demanda-t-elle en fermant la porte de l'armoire.

— Oui. Je suis allé lui parler hier.

— Comment a-t-il réagi ?

— Oh, tu connais ton grand-père. Il ne blâme jamais personne de quoi que ce soit. Il dit qu'avec le temps, ta mère se rendra compte – chacun d'entre nous se rendra compte – que Kent va nous apporter quelque chose de positif au lieu de briser nos vies.

Chelsea étudia le visage de son père, ses traits tirés par les soucis et le manque de sommeil. Une cloche résonna, annonçant que les cours allaient commencer dans quatre minutes. Elle aurait voulu dire : « Pourtant, il nous a déjà pris quelque chose, non ? Il a volé le bonheur de notre famille. » Mais formuler sa pensée à voix haute l'aurait rendue trop réelle, trop effrayante. Ça ne deviendrait peut-être jamais vrai si elle se taisait.

Tom la poussa légèrement vers la porte.

— Tu ferais mieux d'aller à ton cours, maintenant, sinon tu vas être en retard.

Chelsea comprit tout d'un coup à quel point elle aimait son père, et une partie de sa rancœur envers lui s'évanouit. Elle se leva sur la pointe des pieds et pressa sa joue contre la sienne, simplement parce qu'il avait l'air de tellement souffrir. Dans l'embrasure de la porte, elle lui envoya un sourire triste et s'en fut en emportant dans son cœur l'expression fatiguée et tendue de son père.

Dix

Kent et Chelsea ne pouvaient éternellement éviter de se croiser. Jusqu'à la pause entre la troisième et la quatrième période, Kent évita son casier, où ils avaient pris l'habitude de se retrouver, et Chelsea fit un long détour. Avant la quatrième période, toutefois, Kent dut aller chercher un livre qu'il avait oublié et Chelsea, qui manquait de temps, emprunta le chemin le plus court vers sa classe. Elle se trouva forcée de passer devant l'endroit où ils se rencontraient et se souriaient alors que leurs cœurs battaient un peu plus fort. Ce souvenir partagé les embarrassait profondément, maintenant.

Chelsea piétinait derrière un groupe de jeunes lorsque Kent, qui venait de refermer précipitamment la porte de son casier, fit irruption devant elle. Ils freinèrent brusquement, tournèrent les talons et détalèrent aussi vite que le leur permettait la foule. Tous deux se sentaient stupides, horriblement gênés, et coupables d'une faute obscure.

La cinquième période – le cours d'anglais – arrivait inexorablement, et le professeur, Mme Gardner, la redoutait autant que son élève, Kent Arens. Pourtant, les heures passèrent, la cloche sonna, et durant le changement de classe de midi treize, le jeune homme arriva devant la porte du local deux cent trente-deux, où Claire attendait ses élèves.

Elle savait qu'elle devait le saluer, mais elle en fut incapable, et Kent ne trouva rien à dire non plus. Ils se regardèrent en chiens de faïence, sachant qu'ils pouvaient se faire aussi mal l'un que l'autre. Elle vit en Kent le portrait fidèle de son mari. Kent vit en elle la femme qu'avait épousée le séducteur de sa mère. Chacun de ces points de vue contenait un élément de vérité, mais depuis sa plus tendre enfance on avait inculqué à Kent un profond respect de l'autorité, aussi salua-t-il Mme Gardner d'un signe de tête très raide. Claire souleva les commissures de ses lèvres sans qu'aucun sourire n'apparût sur son visage ni dans ses yeux.

Quand elle ferma la porte pour commencer son cours, il était assis avec les autres. S'efforçant d'éviter son regard, Claire entreprit, pendant une longue heure, d'exposer à sa classe les grandes lignes de la mythologie et du théâtre grecs. Elle distribua des exemplaires de l'*Odyssée,* en fit l'historique, et expliqua pourquoi ils aborderaient la littérature d'un point de vue chronologique. Après avoir exposé son plan de cours, elle recommanda à ses élèves les vidéos et livres susceptibles de mieux faire revivre les classiques grecs, et leur remit une liste de suggestions de travaux donnant droit à des crédits supplémentaires.

Tout le long du cours, Kent garda ses yeux rivés sur les chaussures de son professeur. Claire le sentait très bien. Elle savait également qu'il restait assis légèrement incliné vers la droite, un coude reposant sur le dessus de son pupitre et un doigt porté à ses lèvres, figé dans cette position durant cinquante-deux minutes. Claire finit par s'oublier et le regarda bien en face, confondue par sa ressemblance avec Tom. Ce regard furtif provoqua chez elle une étrange sensation, comme si elle se retrouvait subitement en train d'enseigner à Tom Gardner à dix-sept ans, alors qu'elle ne l'avait pas encore rencontré à l'époque.

La cloche finit par sonner et les élèves se levèrent pour quitter la classe. Claire resta derrière son bureau et se mit à rassembler ses feuilles, les yeux baissés, afin de donner à Kent aussi bien qu'à elle-même la chance de se quitter sans s'adresser la parole. Pourtant, le jeune homme ne suivit pas les autres et s'arrêta devant elle, dans une attitude qui évoquait un héros grec avant le combat.

— Madame Gardner?

Claire releva brusquement la tête. Un champ de particules négatives sembla immédiatement s'établir entre eux et les repousser avec vigueur.

— Je regrette d'être entré chez vous comme je l'ai fait l'autre soir. Je n'avais aucun droit de faire ou de dire tout ça.

Il tourna les talons et quitta la classe sans laisser à Claire le temps de répondre. Elle s'effondra sur son fauteuil comme s'il l'y avait poussée avec force. Dans un tourbillon d'émotions, le cœur battant la chamade, elle se demanda ce qu'elle éprouvait à l'égard du jeune homme. C'était plus que du ressentiment. Il était le fils de Tom, impossible de nier ou d'oublier ce détail. Le prenait-elle en pitié? Non. Pas encore, du moins. Il était trop tôt pour ça. Elle admirait tout de même sa force de caractère et son courage. Le sang afflua à ses joues quand elle évoqua la façon dont elle l'avait évité, elle, une adulte et une enseignante, alors qu'il lui incombait de montrer l'exemple. Non, c'était plutôt un garçon de dix-sept ans qui s'était acquitté de la difficile tâche de briser la glace. Mais comment aurait-il pu en être autrement? N'était-il pas le fils de Tom? Son père aurait agi exactement de la même façon.

Au souvenir de Tom, sa blessure se rouvrit. Assise derrière son bureau, elle rassembla ses griefs comme des armes, et les fourbit avec rage, en évoquant toute la fidélité et toute l'honnêteté dont elle avait fait preuve depuis qu'elle avait fait sa connaissance.

La dernière période de Kent se passait en haltérophilie avec M. Arturo. Le jeune homme était assis sur un banc recouvert de vinyle bleu et levait lentement un poids de six kilos au bout de son bras droit, lorsqu'un surveillant fit son entrée dans la salle et remit un billet au professeur. M. Arturo regarda le nom qui y était inscrit, s'approcha de Kent et le lui tendit.

— Ça vient de la direction, fit-il.

Kent posa son poids sur le banc, déplia le bout de papier et lut : « Message du directeur. Vous êtes prié de venir voir M. Gardner maintenant », avait écrit une secrétaire.

Kent crut qu'on avait laissé choir un haltère sur son cou et se sentit momentanément incapable d'avaler sa salive. En même temps, l'adrénaline circulait avec une telle intensité dans ses veines qu'il aurait pu soulever une automobile.

C'est injuste, se dit-il. *Il a beau être le directeur, il n'a pas le droit de me forcer à faire une chose qui n'a absolument aucun rapport avec ma présence ici, comme élève. Je ne suis pas prêt à aller le voir. Je ne saurais pas quoi lui dire.*

Il enfonça le billet dans la poche de ses shorts, reprit son haltère, et continua son exercice, qu'il fit suivre d'une longue série de mouvements de toutes sortes, jusqu'à ce que l'heure se fût écoulée. Il se rendit ensuite au vestiaire pour la séance d'entraînement de football. Kent était en train de lacer son équipement lorsque Robby Gardner arriva.

Le casier de Robby n'était qu'à quelques mètres de celui de Kent, de l'autre côté d'un long banc de bois verni. Le garçon s'y rendit directement et l'ouvrit d'une main tandis qu'il déboutonnait son veston de l'autre. Entre lui et son rival, quatre autres joueurs s'habillaient en faisant claquer les portes de métal.

La tension était vive entre les deux demi-frères, qui ne cessèrent de regarder le fond de leurs casiers d'un air sévère.

Bon, très bien. Il est là. Et après ?

Pourtant chacun était cruellement conscient de la présence de l'autre et luttait contre l'envie de le regarder pour chercher des ressemblances.

Robby tourna la tête le premier, aussitôt imité par Kent. Leurs yeux se rencontrèrent. Ils étaient fascinés malgré eux, attirés par leur origine commune et le secret qu'ils partageaient.

Demi-frères. Nés la même année. Chacun de nous aurait pu se retrouver dans la peau de l'autre.

Leurs joues prirent une coloration rosée, tandis qu'ils cherchaient des similitudes, liés l'un à l'autre par un coup de tête de leurs parents, à une époque si lointaine qu'elle ne semblait pas pouvoir autoriser la révélation de ce qu'ils savaient.

Cela ne dura qu'une seconde. Ils reportèrent ensemble leur attention sur leurs préparatifs, et leur antipathie reprit immédiatement ses droits. Une seule chose dominait leurs pensées : si jamais le bruit se répandait, on les montrerait du doigt. Tous deux s'efforçaient de bien saisir toutes les conséquences d'une telle éventualité.

Malgré les liens du sang existant entre eux, ils demeurèrent rivaux sur le terrain de football.

Un modus vivendi s'établit tacitement entre eux durant ces cinq premières minutes au vestiaire : jouons ensemble, mais ne laissons jamais nos regards se croiser. Préservons une apparence d'unité pour l'équipe, mais restons toujours distants. Donnons à l'entraîneur une impression d'harmonie, mais ne laissons jamais nos mains se toucher, même au plus fort de la mêlée.

L'équipe sortit sur le terrain. Le temps s'était détérioré et de gros nuages gris, annonciateurs de pluie, roulaient au-dessus des têtes. L'herbe était froide et humide sous leurs mains, et un goût de tourbe s'infiltrait dans leur bouche. Le vent soufflait à leurs oreilles, par les trous de leurs casques, comme une flûte jouant dans un registre grave. La boue adhérant à leurs mollets semblait ne jamais devoir sécher. Vers seize heures quarante, quand la bruine se mit à tomber, les joueurs n'avaient plus qu'une envie : regagner les douches et s'asseoir devant un bon repas chaud.

L'entraîneur n'en avait cependant pas fini avec eux. Comme d'habitude, il les sépara en quatre groupes et cria « Dix bons jeux ! » en donnant le signal pour une longue demi-heure de travail avant les trois coups de sifflet qui mettraient fin à leur supplice.

Ils se mettaient en place pour un deuxième jeu quand Robby et Kent levèrent la tête et l'aperçurent en même temps : le directeur, leur père, debout dos au vent dans les estrades, les mains enfoncées dans les poches de son trench gris, dont les pans battaient contre les jambes froissées de son pantalon. Il était dépeigné, mais ne bougeait pas, son attention centrée sur le terrain, seul au milieu des longs bancs d'aluminium, pendant que la pluie noircissait ses épaules. Tout, de son dos courbé à son immobilité, exprimait la tristesse. Ses deux fils sentirent ses regrets de l'autre bout du terrain. Impuissants devant une force plus grande que leur mesquine petite lutte d'ego, ils se tournèrent l'un vers l'autre et, pour un bref moment, malgré tout ce qui était censé les diviser, un élan de pitié les unit pour cet homme, qui était leur père.

Ce soir-là, Chelsea prépara le dîner. Son empressement à plaire faillit briser le cœur de Tom lorsqu'elle présenta ce qu'elle voulait être un repas de réconciliation – du riz à l'espagnole et du Jell-O vert avec des poires – puis attendit, ses yeux pleins d'espoir allant de son père à sa mère pour guetter le résultat.

Ils s'assirent, mangèrent, conversèrent, mais quand leurs regards se croisèrent, Tom ne trouva aucune trace de pardon dans celui de Claire.

Après le repas, il repartit pour l'école, car le club de français l'avait invité à sa première réunion, où l'on discuterait, entre autres choses, du voyage en France prévu pour l'été prochain. Par ailleurs, les cours de poterie pour adultes commençaient dans la section des arts, et la ligue de volley-ball mixte des policiers municipaux et de leurs conjoints jouait sa première partie au gymnase. Tom devait rester jusqu'à ce que l'édifice soit vide.

Claire termina rapidement la préparation de ses cours du lendemain et se mit à tourner en rond comme un tigre en cage. Peu désireuse de s'occuper du lavage, elle cherchait un moyen d'exprimer sa frustration. Elle finit par téléphoner à Ruth Bishop, qui invita son amie chez elle.

Dean était de nouveau parti à son club et Ruth écrivait une lettre à ses parents. Elle mit sa feuille de côté et versa deux verres de vin.

— Ça va, dit-elle de l'autre côté de la table de cuisine. Dis-moi tout.

— Il semble que mon mari a un fils dont il n'a jamais pris la peine de me parler jusqu'à présent.

Claire conta sa peine, tantôt avec des larmes, tantôt avec de la rage dans la voix, et dépeignit toute l'étendue de sa désillusion. En buvant deux verres de vin coup sur coup, elle narra sa surprise initiale, puis la fureur et le chagrin qui avaient suivi, ainsi que sa confrontation avec le jeune homme, à l'école. Tout le long de son récit, elle revenait au moment qui lui avait fait le plus mal.

— Je n'aurais jamais dû décrocher le combiné lorsqu'elle a rappelé, mais je n'ai pas pu m'en empêcher. Maintenant, elle me semble si réelle. Oh, mon Dieu, Ruth, sais-tu ce que c'est que d'entendre ton mari parler à la femme avec qui il a couché ? Surtout après qu'il t'a révélé qu'il n'avait pas voulu t'épouser ? Sais-tu à quel point c'est douloureux ?

— Je sais, fit Ruth.

— Même leurs silences étaient éloquents. Par moments, tout ce que j'entendais, c'était leur respiration... leurs souffles... comme celui de deux amants qui meurent de se revoir. Tom lui a dit qu'elle pouvait le rappeler quand elle le voudrait, et elle aussi. Au nom du ciel, Ruth, c'est mon mari qui lui dit de telles choses !

— Je suis si triste pour toi. Je sais exactement ce que tu ressens, car j'ai subi la même chose. Je t'ai déjà raconté comment j'ai surpris Dean en train de raccrocher comme j'entrais dans la chambre. Quand je lui demandais avec qui il parlait, il me mentait. Crois-moi, Claire, les hommes sont tous des menteurs.

— Il affirme qu'il n'y a plus rien entre eux. Comment puis-je le croire ?

Une expression dégoûtée se peignit sur les traits de Ruth. Elle vida la bouteille en remplissant à nouveau les verres.

— Écoute bien ce que je vais te dire : il faudrait que tu sois idiote pour le croire.

Son regard acerbe se détourna comme si elle préférait ne rien ajouter.

— Ruth, qu'y a-t-il ? Sais-tu quelque chose à propos de cette histoire ? T'a-t-il parlé ? En a-t-il parlé à Dean ?

Ruth garda un silence hésitant.

— Alors ? insista Claire.

— Il n'a pas eu besoin d'en parler.

— Que veux-tu dire ?

— Je les ai vus ensemble, samedi dernier. Enfin, je pense que c'était elle. Monica Arens ?

— Oh, mon Dieu... murmura Claire en portant une main à ses lèvres. Où ?

— Devant Ciatti's, au centre commercial.

— En es-tu bien sûre ?

— Je me suis rendue directement à son auto et me suis penchée pour lui adresser la parole, croyant que tu étais avec lui.

Quand j'ai vu l'autre, j'ai eu l'air d'une vraie gourde. Je ne savais plus où me mettre.

— Qu'a-t-il dit?

— Rien. Il me l'a seulement présentée.

— De quoi avait-elle l'air?

— De pas grand-chose. Des cheveux plutôt blonds, séparés sur le côté. Presque pas de maquillage. Un long nez.

— Que faisaient-ils?

— Si tu veux savoir s'ils s'embrassaient, ou quelque chose du genre, la réponse est non. Mais pour être tout à fait honnête avec toi, Claire, que feraient un homme et une femme au beau milieu d'un terrain de stationnement? Demande-le-lui et il niera tout. On dirait bien que tu te vois accorder le même traitement que moi.

— Oh, mon Dieu, Ruth! Je ne voulais pas le croire.

— Moi non plus, quand j'ai commencé à soupçonner Dean, mais les preuves se sont rapidement accumulées.

— J'ai si mal, murmura Claire.

— Crois-moi, je comprends, dit Ruth en posant sa main sur celle de son amie.

— Il est à l'école, maintenant, du moins c'est ce qu'il a dit. Il est si souvent parti. Mais comment vais-je savoir s'il dit la vérité, maintenant? Il pourrait se trouver n'importe où.

Ruth ne répondit pas et Claire sentit son désespoir augmenter en même temps que le vague engourdissement que lui procurait le vin.

— Ainsi donc, nous voici au moment de vérité dont tu me parlais l'autre jour.

— C'est terrible, n'est-ce pas, d'avoir à décider de la conduite à tenir?

— Oui, ce l'est.

Mais subitement, Claire retrouva une partie du cran qui la caractérisait. Elle repoussa avec énergie son verre encore plein.

— Je ne serai pas une épouse à temps partiel! Il va me dire la vérité parce que je vais l'y obliger! s'écria-t-elle en se levant d'un trait. Et je ne vais certainement pas rester assise ici, à boire pour essayer d'oublier!

Cette colère toute fraîche lui fit beaucoup de bien. Elle rentra chez elle et entreprit d'appliquer des reflets blonds à ses cheveux. Quand Tom revint, vers vingt-deux heures, elle l'entendit monter les escaliers menant à leur chambre. Il s'arrêta devant la salle de bains pour défaire son nœud de cravate, tandis qu'elle continuait de peigner ses boucles mouillées en forme de points d'interrogation sans daigner le regarder.

— Bonsoir, dit-il.

— Bonsoir, répondit-elle d'un ton morne, ne tenant aucun compte de la tristesse dans la voix de son mari.

Tom sortit les pans de sa chemise de son pantalon et les laissa pendre. Au bout d'un long moment d'immobilité, il poussa un soupir et posa la question qui le tracassait depuis le début de la journée.

— Écoute, j'ai évité de te le demander au dîner, mais maintenant, il faut que je sache : comment ça s'est passé, aujourd'hui, avec Kent ?

Claire continua de donner de petits coups du bout des doigts à sa chevelure, en répandant autour d'elle une âcre odeur de produits chimiques.

— Difficilement. Aucun de nous deux ne savait quoi faire.

— Veux-tu que je le retire de ta classe ?

— Je suis la seule à enseigner l'anglais avancé aux finissants, fit-elle remarquer.

— Ce pourrait quand même être préférable pour lui d'avoir un autre professeur.

— Ce ne serait pas juste à son égard, non ?

— Non, répondit-il doucement, d'un air légèrement coupable.

— Laisse-le dans ma classe, fit-elle après l'avoir fait languir un bon moment.

Tom se détourna dans l'ombre et finit de se dévêtir pour enfiler le bas de son pyjama. Claire ouvrit un tiroir et chercha une chemise de nuit. Quand Tom revint de la salle de bains après s'être brossé les dents, elle était couchée. Il éteignit et avança à tâtons jusqu'au lit. Ils restèrent un moment étendus sans dormir, aussi droits que des rails de chemin de fer.

— Je l'ai convoqué à mon bureau, aujourd'hui, dit enfin Tom, mais il n'est pas venu.

— Peux-tu l'en blâmer? Il est tout aussi perturbé que nous.

— Je ne sais vraiment pas quoi faire.

— Alors ne me le demande pas à moi, répliqua Claire avec acidité. Qu'en pense-t-elle?

— Qui?

— *La mère.*

— Comment le saurais-je?

— Ne la consultes-tu pas en tout?

— Voyons, Claire...

— Comment se fait-il que tu connaissais son numéro de téléphone par cœur?

— Ne sois pas ridicule...

— *Comment cela se fait-il?* Tu as couru vers la cuisine, tu as failli arracher le téléphone du mur, et tu as signalé en une fraction de seconde. Comment le connaissais-tu si bien?

— Il se trouve dans mes dossiers, à l'école. Tu sais combien j'ai une bonne mémoire pour les chiffres.

— Bien sûr, dit-elle d'un ton sarcastique en lui tournant le dos.

— Claire, elle n'est plus qu'un...

— Tais-toi! coupa-t-elle en fendant l'air du tranchant de la main. Ne cherche pas à te défendre, parce que je ne sais plus si je dois te croire. J'ai parlé à Ruth, ce soir. Elle m'a dit qu'elle vous a surpris dans ton auto, toi et cette femme, devant Ciatti's samedi dernier.

— Mais je t'ai dit que je l'avais vue, ce jour-là.

— Dans une auto, bon Dieu! Tu l'as rencontrée dans une auto, comme... comme une espèce de Casanova de centres commerciaux! Dans une auto, au milieu d'un stationnement!

— Où diable aurais-tu voulu que je la retrouve? Aurais-tu préféré que ce soit chez elle?

— Pourquoi pas? Tu l'as déjà fait, non? Où étais-tu, hier?

— Chez mon père.

— Évidemment.

— Téléphone-lui.

— Peut-être que je le ferai, Tom. Peut-être que je le ferai.

— Nous sommes restés assis sous le porche, à boire de la bière, et je lui ai dit, au sujet de Kent.

— Et quelle a été sa réaction ?

— Je croyais que tu allais lui téléphoner pour le lui demander. De toute façon, tu ne le croiras pas, si ça vient de moi. Tu viens tout juste de le dire.

À son tour, il lui présenta son dos. En silence, ils ruminèrent des pensées assassines, en repassant dans leur tête ce qu'ils avaient dit, de même que les répliques cinglantes qu'ils auraient pu lancer, tout en regrettant de ne pas avoir des lits séparés.

Il s'écoula ce qui leur parut des heures avant qu'ils ne tombent dans un sommeil agité, au cours duquel le moindre mouvement de l'un réveillait l'autre et le renvoyait tout de suite de son côté de la ligne de démarcation traversant le matelas. Au milieu de la nuit, bien que chacun se fût éveillé de nombreuses fois, aucune parole de consolation ou de pardon ne fut prononcée, rien ne vint dissiper l'angoisse. Il n'y eut que deux conjoints qui, même assoupis, savaient pertinemment que demain ne serait pas meilleur que la veille.

Le matin suivant, avant l'école, Tom dut affronter Claire de nouveau lors de la réunion de la section d'anglais. De nouveau, se retrouver en position de supériorité le rendit mal à l'aise. De nouveau, il sentit les regards inquisiteurs de ses collègues, qui constataient avec surprise la tension qui régnait dans leur couple. À l'entrée, Tom attendit Kent, mais le jeune homme avait sans doute décidé de prendre un autre chemin. À midi, il remarqua que Chelsea était assise seule avec Erin, tandis que Kent mangeait à l'autre bout de la salle, avec Pizza Lostetter et un groupe d'autres footballeurs dont Robby ne faisait pas partie, contrairement à son habitude. Tom parcourut lentement la salle à manger, comme il le faisait toujours, s'arrêtant ici et là pour bavarder avec quelques élèves, mais il évita la table de Kent. Le jeune homme termina son repas et quitta la salle en lançant son berlingot de lait vide dans la poubelle. En le voyant s'éloigner dans la foule, Tom éprouva un terrible sentiment de vide, une profonde déchirure au cœur. Son fils. Ce fils têtu et blessé, qui avait défié l'autorité de son père, hier, et l'avait laissé attendre en vain dans son bureau, jusque tard dans l'après-midi.

Peu après quatorze heures, cet après-midi-là, Tom s'affairait à mettre un peu d'ordre sur son bureau avant de se rendre au siège du district scolaire, où avaient été convoqués les seize directeurs d'école et leurs adjoints. Après avoir rangé les livres de comptabilité sur lesquels il avait travaillé, et empilé la correspondance à classer, il cherchait à déterminer quelle conduite adopter relativement à un élève indiscipliné.

— Tom? fit Dora Mae en mettant fin à ses réflexions.

— Oui? répondit-il, distrait, les yeux fixés sur la feuille.

— Le nouvel élève, Kent Arens, voudrait vous voir.

Dora Mae ne l'aurait pas surpris davantage si elle lui avait annoncé l'arrivée du président des États-Unis. Le chaos qui se produisit en lui parut à la fois divin et de mauvais augure. Son visage s'empourpra et prit une expression gauche, que vint souligner un geste maladroit et inutile de sa main vers sa cravate.

— Oh, eh bien... dans ce cas... bredouilla Tom en se rendant compte, trop tard, qu'il se trahissait. Faites-le entrer, je vous prie, ajouta-t-il en s'éclaircissant la gorge.

— Mais qu'arrive-t-il donc à Tom? murmura Dora Mae à sa voisine de bureau, Arlene Stendahl, après avoir regagné son fauteuil.

— Je l'ignore, mais tout le monde en parle. Et Claire! On dirait qu'elle le traite comme s'il avait la lèpre.

Kent s'arrêta dans l'embrasure de la porte, l'air grave, mais les joues légèrement colorées. Il portait le jean et le blouson que Tom lui connaissait déjà, et regardait son directeur franchement dans les yeux. Le jeune homme semblait vouloir rester indéfiniment au garde-à-vous, ce qui eut pour effet d'augmenter l'inquiétude du directeur.

— Vous vouliez me voir, monsieur, dit-il.

— Entrez... je vous en prie, dit Tom, la main encore sur sa

cravate, pendant que son cœur battait à tout rompre. Fermez la porte.

Kent obéit en gardant au moins trois mètres entre lui et le bureau.

— Asseyez-vous, parvint à articuler Tom.

— Je suis désolé de ne pas être venu hier.

— Ce n'est rien. Je m'y suis probablement mal pris en vous convoquant de la sorte.

— J'ignorais quoi vous dire.

— Je n'en étais pas sûr moi-même.

Un moment de silence passa.

— Je l'ignore toujours, d'ailleurs.

— Moi aussi.

Si la situation avait été moins grave, ils auraient pu rire ensemble, mais la tension restait trop grande entre eux. Cherchant à rassembler son courage pour aller un peu plus de l'avant, Kent laissa son regard traîner sur les objets impersonnels étalés devant lui, puis leva de nouveau les yeux vers Tom. Le père et le fils s'étudièrent en silence. Il s'agissait de leur première rencontre non hostile depuis que leur lien de sang était connu de Kent, et ce qu'ils virent les ébranla tous deux. Tom sentit que le jeune homme explorait du regard sa chevelure, ses joues, son nez, sa bouche, avant de retourner à ses yeux. La pièce était ensoleillée et éclairée par les néons. Pas un détail ne leur échappa.

— Samedi dernier, quand m'a mère ma dit... fit Kent sans compléter sa pensée.

— Je sais, répondit Tom d'une voix rauque. J'ai probablement vécu la même chose le jour où vous êtes venu vous inscrire et que j'ai découvert la vérité.

— Votre femme vous a-t-elle dit... que je lui avais présenté mes excuses pour mon intrusion chez vous, l'autre jour?

— Non... Non elle ne m'a rien dit.

— Eh bien, je suis désolé, et c'est la vérité. J'étais bouleversé.

— Je comprends. Moi aussi.

Le silence retomba, souligné par le murmure des voix, de l'autre côté de la porte, et par le cliquetis des imprimantes.

— Je vous ai vu dans les estrades, hier. Je crois que c'est ce qui m'a décidé à venir.

— Je suis heureux que vous l'ayez fait.

— Ça n'a pas été très bien, samedi...

— Pour moi non plus. Ma famille a reçu un choc.

— Je m'en suis aperçu.

— S'ils agissent différemment envers vous...

Les paroles de Tom s'éteignirent dans sa gorge et Kent ne répondit rien, laissant au directeur le fardeau de poursuivre le dialogue.

— Si vous désirez changer de cours d'anglais, je peux y voir.

— Veut-elle que je le fasse?

— Non.

— Ça m'étonnerait.

— Elle a dit que non. Nous en avons parlé.

— Je le devrais peut-être quand même, dit Kent après un moment de réflexion.

— La décision vous revient.

— Je dois l'embarrasser terriblement.

— Kent, écoutez... dit Tom en se penchant, une main posée sur son calendrier de bureau. Je ne sais pas par où commencer. Il y a tant de choses dont nous devons discuter. Mme Gardner et moi... il nous faut savoir ce que vous voulez. Si vous trouvez trop embarrassant que les autres élèves apprennent la vérité, ils n'ont pas à la savoir. Par contre, si vous désirez la rendre publique, je suis prêt à une telle éventualité. Notre situation ici, à l'école, nous forcera à prendre des décisions qui n'auraient pas été nécessaires autrement. Robby et Chelsea, par exemple...

Tom vit le jeune homme rougir en entendant le nom de Chelsea, et il éprouva du chagrin pour lui.

— Nous sommes tous aux prises avec cette situation, Kent, mais je crois que notre relation – à vous et moi – doit passer en premier. Les autres suivront.

— Je ne sais pas, monsieur Gardner...

En levant les yeux à nouveau, Tom aperçut devant lui, non plus un jeune homme étonnamment mûr pour son âge, mais un adolescent aussi troublé que ses camarades. Les paroles maladroites qu'il venait d'utiliser semblèrent rester en suspens entre eux.

— Bon Dieu, je ne sais même plus comment vous appeler.

— « Monsieur Gardner », si vous vous sentez plus à l'aise comme ça.

— D'accord, monsieur Gardner... reprit-il comme s'il voulait tester les mots. J'ai vécu jusqu'ici sans savoir que j'avais un père. Maintenant, je me retrouve avec un demi-frère et une demi-sœur. Je ne crois pas que vous compreniez bien ce que c'est que ne pas savoir d'où l'on vient. Je me disais toujours que mon père devait être un vaurien... presque un bandit, puisqu'il avait refusé d'épouser ma mère. Seul un salaud de la pire espèce aurait quitté ma mère après l'avoir mise enceinte, n'est-ce pas ? Pendant dix-sept ans, je me suis promis de vous cracher dessus, si jamais le hasard vous mettait sur ma route. Mais vous êtes différent. Il m'a fallu du temps pour me faire à cette idée.

Une véritable bataille se déroulait dans la tête de Tom. Il y avait tant à dire, mais le temps fuyait et une réunion importante l'attendait. Pourtant, ce garçon avait un retard de dix-sept ans à rattraper, et Tom ne voyait pas comment il pouvait mettre fin prématurément à leur entretien.

— Un instant, dit-il en saisissant le combiné du téléphone. Dora Mae, poursuivit-il en gardant les yeux fixés sur Kent, voulez-vous dire à Noreen qu'elle devra aller à la réunion des directeurs du district sans moi ? Qu'elle prenne sa propre voiture.

— Vous n'y allez pas ? Mais on doit y discuter de questions importantes. Votre présence est nécessaire.

— Je sais, je sais. Mais je ne peux tout simplement pas. Demandez à Noreen de prendre des notes pour moi.

— Très bien, fit Dora Mae, interdite.

Les rumeurs iraient sûrement bon train parmi les secrétaires, et même dans toute la direction, mais Tom ne reculait jamais devant une décision. Il mènerait cette conversation jusqu'au bout. Lorsqu'il raccrocha, la tension entre le père et le fils avait baissé d'un cran. Ils bénéficiaient maintenant d'un nouveau point de départ, ce que Kent mit immédiatement à profit.

— Pouvons-nous parler de maman et de vous ? demanda-t-il. Pourquoi avez-vous fait ça : la rencontrer à une fête et... enfin... vous savez...

— Que vous a-t-elle dit ?

— Que j'étais le résultat d'une histoire d'un soir. Qu'à l'époque, vous aviez eu un cours ensemble et que vous lui aviez plu.

Tom fit pivoter son fauteuil de quelques degrés et prit un presse-papiers de verre en forme de pomme. Il était transparent, malgré les nombreuses bulles d'air qu'il contenait, et deux feuilles en cuivre le surmontaient. Tout en parlant, il en frottait une de son pouce.

— Rien de ce que je pourrais dire ne saurait me justifier. Un tel geste est inexcusable, d'autant plus que je n'ai même pas songé à la contraception.

— J'aimerais quand même savoir.

Tom se demanda s'il était sage de raconter à l'un des élèves de sa femme dans quelles circonstances il s'était marié, mais avant qu'il puisse répondre, Kent reprit la parole.

— Est-il vrai que la semaine suivante, vous avez épousé Mme Gardner ?

La feuille de cuivre tressaillit entre les doigts de Tom. Il reposa la pomme.

— Oui, c'est vrai.

— Ainsi, Robby a le même âge que moi ?

— Effectivement.

— Quand tombe son anniversaire ?

— Le quinze décembre.

Tom comprit que le jeune homme effectuait un rapide calcul mental, et se sentit davantage mal à l'aise.

— Oui, c'est vrai, admit-il. Je me rebellais, purement et simplement. Je n'étais pas encore prêt à me marier. Mais ce fut le seul geste de ce genre que je posai. Mme Gardner et moi sommes très heureux ensemble, je veux que vous le sachiez, et je crois pouvoir au moins dire cela pour me disculper.

Kent se frotta la mâchoire, croisa ses deux mains derrière sa nuque, puis les laissa tomber sur ses genoux.

— Ouf ! finit-il par s'exclamer. Ma présence a créé plus que de l'embarras. Pas étonnant qu'ils me détestent.

— Ils ne vous détestent pas, Kent.

— Robby ne me porte pas dans son cœur, en tout cas.

— Robby... En fait, il est difficile de décrire la conduite de Robby à votre égard. Si vous voulez savoir la vérité, je crois qu'il a d'abord été jaloux. Maintenant, il ne doit pas savoir comment vous traiter. Durant tout le week-end, il a eu l'air terriblement déconcerté.

— Et Mme Gardner ne veut pas m'adresser la parole.

— Elle le fera sûrement, avec un peu de temps.

— Je ne suis pas certain de vouloir qu'elle le fasse. Enfin... je veux dire que j'ignore quelle est ma place dans tout ça. Avant, quand je ne connaissais aucun d'entre vous, je n'avais aucun doute là-dessus : ma place était auprès de ma mère. Il n'y avait que nous deux... nous nous sommes toujours bien entendus. J'ignorais peut-être qui était mon père, mais tout allait bien entre maman et moi. Ah, bon Dieu... je ne sais pas comment dire ces choses. Depuis samedi dernier, tout est changé, voyez-vous ? Tout sauf moi. Je suis encore avec ma mère, et vous, avec votre famille. Que faisons-nous, maintenant ? Dois-je continuer de fixer les chaussures de Mme Gardner, en classe ? De me tenir loin de Robby, durant l'entraînement ? Et Chelsea... Je ne sais plus quoi penser à son sujet. Quand je l'aperçois, dans les corridors, j'ai envie de prendre mes jambes à mon cou.

— D'après certains de ses propos, à la maison, j'en ai déduit que vous aviez peut-être été attirés l'un vers l'autre.

— Oui, peut-être, dit faiblement Kent en regardant par terre.

— C'est un coup dur.

Le jeune homme approuva en silence.

— Elle ne parle pas encore beaucoup, mais je crois qu'elle réagit plutôt comme vous. Elle doit se dire que je l'ai trompée. Je suis coupable de ne pas avoir révélé toute l'histoire dès que je vous ai vu, mais le temps va certainement jouer en faveur de tout le monde. En vieillissant, vous-même allez réaliser qu'avoir un frère et une sœur est une véritable bénédiction. Du moins, j'espère que c'est ce qui va se passer. C'était l'avis de mon père, en tout cas.

— Votre père ? coupa Kent en relevant subitement la tête.

— Oui, dit Tom en hochant solennellement la tête, vous avez aussi un grand-père.

Kent ouvrit la bouche, stupéfait.

— Je lui ai parlé de vous parce que j'avais besoin de ses conseils. C'est un homme magnanime, droit et plein de bon sens. Aimeriez-vous voir sa photo ?

— Oui, monsieur, répondit doucement Kent.

Tom se souleva légèrement et tira son portefeuille de sa poche arrière. Il l'ouvrit et en sortit la photo du vingt-cinquième anniversaire de mariage de ses parents.

— C'est probablement la seule fois où vous le verrez porter une cravate. Où qu'il aille, il garde ses vêtements de pêcheur. Il vit dans une maison en rondins au bord d'Eagle Lake, près de son frère Clyde. Ils passent la majeure partie de leur temps à taquiner le poisson et à mentir sur la taille de leurs prises. Voici ma mère. C'était une femme admirable. Elle est décédée il y a cinq ans.

Kent étudia la photo, qui semblait avoir conservé un peu de la chaleur corporelle de Tom Gardner. Il aurait aimé connaître la femme qu'il avait maintenant sous les yeux.

— On dirait que j'ai sa bouche, remarqua-t-il, ému.

— C'était une très belle femme. Mon père lui portait une affection sans bornes. Elle a bien envoyé son mari au diable une fois ou deux, mais jamais mon père n'a élevé la voix contre elle. Il l'appelait « mon petit pétunia », « ma petite colombe », et adorait la taquiner. Bien sûr, elle n'était pas du genre à se laisser faire. Dès qu'il aura fait votre connaissance, il voudra sans doute vous raconter l'histoire des éperlans dans sa botte.

— Des éperlans ?

— Oui, un poisson pas plus gros qu'un hareng qui vit dans le coin. On le voit au printemps et les gens se rassemblent le long des rivières, dans le Nord, pour les ramasser dans des seaux. Maman et papa y allaient chaque année.

Toujours aussi étonné, Kent lui rendit la photo, que Tom rangea dans son portefeuille.

— Papa serait ravi de vous rencontrer. Il me l'a dit tout de suite.

La pomme d'Adam de Kent montait et descendait sans qu'il puisse parler. L'idée de rencontrer son grand-père semblait le bouleverser.

— Je n'ai pas l'impression que vos enfants aimeraient partager leur grand-père avec moi.

— Le choix ne leur en revient peut-être pas. C'est votre grand-père à vous aussi. Il faut tenir compte des souhaits de nombreuses personnes, ici.

— Quel est son nom? demanda Kent après un temps.

— Wesley, répondit Tom. Il porte le nom du frère de sa mère, qui est mort à sa naissance. J'ai également un frère. Votre oncle Ryan.

— Mon oncle Ryan, murmura Kent, songeur. A-t-il aussi des enfants?

— Brent, Allison et Erica, dont la mère est votre tante Connie. Ils vivent à Saint-Cloud.

— Les voyez-vous souvent?

— Pas aussi souvent que j'aimerais.

— Y a-t-il quelqu'un d'autre?

— Mon oncle Clyde, qui vit près de mon père. C'est tout.

— J'ai bien eu un grand-père, quand j'étais petit, dit Kent au bout d'un moment, mais je ne me souviens pas beaucoup de lui. Maintenant, je me retrouve avec un oncle et une tante, un cousin et des cousines, et même un grand-père !

— Toute une famille en une seule journée, fit Tom en risquant un léger sourire.

— Ça fait beaucoup à découvrir.

Une sonnerie retentit à l'extérieur, annonçant la fin de la journée scolaire. Kent leva les yeux vers l'horloge murale.

— Restez où vous êtes, ordonna gentiment Tom.

— Mais ne devez-vous pas être à l'entrée?

— Je suis le directeur, ici. C'est moi qui fais les règles, et cet entretien importe bien davantage à mes yeux que n'importe quelle tâche de surveillance. J'aimerais encore vous dire quelque chose.

Kent se rassit, étonné de se voir accorder autant d'attention par le directeur.

— Mais il y a l'entraînement, vous savez, dit-il en se rappelant soudain son obligation.

— Je vais m'en occuper, le rassura Tom en composant un numéro sur le clavier de son téléphone. Bob ? Ici Tom. Kent Arens sera un peu en retard pour l'entraînement. Il est dans mon bureau... Très bien, merci. Voilà. Où en étions-nous ? reprit-il en raccrochant.

— Vous désiriez me parler de quelque chose.

— Ah oui. Votre dossier scolaire, se souvint Tom avec un sourire. Le lendemain du jour où j'ai su, votre dossier est arrivé. Je me suis assis ici, derrière ce bureau, et j'y ai lu chacun des mots qu'on y avait écrits à votre sujet, tout en regardant les photos.

— Les photos ?

— La plupart y étaient depuis la maternelle.

— Je n'en savais rien. J'ignorais que les professeurs conservaient de telles choses.

— Ils y mettent bien plus que des photographies. Il y a des échantillons d'écriture, un poème que vous avez écrit à l'occasion de Pâques, des observations du personnel enseignant, et des bulletins aux notes très impressionnantes. Je suppose que ce que j'ai ressenti en lisant tout ça est identique à ce que vous avez éprouvé en apprenant l'existence de votre grand-père, de votre oncle et de votre tante : un grand regret de ne pas les avoir connus plus tôt.

— Vous aussi ? Je croyais être le seul à ressentir ça.

— Non, pas du tout, insista Tom avec chaleur. Si j'avais été au courant de ton existence, j'aurais sûrement insisté pour te voir. J'ignore à quel point nous aurions été proches, mais j'aurais insisté pour le faire, peu importe la relation que j'aurais eue avec ta mère, car tu es mon fils, et ce n'est pas une responsabilité que je prends à la légère. J'ai déjà dit à ta mère que je voulais payer tes frais de scolarité au collège. Je peux au moins faire ça.

— Vous feriez *ça* ?

— Je savais que je le ferais dans l'heure suivant le moment où j'ai appris que tu étais mon fils. Ce sentiment dont nous parlions, là-dedans... dit Tom en se frappant la poitrine. En regardant tes photos scolaires, j'ai senti comme un poids s'abattre sur moi, et j'ai su que je devais essayer de compenser pour ce que nous avions perdu. Mais ça fait beaucoup d'années, et j'ignore si c'est faisable. Je l'espère, simplement. Du fond du cœur.

J'aimerais également dire autre chose à propos de ce dossier. En le lisant, j'ai conçu un grand respect pour ta mère et pour la façon dont elle s'est occupée de toi. J'ai vu tout de suite à quel point elle a été présente, comme elle s'est profondément intéressée à tes progrès scolaires et personnels, comment elle t'a inculqué le sens des vraies valeurs, ainsi que le respect de l'éducation et des éducateurs. Peu de parents agissent ainsi, de nos jours, crois-moi. J'en rencontre chaque jour, et j'aimerais bien qu'ils ressemblent un peu plus à ta mère.

L'étonnement grandit sur le visage de Kent. Étant donné la situation, il s'était attendu à un certain antagonisme plutôt qu'à des louanges au sujet de sa mère. Les paroles de Tom le grandirent un peu plus à ses yeux.

— Bon, dit Tom en se levant, les bras appuyés sur son bureau. Je t'ai retenu assez longtemps et si je me dépêche, je pourrai peut-être attraper la fin de ma réunion.

Kent se leva aussi et se plaça immédiatement derrière son fauteuil, afin qu'ils puissent se quitter de façon impersonnelle.

— Nous pouvons reparler quand tu voudras. Tu sais où me trouver.

— Merci, monsieur. Vous aussi.

Séparés par un bureau et un fauteuil, ils étaient à l'abri de tout débordement d'émotions.

— Puis-je parler à ma mère de notre entretien?

— Certainement.

— Allez-vous en faire de même avec votre famille?

— Le désires-tu?

— Je n'en sais rien.

— J'aimerais le faire, si tu me le permets.

— Même à Robby?

— Uniquement si tu es d'accord.

— Je ne sais pas. Nos relations sont plutôt tendues, sur le terrain de football, et maintenant que je sais à propos de nos dates de naissance... Je ne voudrais pas le contrarier davantage.

— Et si je me fiais à mon instinct ? Si je sens qu'il est encore jaloux ou qu'il se croit menacé d'une façon quelconque, je ne lui dirai rien.

Kent laissa glisser ses doigts du dos de son fauteuil, comme s'il signifiait son approbation en se préparant à partir.

— Je suis heureux que tu sois venu, dit Tom en lui tendant la main. Bonne séance d'entraînement.

— Moi aussi, monsieur. Merci, monsieur.

— J'irai certainement voir la partie, vendredi soir prochain.

— Oui, monsieur.

Kent recula d'un pas vers la porte. Leurs cœurs et leurs pensées répugnaient à briser la fragile communion qui s'était établie entre eux, communication remontant à un passé lointain, et qui les poussait à s'étreindre. Mais toute manifestation d'affection entre eux eût été absurde. Après tout, ils n'étaient encore que des étrangers.

— Eh bien, au revoir, dit finalement Kent en ouvrant la porte.

— Au revoir.

Avant de partir, le jeune homme resta immobile, une main sur la poignée de la porte, et regarda une dernière fois son père, comme pour confirmer à quel point ils se ressemblaient.

Onze

Les célébrations de la rentrée étaient prévues pour le dernier vendredi de septembre. Chaque année, Tom appréhendait la semaine qui les précédait. Les cours étaient fréquemment perturbés et l'absentéisme grimpait, au grand dam de nombreux professeurs. Les jeunes consommaient davantage d'alcool, leur conduite devenait parfois déréglée, et on voyait souvent des garçons et des filles s'embrasser à pleine bouche au milieu des corridors. Les propriétaires du voisinage se plaignaient qu'on avait décoré leurs arbres de ruban gommé, que leurs pelouses étaient labourées de traces de pneus, ou qu'on avait uriné sur leurs fleurs. Tom devait assurer la surveillance durant de longues heures, après les cours, tandis qu'à l'école, on construisait les chars pour la parade, qu'on décorait le gymnase et qu'on préparait les banderoles.

Tout ce branle-bas avait pourtant un aspect positif. Au cours de cette semaine, des groupes d'élèves se formaient et une merveilleuse camaraderie les unirait pour le reste de l'année scolaire. Un lien semblable se créait entre les jeunes et les professeurs qui travaillaient ensemble aux divers projets. Les enseignants découvraient un côté insoupçonné de la personnalité de leurs élèves, qui se montraient enthousiastes et inventifs lorsqu'ils se lançaient dans des entreprises qui les touchaient de près. Certains surprenaient leurs professeurs en faisant preuve d'une créativité et d'un sens des responsabilités jusque-là cachés. On voyait parfois de véritables leaders émerger. Durant les jours où l'on planifiait la construction des chars, le déroulement des fêtes et la création des banderoles, ils mettaient leur ingéniosité à contribution pour résoudre les problèmes les plus divers, déléguer le travail et surtout respecter les échéances.

Mais ce rituel faisait davantage pour le Humphrey High : il lui apportait une vitalité spéciale qui en aurait été absente autrement, une fièvre qui s'emparait de tous les élèves et les propulsait de l'avant. Pour beaucoup, le moment fort de tous les préparatifs ne serait pas la partie de football du vendredi soir, mais plutôt le couronnement du roi et de la reine, l'après-midi précédent. Tout d'abord, cependant, il fallait choisir les aspirants au titre.

Ce lundi après-midi, en passant les portes du gymnase où seraient annoncées les mises en nomination, Tom sentit l'enthousiasme partout autour de lui : parmi les secrétaires de la direction qui avaient compté les votes des finissants, chez Nancy Halliday, professeur de rhétorique et seul membre du corps enseignant connaissant les résultats, chez ses dix élèves, qui avaient juré de garder le secret et avaient préparé les discours de présentation qu'ils allaient lire au cours des trente prochaines minutes, sur le visage des leaders des différentes classes, chez les jeunes les plus populaires qui couraient la chance d'être désignés par un des élèves de Nancy et de monter sur scène.

Les élèves rassemblés dans le gymnase étaient exubérants. La fanfare couvrait à peine le bruit et les roulements de tambours se réverbéraient sur le plafond. Le soleil pénétrait à grands flots par les puits de lumière et se reflétait sur le parquet de bois dur, conférant à toute la salle une teinte dorée. Il y avait du rouge partout : sur les estrades et les chaises pliantes où s'assoiraient les finissants – des chandails rouges, des pompons rouges, des casquettes de base-ball et des blousons rouges portant les lettres HHH en blanc. Pendant que les élèves entraient et s'asseyaient, Tom attendit l'arrivée de Claire.

Rien n'était changé à la maison. Depuis deux semaines perdurait le même climat glacial qui avait transformé l'heure du coucher en exercice de stoïcisme. Claire avait commencé ses répétitions en soirée pour la pièce de théâtre, et ils passaient presque toute la journée sans se voir, ne se retrouvant que pour prendre place chacun sur son côté du lit, en restant immobile et tendu, à faire semblant que l'autre n'existait pas.

Lorsqu'elle arriva enfin, le cœur de Tom bondit. Il lui sourit, mais elle détourna son regard avec dédain et se mêla à la foule.

La fanfare entonna la marche de l'école signalant le début des réjouissances. Les meneuses de claque scandèrent des slogans, et les capitaines adjoints de l'équipe de football prirent la parole pour taquiner gentiment Bob Gorman. Six des membres les plus hardis de l'équipe s'élancèrent et dansèrent un cancan échevelé, vêtus de soutiens-gorges et de mini-jupes. L'un d'eux était Robby.

Près des gradins, Tom n'en croyait pas ses yeux. Les garçons pivotèrent et agitèrent leurs derrières devant la foule, puis se tinrent par les bras et lancèrent bien haut leurs jambes poilues avec la grâce d'un troupeau de bisons. En finale, ils secouèrent leurs torses jusqu'à ce que leurs faux seins tombent à leurs pieds, dans l'hilarité générale.

Il y avait des semaines que Tom n'avait pas oublié ses soucis grâce à un bon rire franc. Il chercha Claire du regard. Parmi la foule, assise dans les gradins, elle aussi riait à gorge déployée, ses joues brillant comme des pommes rouges. À la voir ainsi, le cœur de Tom se serra. Il désirait tellement retrouver ce qu'ils avaient déjà partagé : cette capacité de profiter de la vie, de refaire leurs forces avec ce qu'elle avait de bon à offrir. Ils auraient dû être assis côte à côte, à rire des pitreries de leur fils, en ne voyant que de la joie briller dans les yeux de l'autre quand ils tournaient la tête. Mais Claire était là-haut, avec d'autres professeurs d'anglais, et lui restait seul. *Regarde-moi, Claire*, pensa-t-il. *Tu sais où me trouver. Je suis ici, en bas, à vouloir la fin de cette guerre froide entre nous. Je t'en prie, baisse les yeux maintenant, pendant que Robby nous montre ce pour quoi nous devons vraiment nous battre.* Mais elle continua de rire sans tourner la tête.

La parodie prit fin et le président des finissants expliqua brièvement comment les candidats avaient été choisis. Les voix devinrent des murmures. Les élèves qui avaient peu de chance d'être choisis baissèrent la tête, tandis que les plus populaires redressaient les épaules. Les élèves de Nancy Halliday avancèrent au milieu du gymnase pour la présentation des élus.

Sabra Booker, une jolie jeune fille pleine d'assurance et dotée d'une riche voix de contralto, fit la lecture d'une brève biographie du premier candidat : nombreux cours avancés, participation au conseil des élèves, distinctions dans divers sports, participation au club de mathématiques... Au moins une douzaine de finissants et finissantes pouvaient répondre à une telle description. Sabra quitta le micro et la fanfare fit entendre *La Belle et la Bête*. La jeune fille avança le long de l'allée centrale, entre les chaises, en changeant deux ou trois fois de direction pour faire durer le suspense, jusqu'à ce qu'elle s'arrête enfin devant un grand blond costaud nommé Dooley Leonard. Celui-ci se leva, le visage empourpré, surpris et heureux. Les élèves applaudirent et levèrent le poing en criant « Duke ! Duke ! Duke ! » tandis que ce dernier gagnait la scène au bras de Sabra.

On nomma ensuite une candidate, une autre première de classe du nom de Madelaine Crowe. Après quoi, Terri McDermott, une amie de Robby, alla dans la foule choisir un autre candidat. Comme les autres, elle fit durer l'attente en marchant à gauche et à droite, s'arrêtant pour regarder entre les rangées, avant de se diriger vers un point précis d'un pas décidé. Elle désigna Robby Gardner.

Tom se sentit rempli d'orgueil quand il vit son fils se lever lentement, avec la timidité mêlée de fierté typique des adolescents. Claire était debout, rayonnante, et applaudissait à tout rompre. L'habitude était trop forte, le besoin trop criant : elle tourna brièvement la tête vers Tom, qui sentit un peu de chaleur pour la première fois depuis des semaines. Ensemble, quoique séparés par des rangées de gens bruyants, ils continuèrent d'applaudir leur fils, encore surpris de se rendre compte que ce garçon, qu'on venait de présenter comme « un grand sportif ayant reçu des distinctions dans de nombreuses disciplines », était bien leur Robby.

Chelsea sautait sur place et criait avec les autres meneuses de claque. Quelques professeurs vinrent féliciter Tom, et Claire aussi fut rapidement entourée de ses collègues.

Robby gagna la scène en compagnie de Terri McDermott. Ils

se parlaient et souriaient pendant que la foule des jeunes criait « Rob, Rob, Rob ! »

La musique reprit de plus belle, et l'importance des candidats sembla diminuer à mesure qu'on les choisissait, mais pour chacun des aspirants, cet honneur d'avoir été distingué par ses camarades le mettait sur un piédestal pour le reste de l'année, et resterait gravé dans sa mémoire toute sa vie.

Claire elle-même, à l'époque, avait été choisie comme reine de son école, quand Tom ne la connaissait pas encore. Il avait vu des photos-souvenirs montrant une jeune fille aux longs cheveux.

On présentait maintenant le dernier candidat, et la liste de ses succès ressemblait tellement à celle des autres que Tom n'y porta que peu d'attention : conseil des élèves, club de mathématiques, cours avancés, toute une gamme de sports... Pourtant, quelque chose retint son attention : on mentionnait un organisme qui n'existait pas au HHH, un club au nom espagnol, et il suivit attentivement des yeux Saundra Gibbons, qui partait à la recherche du garçon en question. Tom sentit, avant même que la jeune fille ne s'arrêtât, qu'elle allait désigner Kent Arens.

La foule se mit à applaudir frénétiquement et cria « K.A. ! K.A. ! K.A. ! » Toute l'équipe de football se réjouit avec enthousiasme, et les élèves acclamèrent leur nouveau héros. Une voix, au micro, domina le tumulte. « N'oublions pas que Kent a passé la majeure partie de sa vie à Austin, Texas, et qu'il n'est avec nous que depuis trois semaines. Quelle arrivée remarquable au HHH et au Minnesota ! »

Kent était estomaqué et ne semblait pas pouvoir réagir. Pendant que Saundra continuait de lui tendre la main, Tom leva les yeux vers Claire. Elle semblait ébranlée et applaudissait mollement, comme si elle était sous l'effet d'un sédatif. Chelsea s'était transformée en statue de sel, la bouche couverte de ses deux mains. Sur la scène, Robby applaudissait consciencieusement, incapable de faire quoi que ce fût d'autre devant tous ses camarades. Claire se rassit, mais lorsque Tom put la voir de nouveau à travers les gens qui l'entouraient, elle lui décocha un regard qui le transperça. Le sourire de tout à l'heure n'était plus qu'un souvenir.

La musique reprit tandis que Kent grimpait les marches menant à la scène et serrait la main des candidats. Malgré la distance, Tom sentit clairement à quel point ses deux fils hésitaient à se toucher. Ils se conformèrent sans enthousiasme au protocole, et Kent prit sa place à côté d'une des candidates, qui l'embrassa sur la joue.

C'était maintenant au tour du directeur de venir féliciter les jeunes gens. Il s'avança résolument, en dépit des émotions qui se bousculaient en lui. La cruelle ironie de la situation lui causait une douleur lancinante entre les épaules, comme si on venait d'y enfoncer une lame.

Robby fut la troisième personne à qui il serra la main. En souriant à son fils, il aperçut dans ses yeux l'interrogation qui restait cachée aux autres. Son moment de gloire était brouillé par la présence d'un étranger du même sang que lui. Tout directeur qu'il fût, Tom était avant tout un père, et malgré l'obligation qu'il avait de rester impartial, il passa un bras autour du cou de Robby et lui fit l'accolade.

— Je suis rudement fier de toi, murmura-t-il à son oreille.

— Merci, papa.

Tom continua de féliciter les candidats – un garçon, une fille, un garçon, une fille – jusqu'à ce qu'il arrivât à Kent et lui serrât la main. C'était leur premier contact physique depuis qu'ils avaient appris le lien qui les unissait. Tom couvrit leurs deux mains de sa gauche et sentit sa droite serrée avec une telle force que son alliance lui fit mal. L'intensité de sa propre réaction le prit au dépourvu : il voulait étreindre Kent, cacher ses yeux au bord des larmes dans une paternelle accolade. Mais quelque part derrière lui, Claire regardait avec colère et Chelsea restait confuse. Il ne pouvait que dissimuler ses véritables sentiments en espérant que Kent les lût dans son regard.

— Félicitations, Kent. Nous sommes fiers de te compter parmi les nôtres.

— Merci, monsieur. Je suis heureux d'être ici, mais je ne suis pas sûr de le mériter.

— Tes condisciples le croient, eux. Félicitations, mon fils.

Ce dernier mot les secoua tous deux pendant que se prolongeait leur première poignée de main. Tom lut la surprise dans les yeux du jeune homme, puis se tourna pour s'adresser aux élèves.

Il lui fut difficile de se concentrer. Ses deux fils se tenaient derrière lui, sa femme et sa fille le regardaient. Il devait mettre de côté ses sentiments personnels pour faire le travail qu'on attendait de lui.

— Chaque année, j'attends avec impatience ce jour, où les finissants élisent les dix jeunes qui, de tous leurs camarades, représentent de façon exemplaire ce qu'un élève, un ami et un membre de notre communauté doit être. L'élection du roi et de la reine de l'école n'était peut-être qu'un concours de beauté, autrefois, mais aujourd'hui, chacun des élèves qui se tiennent devant vous est un leader, un garçon ou une fille qui passe beaucoup plus que les trente heures obligatoires dans cet édifice, chaque semaine. Tous personnifient la camaraderie, la générosité, le respect, l'effort intellectuel et athlétique, et bien davantage.

Tout en parlant, Tom chercha sa femme des yeux. La première minute de son allocution, elle sembla étudier son bracelet de montre, un avant-bras posé sur ses jambes croisées, puis fixa son regard sur Robby, en donnant l'impression de refuser obstinément tout contact avec son mari.

Celui-ci termina son discours. L'entraîneur vint dire un dernier mot et remercia les professeurs et les élèves qui avaient mis la fête sur pied. Les meneuses de claque entonnèrent la marche de l'école et les célébrations prirent fin.

Instantanément, une foule joyeuse envahit la scène. Claire vint embrasser Robby, mais manœuvra pour éviter Tom. Tout son courage le quitta, lui qui aurait tant aimé qu'elle vienne lui passer un bras autour de la taille pour lui dire : « N'est-ce pas fantastique ? Quel fils nous avons, hein ? » Il dut se frayer un chemin en acceptant les félicitations de tous, sauf de celle qui représentait le plus au monde pour lui.

En se retournant, il aperçut Chelsea qui le regardait d'un air douloureux. Tout, dans son être, disait combien elle était déçue de voir Claire le traiter avec une telle froideur dans un moment aussi important. Avant qu'elle puisse venir embrasser son père, quelqu'un posa la main sur l'épaule de Tom, qui dut reporter son attention ailleurs.

Chelsea se mit à chercher son frère au milieu de la foule, en passant de l'exaltation la plus totale au retour à la réalité dans ce qu'elle avait de plus attristant.

— Robby! s'exclama-t-elle en le prenant dans ses bras pour l'embrasser. Je suis si fière de vous, votre future altesse!

— Ouais, c'est fantastique, non?

Au ton de sa voix, Chelsea comprit que son frère aussi était déçu non seulement du comportement de Claire envers leur père, mais également de la présence de Kent sur la même scène que lui. Ensemble, le frère et la sœur formaient un îlot de détresse au milieu des réjouissances. Qu'arrivait-il à leur famille? À quel moment l'école au complet en aurait vent?

— Écoute, dit-elle d'un ton sérieux, tu le mérites. Je sais que tu vas gagner.

Robby lui sourit tristement et la quitta. Chelsea se retrouva seule avec l'affreuse perspective d'arriver face à face avec son demi-frère. Elle jeta un coup d'œil dans sa direction et le surprit qui détournait la tête. Chelsea se souvint de scènes semblables au cinéma : deux personnes au sein d'une foule, feignant l'indifférence pendant que la masse, autour d'eux, les rapproche ou les éloigne. Il tourna subitement la tête vers elle et leurs yeux se rencontrèrent au-dessus du tourbillon de voix et de mouvements, mais le baiser qu'ils avaient échangé représentait une erreur trop grave, et leur embarras était trop intense pour être mis de côté. Chelsea quitta la scène sans aller le féliciter.

Une grande animation régnait à la table des Gardner, ce soir-là, mais malgré leurs efforts, rien ne put convaincre Chelsea qu'ils célébraient de bon cœur. La déchirure du tissu familial affectait même leurs réjouissances. Tom et Claire restaient distants, même lorsqu'ils s'affairaient autour de la table. Leurs regards s'évitaient et jamais le nom de Kent ne fut mentionné lorsqu'on supputa les chances des différents candidats.

Vers la fin du repas, Robby regarda alternativement son père et sa mère d'un air quasi pitoyable.

— Écoutez, vous savez que pour la cérémonie du couronnement, le protocole exige que chaque candidat soit escorté par son père et sa mère. Je voudrais seulement m'assurer que vous y serez tous deux.

— Mais bien sûr ! s'exclamèrent-ils à l'unisson.

— Tous les deux ensemble, à mes côtés ?

— Oui.

— Absolument.

— Et vous serez là, après, à la danse ?

— Certainement, répondit Tom.

— Oui, bien sûr, fit Claire après un temps, en regardant son assiette.

Chaque fois que Robby ou Chelsea tentaient de réconcilier leurs parents, cette fraction de seconde d'hésitation revenait. Tom consentait d'avance à tous les sacrifices, et de prime abord, Claire semblait ne pas rejeter la démarche, mais sans jamais aller jusqu'au bout de ses promesses. Aucun des deux enfants ne savait comment l'inciter à pardonner à son mari.

Ce soir-là, dans sa chambre, Chelsea resta longtemps assise sur son lit à regarder le mur en face d'elle. Sur son fauteuil, dans un coin, ses devoirs attendaient, mais elle n'avait pas le cœur d'ouvrir ses livres. La maison lui semblait anormalement calme. Sa mère était partie à sa répétition, comme d'habitude, et son père étudiait un rapport financier quelconque dans le salon. Dès qu'il avait pu s'échapper, Robby était parti chez Brenda. La pauvre Chelsea n'avait même pas la possibilité d'aller voir sa meilleure amie, Erin, car si elle parlait du drame qui se déroulait chez elle, tout le district serait bien vite au courant.

D'ailleurs, Erin s'était mise à poser des questions avec une certaine insistance, surtout lorsque le nom de Kent était mentionné. D'après les regards curieux qu'elle lançait à son amie, elle commençait visiblement à soupçonner quelque chose d'anormal.

Oui, quelque chose d'anormal, sans aucun doute, pensa

amèrement Chelsea. Sa famille était en passe de s'écrouler, malgré tous ses efforts pour que son père et sa mère se parlent. Chaque soir, elle pleurait, seule dans le secret de sa chambre et, le lendemain, manœuvrait pour éviter Kent en se retenant de tout dire à Erin. Pourtant elle devait parler, en partie parce qu'elle avait honte de ce que son demi-frère et elle-même avaient fait, mais aussi parce qu'elle ne savait pas si sa mère avait raison d'ignorer son père comme elle le faisait. D'ailleurs, était-ce bien, de sa propre part, de traiter Kent comme un pestiféré, maintenant qu'elle savait qu'ils avaient le même père? Si seulement elle pouvait en parler à Erin! À n'importe qui! Mais même les conseillers pédagogiques pouvaient bavarder, et leurs bureaux étaient juste à côté de celui de leur père. Ce serait affreux pour lui.

Chelsea se recroquevilla sur son lit et resta ainsi, dans l'obscurité, les manches de son chandail tirées par-dessus ses mains.

Au même moment, John Handelman, un professeur d'anglais de quarante ans qui supervisait la construction des décors, invitait Claire d'un sourire inoffensif à lui confier ce qui n'allait pas.

Le lendemain des nominations, Tom trouva une note manuscrite dans son courrier.

Cher Monsieur Gardner,

Mme Halliday a dit à tous les candidats qu'ils devaient être accompagnés de leurs parents à la cérémonie du couronnement. Je ne vous le demanderai pas, car je n'aimerais pas vous créer de difficultés. Je tenais toutefois à vous dire que si la chose avait été possible, j'aurais été fier de vous voir à mes côtés.

Kent

Les yeux de Tom se remplirent de larmes. Il dut se réfugier dans la toilette des hommes pour attendre que l'émotion passe.

Cette nuit-là, lorsque Claire revint de la répétition, Tom l'attendait, assis dans le lit. Il venait de prendre sa douche et sentait la lotion après-rasage. Quand elle se glissa sous les couvertures et éteignit, il s'approcha et tenta de l'embrasser, mais elle le repoussa aussitôt.

— Non, Tom. Je ne peux pas.

La cérémonie du couronnement avait lieu à l'auditorium de l'école, le vendredi à quatorze heures. Tous les parents devaient se réunir dans les coulisses pour qu'on leur explique comment les choses se dérouleraient. C'est là que, pour la première fois, Claire vit Monica Arens.

Elle n'était pas belle, mais faisait très femme d'affaires rompue aux décisions, avec ses vêtements coûteux et ses bijoux discrets. Son style de coiffure ne la flattait pas, mais on le trouvait à des dizaines d'exemplaires dans n'importe quel magazine de mode haut de gamme. Ce qui lui manquait en prestance, elle le regagnait par son maintien. Tout en elle disait : « Ne vous mettez pas sur mon chemin. »

Claire tourna le dos à Monica et à son fils, mais elle savait qu'à titre de directeur, Tom se devait de féliciter *tous* les parents. Lorsqu'il adressa la parole à son ancienne flamme et lui serra la main, Claire ne put réprimer l'envie perverse de regarder. En son for intérieur, elle blâma Tom de lui voler la joie qu'elle aurait dû éprouver à l'occasion de cet événement unique.

Bien peu de chaleur émana de Claire quand elle descendit l'allée centrale avec son fils. Au pied des marches menant à la scène, ils embrassèrent tous deux Robby et gagnèrent leurs places au premier rang. Durant tout le reste de la cérémonie, elle ne souffla pas un mot à son mari, fixant son regard sur Robby et sur personne d'autre.

À côté d'elle, Tom lisait une intense animosité dans chacun des mouvements de sa femme. Elle tenait les mains trop haut pour applaudir et levait le menton trop vivement lorsqu'elle écoutait. Quand Duke Leonard fut proclamé gagnant, Tom comprit que Claire aurait désiré voir son fils l'emporter pour de mauvaises raisons. Découragé, il dut à nouveau admettre qu'il ne l'aimait pas ainsi. Les nombreuses qualités qui l'avaient conquis semblaient avoir disparu, disparu parce qu'il les avait chassées.

Un peu plus tard, tandis qu'ils dansaient ensemble, Tom découvrit qu'on pouvait détester le côté intraitable d'une femme et aimer celle-ci malgré tout. Il était encore épris de sa femme. Quand il posa sa main sur le bas de son dos, une nostalgie irrésistible s'empara de lui et il essaya de l'attirer plus près.

— Je crois qu'il s'agit de la meilleure occasion possible pour te parler, Tom, dit-elle en s'éloignant aussitôt. J'ai pris ma décision, mais je n'ai pas voulu t'en faire part avant la fin de la cérémonie, car je ne voulais pas gâcher le plaisir des enfants. Je ne peux plus vivre de cette façon. Nous devons nous séparer.

Les pieds de Tom s'immobilisèrent instantanément, tandis qu'une vague de panique montait en lui.

— Claire, voyons, nous ne pouvons pas...

— J'ai cru pouvoir oublier, mais c'est impossible. Je me sens flouée. J'ai mal. Je voudrais pleurer encore et encore. Je n'en peux plus de te voir, chaque soir, à côté de moi, au lit.

— Claire, tu n'es pas sérieuse. On ne peut pas faire fi de dix-huit ans de bonheur, comme ça... sans essayer.

— J'ai essayé.

— Tu parles! Tu as...

Tom réalisa qu'il criait en voyant deux élèves dansant près d'eux se retourner et les dévisager la bouche ouverte.

— Viens! ordonna-t-il en empoignant sa main.

Ils sortirent en trombe du gymnase, parcoururent au pas de charge le corridor menant à la piscine et se rendirent ainsi jusqu'aux portes de verre du bureau de la direction.

— Laisse-moi! cria-t-elle à mi-chemin. Tom, pour l'amour du ciel! Tu nous as déjà bien assez donnés en spectacle.

— Je n'ai pas l'intention de te quitter! cria-t-il en faisant claquer la porte de son bureau.

— Tu n'es pas seul à décider!

— Nous n'avons même pas essayé de voir un conseiller matrimonial ou un psychologue.

— Un conseiller? Pourquoi? Je n'ai rien fait, *moi*!

— Effectivement, puisque tu ne veux même pas *essayer* de me pardonner. Peux-tu essayer de me pardonner, Claire ?

— Alors que tu couches avec elle ? Certainement pas.

— Je ne couche pas avec elle, Claire ! Je t'aime !

— Je ne te crois pas.

— Ah, tu ne me crois pas ? Et tu refuses également de croire que tu devrais voir un conseiller ?

— Ne t'avise pas de me critiquer ! s'écria-t-elle en tapant la poitrine de Tom de son index. Ne t'avise pas ! Ce n'est pas moi qui ai été infidèle ! Ce n'est pas moi qui ai fait un fils que nos enfants sont obligés d'éviter tout le temps. Ce n'est pas moi qui ai conservé un secret honteux pendant dix-huit ans ! J'ai vu ton regard lorsqu'ils ont annoncé le gagnant. J'ai vu ton expression. Tu veux clamer au monde entier qu'il est ton fils, Tom, ne le vois-tu pas ? Tu te meurs de le faire savoir à tous. Eh bien, dis-le ! Mais ne t'attends pas à ce que je reste à tes côtés. C'est déjà bien assez embarrassant de devoir travailler au même endroit que toi chaque jour, de recevoir tes ordres chaque matin ! As-tu songé à la pitié dont je vais faire l'objet quand ce sera connu ?

— Mais pourquoi le faire connaître ? Travaillons côte à côte. Nous irons voir un conseiller ensemble. Notre mariage vaut la peine d'être sauvé, Claire.

— Il me faut être seule, Tom, dit-elle en reculant d'un pas, les bras levés devant elle.

— Claire, je t'en supplie...

— Non, jeta-t-elle en reculant encore. Il le faut. Je me sens trahie, furieuse. J'ai constamment envie de te frapper ! Ce que j'éprouve est si terrible que chaque matin je me demande comment je vais pouvoir subir un autre jour à l'école. Durant les réunions, le matin, j'ai envie de te hurler des injures. Quand je t'aperçois dans le corridor, je ferais volontiers deux kilomètres pour t'éviter. Je n'arrive plus à faire semblant, à table, devant les enfants.

— Enfin, Claire. T'es-tu entendue parler ? Que t'arrive-t-il ? Avant, nous pouvions discuter intelligemment. Qu'est-il arrivé au respect que nous avions juré de nous porter chaque fois que nous serions en désaccord ?

— Il a disparu, dit-elle un peu plus calmement. C'est ce qui m'effraie le plus, Tom. Je n'ai plus aucun respect pour toi. Toutes ces années, d'ailleurs, je n'ai proféré que des platitudes. Le respect ! Oui, c'est facile d'en parler quand un mariage n'a jamais connu d'épreuves. Maintenant, je réagis tout autrement.

— Je le vois bien, et crois-moi, je déteste ça !

— Que détestes-tu, au juste ? Mon attitude ou moi ?

— Claire, ai-je jamais agi comme si je te détestais ? C'est le mépris que je déteste, cette froideur calculée que tu utilises à volonté, comme on décide de mettre un masque. On dirait que tu tires du plaisir à me punir. Tu me traites comme si ma faute était impardonnable.

— À mes yeux, elle *est* impardonnable, surtout quand elle se rappelle à moi chaque jour, chaque fois que je vois ton fils entrer dans ma classe.

— Si tu veux qu'il change de classe, je vais m'en occuper. Je te l'ai déjà dit.

— Le changer de classe n'annulera pas son existence. Il *existe* et c'est *ton fils*. Sa mère réside ici, dans notre district. Tu la vois encore, et je ne peux le supporter. Je dois partir.

— Je n'ai pas de liaison avec Monica Arens ! dit-il lentement à travers ses dents serrées. Pourquoi ne me crois-tu pas ?

— J'aimerais te croire, Tom... J'aimerais te croire. Pourquoi ne m'as-tu pas parlé de votre rencontre au centre commercial, l'autre jour ?

— Je... Je n'en sais rien, répondit-il en écartant les bras. J'aurais dû le faire, mais ne l'ai pas fait. Je suis désolé. Je crois que j'ai eu peur.

— Eh bien, moi aussi, j'ai peur. Ne le comprends-tu pas ?

— Est-ce la raison pour laquelle tu cherches à me fuir ?

— J'ai besoin de temps, Tom, dit-elle d'une voix radoucie, en portant une main à son cœur. Je n'arrive pas à te pardonner. Je ne peux plus te voir. Je ne peux plus dormir à tes côtés. Je ne sais plus quoi dire aux enfants. J'ai besoin de temps.

— De combien de temps ?

— Je l'ignore.

— Claire, je t'en prie, ne fais pas ça.

— Il le faut.

— Non, bien au contraire, dit-il en la prenant par le bras.

— Laisse-moi, fit-elle calmement en se dégageant. Ma décision est prise.

— Nous pourrions...

— Je t'en prie, Tom, ne me rends pas les choses plus difficiles.

Terrifié, il se tourna vers la fenêtre, là où se trouvaient les photos de famille. Contre l'obscurité de l'extérieur, son reflet formait une silhouette sans visage. Derrière lui, les néons conféraient une espèce de halo à cette créature étrange. Il apercevait également le reflet de Claire. De l'autre côté de son bureau, elle attendait, le menton relevé. Tout en elle exprimait l'inflexibilité.

— Et les enfants ? demanda-t-il tristement.

— Ils resteront avec celui d'entre nous qui continuera d'occuper la maison.

— Tu ne veux pas que nous essayions de consulter quelqu'un, même dans leur intérêt ?

— Pas maintenant.

— Ça va les tuer. Surtout Chelsea.

— Je sais. C'est bien le plus difficile.

Tom sentit une espèce de brûlure se répandre dans ses veines, jusqu'à la région du cœur.

— Alors, essaye, Claire. Pour eux.

N'eût été l'animosité de sa femme, Tom aurait pu espérer la faire fléchir, mais elle répondit aussi calmement que si elle cherchait à endormir un enfant.

— Je ne peux pas, Tom. Dans mon propre intérêt.

— Claire...

Il tendit les bras vers elle dans un geste de supplication, mais elle sursauta et recula imperceptiblement, l'avertissant clairement qu'il ne devait pas la toucher. Au désespoir, Tom s'effondra dans son fauteuil et enfouit son visage dans ses mains. De longues minutes s'écoulèrent ainsi, pendant qu'il prenait conscience de l'ampleur du désastre qui venait de s'abattre sur lui. Finalement, il releva la tête.

— Claire, je t'aime, dit-il plus sincèrement qu'il ne l'avait jamais fait de sa vie. Je t'en supplie, ne fais pas ça.

— Je n'y peux rien, Tom. Je sais que tu ne me croiras pas, mais tu n'es pas le seul à avoir peur. Je me fais peur moi-même. J'ai toujours été une de ces femmes qui aimaient intensément, en me demandant toujours comment je pourrais vivre sans toi. Je me suis toujours dit : « Mon Dieu, il a été obligé de m'épouser », et cette insécurité me rongeait, me faisait croire que mon amour pour toi était bien plus grand que celui que tu me portais. Quand j'ai appris ce que tu avais fait... cette autre femme en moi, cette femme terrifiante que je ne connaissais pas s'est levée en réclamant qu'on l'écoute. Je me suis dit : « Mais d'où vient-elle ? Ce n'est pas moi qui agis, qui parle de la sorte. » Pourtant, c'est bien moi et pour l'instant, il faut qu'il en soit ainsi. Je dois m'éloigner de toi parce que j'ai trop mal. Peux-tu comprendre ça, Tom ?

— Non... non... finit-il par répondre d'une voix brisée par l'émotion.

— Comment le pourrais-tu quand je n'y arrive pas moi-même ?

Lentement, elle se dirigea vers les photos et les regarda, l'une après l'autre : leur famille, dans le bonheur et l'insouciance des années révolues. Elle effleura du doigt un des cadres, comme elle avait sans doute touché les cheveux de leurs enfants quand ils étaient petits.

— Je suis désolé, Claire. Combien de fois vais-je devoir le dire ?

— Tu n'as pas besoin de le dire. Je le sais.

— Alors pourquoi ne pas faire preuve de clémence et nous accorder une autre chance ?

— Je n'en sais rien, Tom. Je ne puis te répondre autrement.

Le silence retomba entre eux, souligné par l'écho distant de la musique, dans le gymnase où dansaient leurs enfants. Tom soupira et essuya une larme. Claire prit une photo et l'étudia quelque temps avant de la remettre soigneusement à sa place, comme un intrus conscient de la présence de quelqu'un dans la pièce d'à côté.

— Je suis tout à fait disposée à partir. Tu peux rester à la maison si tu le désires.

L'espace d'un éclair, Tom crut vraiment qu'il était possible de mourir de chagrin.

— Non, répondit-il, c'est impossible. Je ne peux pas exiger que tu partes.

— C'est moi qui provoque cette rupture. C'est à moi de m'en aller.

— Les enfants auront déjà bien assez de difficultés sans te perdre par-dessus le marché.

— Alors je reste et tu pars?

— Je veux que nous restions tous les deux, Claire, ne le comprends-tu pas? insista Tom, littéralement sur le point de s'effondrer en larmes.

— Je vais partir, dit-elle calmement en se dirigeant vers la porte.

Tom se leva d'un coup et contourna le bureau à toute vitesse pour la saisir par le bras. Elle ne tenta même pas de se dégager, car depuis des jours, déjà, elle était bien loin.

— Bon Dieu, Claire, mais où irais-tu, seulement?

Elle haussa tristement les épaules en regardant par terre.

— Et toi, où irais-tu? demanda-t-elle au bout d'un moment.

— Chez mon père, je suppose.

— Alors, dans ce cas, peut-être...

La question était réglée. Quelques mots, un bref silence, et Tom se retrouvait exilé, loin de tout ce qui était cher à son cœur.

Ils quittèrent la fête ensemble et laissèrent leurs enfants célébrer la jeunesse et la victoire dans un gymnase bruyant, grouillant de vie. Maintenant que l'affaire était conclue, Claire accepta qu'il la reconduise à la maison et lui ouvre la porte pour la laisser entrer la première. Ils s'arrêtèrent dans la pénombre, entourés des choses familières qu'ils avaient accumulées au fil des années : les meubles, les lampes, les tableaux accrochés aux murs, tout ce qu'ils avaient choisi ensemble à une époque où leur avenir semblait inébranlable.

— Quand vas-tu partir? demanda-t-elle.

— Demain.

— Alors, je vais dormir sur le canapé, cette nuit.

— Non, Claire... supplia-t-il en lui prenant la main. Non.

— Laisse-moi, Tom, fit-elle en retirant doucement sa main.

Elle s'éloigna. Tom leva son visage au ciel comme s'il voulait clamer sa douleur à Dieu, et se mit à respirer à grandes bouffées pour s'empêcher de hurler, de plus en plus fort, de plus en plus profondément, jusqu'à ce qu'il se sente étourdi. Il monta lentement l'escalier et s'arrêta devant la porte de leur chambre. Claire était déjà en chemise de nuit et sortait de la salle de bains. Elle s'arrêta et le regarda avec lassitude, comme si elle s'attendait à ce qu'il entre lui faire des avances.

— Tu peux rester ici, fit-il simplement, vaincu. Je dormirai sur le canapé.

En rentrant vers une heure du matin, Chelsea trouva son père assis dans l'air glacial du porche, les yeux dans le vide.

— Papa, est-ce que ça va ? demanda-t-elle, inquiète, en ouvrant doucement la porte.

— Oui, ça va, répondit-il au bout d'un moment.

— Pourquoi restes-tu là ? Il fait froid.

— Je n'arrivais pas à dormir. Va te coucher, ma chérie.

Dans l'obscurité, Chelsea ne distinguait que la silhouette de son père, mais elle vit qu'il n'avait même pas tourné la tête dans sa direction.

— C'était vraiment une chic soirée, n'est-ce pas, papa ?

— Oui. C'était très bien.

— Je suis si fière de Robby, même s'il n'a pas gagné.

— Moi aussi.

— Bon... eh bien, bonne nuit, papa, dit-elle après avoir attendu en vain une explication.

— Bonne nuit.

Robby trouva sa sœur dans sa chambre quand il rentra, un quart d'heure plus tard.

— Chut, murmura-t-elle, c'est moi. Ça ne va pas.

— Chelsea ? Que veux-tu dire ?

— As-tu vu papa ?

— Non.

— Il est assis tout seul, en bas.

— Maman et lui ont quitté la soirée très tôt.

— Je sais.

Ils réfléchirent en silence, accablés par de sombres prémonitions.

— Papa ne veille jamais tard. Il dit qu'il n'y a pas assez d'heures dans la journée.

— Écoute, je ne sais rien, moi... Lui as-tu parlé ?

— Un instant seulement.

— Qu'a-t-il dit ?

— Pas grand-chose.

— Ouais, c'est bien ce qui cloche, dans cette maison, ces temps-ci. Personne ne dit plus grand-chose.

Le matin, Chelsea s'éveilla peu après neuf heures et se rendit à la salle de bains. En passant devant la chambre de ses parents, elle aperçut son père, dans de vieux vêtements, qui s'affairait devant des boîtes de carton et deux valises ouvertes sur le lit.

— Papa, que fais-tu ?

Tom se redressa, pressa une pile de sous-vêtements dans une des valises et tendit une main vers sa fille.

— Viens, fit-il doucement.

Chelsea s'avança avec circonspection, mit sa main dans la sienne et s'assit sur le bord du lit défait, à côté des boîtes. Tom la prit dans ses bras et la serra contre lui.

— Chérie, ta mère veut que je parte pour quelque temps.

— Non ! s'écria-t-elle en empoignant son survêtement. Je le savais ! Je l'avais pressenti ! Je t'en prie, non, papa !

— Je n'irai pas loin. Je vais vivre chez grand-père.

— Non ! cria-t-elle en se dégageant brusquement. Où est-elle ? Elle ne peut pas !

Elle s'enfuit hors de la chambre et descendit les marches quatre à quatre sans cesser de crier.

— Tu ne peux pas lui faire ça ! Maman, où es-tu ? Mais qu'est-ce qui se passe, ici ? Vous êtes mariés ! Tu ne peux pas faire semblant que vous ne l'êtes plus pour l'envoyer chez grand-papa ! Tu es sa femme, maman ! cria-t-elle à Claire, qui l'intercepta au pied de l'escalier. Qu'est-ce qui te prend ?

Robby accourut de sa chambre et toute la famille se retrouva dans l'escalier.

— Qu'est-ce que c'est que tout ce raffut ? demanda-t-il, l'air hagard et les cheveux ébouriffés.

— Papa s'en va, Robby, sanglota Chelsea. Dis-lui qu'il ne peut pas ! Dis à maman qu'elle ne peut pas faire ça !

— Chelsea, nous n'allons pas divorcer, expliqua Claire pour apaiser sa fille.

— Pas encore, mais vous allez finir par le faire s'il s'en va ! Maman, ne le laisse pas ! Papa, je t'en prie... supplia-t-elle en se tournant vers l'un, puis vers l'autre.

— Ta mère et moi en avons parlé hier soir, intervint Tom en cherchant à se faire rassurant.

— Mais pourquoi faites-vous ça ? Vous ne nous dites jamais rien ! Vous agissez comme si tout était normal, mais vous ne vous regardez même plus ! As-tu une maîtresse, papa ? Est-ce vrai ?

— Non, pas du tout, Chelsea. Mais ta mère refuse de me croire.

— Pourquoi ne le crois-tu pas, maman ? demanda la jeune fille d'un ton suppliant.

— Il y a plus que ça, Chelsea.

— Mais s'il dit que non, pourquoi ne pas le croire ? Pourquoi ne nous dites-vous plus rien ? Robby et moi sommes aussi membres de cette famille, et nous avons notre mot à dire. Nous ne voulons pas qu'il s'en aille, n'est-ce pas, Robby ?

Robby restait muet, encore sous le coup du violent réveil qu'il venait de subir. Appuyé contre le mur, il avait l'air confus et hésitant.

— Maman, pourquoi veux-tu qu'il parte ? demanda-t-il d'un ton plus calme, qui contribua à faire baisser d'un cran la tension.

— J'ai besoin d'un peu de temps loin de lui, c'est tout. Je me sens en train d'étouffer, et je ne sais pas quoi faire d'autre.

— Mais s'il part, ce que dit Chelsea va arriver. Comment pourrez-vous vous réconcilier ?

Claire baissa les yeux et resta muette.

— Papa ? fit Robby.

— Je serai ici chaque fois que vous aurez besoin de moi, ou que votre mère aura besoin de moi, d'ailleurs.

— C'est faux puisque tu seras chez grand-père.

— Vous pourrez téléphoner quand vous voudrez. Je viendrai vous voir. Nous nous verrons à l'école tous les jours.

— Merde, murmura Robby.

Ses parents ne réagirent pas comme ils l'auraient fait d'habitude en entendant un mot semblable. Le silence était oppressant, rempli de peur, de confusion et de douleur. Tous songeaient qu'à l'école, ils se croiseraient constamment et devraient répondre à toutes sortes de questions. Ils imaginèrent l'avenir de leur famille dispersée.

— Écoutez-moi, vous deux, dit enfin Tom en les entourant de ses bras pour presser leurs formes inertes contre lui. Je vous aime encore. Votre mère vous aime encore. Ça ne changera jamais.

— Si vous nous aimiez, vous resteriez ensemble, dit Chelsea.

Le regard de Tom rencontra celui de Claire au-dessus de la tête des enfants, mais il comprit que rien ne la dissuaderait. Elle avait mal pour les enfants et pour elle-même, mais pas pour leur relation. Le langage corporel qu'elle avait développé se lisait comme un livre ouvert. Il disait : « Laissez-moi. Je dois prendre soin de moi, point final. » Tandis qu'il étreignait les enfants, Tom perçut l'égoïsme dissimulé derrière les besoins de Claire, et il se sentit rempli d'amertume. Elle était là, près de la porte de la cuisine, ses damnés bras de nouveau croisés, pendant qu'il essayait de consoler Robby et Chelsea du mieux qu'il le pouvait. Il lui jeta un regard plein de colère, jusqu'à ce qu'elle vienne poser une main sur les épaules des enfants.

— Venez... Je vais préparer le petit-déjeuner.

Pourtant, ce n'était pas ce qu'il leur fallait le plus.

Pour Tom, quitter les siens équivalait à monter sur l'échafaud. Dans l'allée, il fit claquer le coffre arrière de sa voiture et regarda autour de lui. C'était un resplendissant samedi d'automne. Les arbres se transmuaient en or et laissaient choir leurs feuilles à intervalles irréguliers. Les sons venant des cours voisines voyageaient loin et gardaient toute leur clarté. Cette époque de l'année était malgré tout porteuse d'une certaine tristesse, avec ses dernières journées de chaleur et ses fleurs fanées devant les portes, même si les pelouses gardaient leurs teintes de vert.

Tom poussa un soupir et força ses jambes à le ramener à la maison pour dire au revoir.

La porte de Chelsea était fermée. Il frappa discrètement, sans obtenir de réponse. Il ouvrit doucement. Assise sur son oreiller, elle serrait un ourson de peluche rose et regardait en direction de la fenêtre. Tom alla s'asseoir à côté d'elle.

— Je dois partir, murmura-t-il d'une voix rauque, en ramenant une mèche de cheveux derrière l'oreille gauche de sa fille.

Chelsea ne bougea pas, mais des larmes tremblaient sous ses paupières.

— Tu connais le numéro de grand-père, si tu as besoin de quelque chose, n'est-ce pas, chérie ?

Toujours le silence. Son menton tremblait et une goutte d'eau salée coulait de ses yeux le long de sa joue.

— Je t'aime, ma chérie. Qui sait, peut-être que ta mère a raison. La distance va lui permettre de réfléchir.

Chelsea refusa de bouger, malgré le brûlement de ses yeux. Tom se leva pour partir.

— Papa, attends ! s'écria-t-elle en se lançant dans ses bras. Pourquoi ? demanda-t-elle d'une voix étouffée par son survêtement.

Incapable de répondre, Tom lui caressa les cheveux et la laissa doucement.

Dans la cuisine, Claire se tenait près de la table, s'assurant qu'il y avait une bonne distance entre eux. Devait-elle vraiment se protéger de la sorte ? Comme s'il était un homme violent, pensa-t-il. Il l'aimait encore, ne le comprenait-elle pas ? Ne voyait-elle pas qu'il souffrait d'avoir à quitter tout ce qui comptait le plus au monde pour lui ?

— Il ne faudrait pas qu'ils restent seuls. Tu as tes répétitions. Veux-tu que je vienne le soir, quand je n'aurai pas de réunion ?

— Quel soir n'as-tu pas de réunion ?

— Écoute-moi bien. Je n'ai pas l'intention de rester ici à me disputer avec toi. Tu veux que je parte et je m'en vais. Fais bien attention à eux. Ils vont devenir plus vulnérables, et je ne veux pas qu'ils souffrent davantage que maintenant.

— Tu parles comme si je ne les aimais plus.

— Vois-tu, Claire, je commence à me le demander.

Il la laissa sans attendre sa réponse et sortit. Robby était appuyé contre le pare-chocs de l'auto de son père et frottait l'asphalte de l'allée du bout de sa chaussure. Tom sortit ses clés et regarda attentivement la tête baissée de son fils.

— Fais tout ce que tu pourras pour ta mère. Ce sera difficile pour elle aussi, tu sais.

Robby hocha la tête en silence.

L'automne resplendissait autour d'eux, indifférent à leur peine, et le soleil de cette fin de matinée brillait sur le pare-brise. Chaque jour, les ombres devenaient de moins en moins denses au pied des arbres. Quelques semaines auparavant, Robby et son père étaient appuyés ainsi, contre le pare-chocs d'une voiture, pour discuter des épreuves qui formaient le caractère. Ce souvenir les remplit tous deux d'une amère ironie.

— Écoute, mon garçon, dit Tom en se plaçant carrément devant son fils pour mettre ses mains sur ses épaules. Je ne cesserai pas de penser à vous deux. Si tu t'aperçois que ta sœur est menacée par quoi que ce soit, dans le sillage de ce qui vient de se passer, tu me le dis immédiatement, d'accord ? Si elle se met à fumer, à boire ou à passer son temps avec d'autres jeunes que ceux qu'elle fréquente... Compris ?

Robby hocha la tête.

— Et je vais lui demander la même chose à ton sujet.

Robby cessa de jouer les braves et laissa enfin paraître sa tristesse. De grosses larmes allèrent s'écraser à ses pieds. Le jeune homme n'arrivait plus à relever la tête vers son père. Tom le serra très fort contre lui.

— Et ne t'avise jamais de croire qu'il ne faut pas pleurer. Je l'ai beaucoup fait moi-même, ces derniers temps. Je dois partir, maintenant. Appelle chez grand-père si tu as besoin de quelque chose.

Robby ne quitta l'avant de l'auto que lorsque son père y fut monté. Où ira-t-il ? pensa Tom. À qui va-t-il se confier ? Que va-t-il se passer à la maison pendant mon absence ? Puisse-t-il ne pas succomber à la dépression ou au besoin de vengeance, comme ces jeunes détruits par le divorce de leurs parents que j'ai vus défiler dans mon bureau toutes ces années. Que rien ne leur arrive, ni à lui ni à Chelsea.

— Allez, courage, fit Tom avec un faux optimisme.

Il démarra et fit reculer la voiture dans la rue sans que son fils ne lui rende son sourire.

Douze

Au lac, l'automne était encore plus resplendissant, ce qui ajoutait au tourment de cette journée fatidique. Les eaux tranquilles reflétaient la rive comme un miroir. Un peu plus loin, une petite embarcation à moteur en fendait la surface en ronronnant. Les oiseaux d'été avaient abandonné les environs de la cabane en faveur d'une volée de jaseurs des cèdres qui se nourrissaient de baies de cotonéaster, devant le porche.

Tom grimpa les marches et ouvrit la porte grillagée. Elle était munie d'un vieux ressort que Tom adorait quand il était petit. Il avait pris l'habitude de pousser la porte et d'attendre qu'elle revienne vers lui, pour la pousser encore et encore, jusqu'à ce que sa mère, excédée, coupe court à son jeu. Ce souvenir d'enfance, rappelé par le son familier du ressort, aviva le chagrin qu'il éprouvait déjà.

Tom entra dans la fraîcheur et la pénombre de la maison de son père. Une pomme de pin tomba sur le toit et un oiseau s'envola, quelque part dans la forêt. En trente ans, la pièce n'avait guère changé : le même vieux canapé défoncé, orné d'une couverture indienne et de coussins vert et orange, pour la sieste de Wesley, l'après-midi ; sur les murs, quelques brochets empaillés auxquels l'âge avait donné la couleur du sirop d'érable ; une corbeille dans laquelle des journaux s'empilaient, à côté de fauteuils à bascule encombrés de la même façon ; un coussin de vinyle sur le banc de piano qui contenait les partitions de sa mère ; le piano lui-même, un vénérable et massif piano droit au vernis noir craquelé, orné, à droite du lutrin, de toute une série de traces rondes, là où sa mère avait l'habitude de poser son verre de limonade ; dans un coin de la grande pièce, un ancien poêle jauni, le même poêle sur lequel sa mère faisait frire le poisson et cuire le pain quand il était petit.

Tom resta un moment immobile pour contempler l'endroit où il avait passé son enfance. Le toit du porche coupait le soleil et gardait la pièce plongée dans une pénombre permanente.

— Papa ?

Pour toute réponse, Tom entendit loin derrière lui le grondement d'un bateau à moteur qui s'approchait. Il sortit et descendit vers le lac en suivant le sentier tracé par un long usage à travers les herbes hautes. La cabane dominait le lac, et il aperçut le sillage de l'embarcation avant le quai, où son père se trouvait déjà. Wesley entendit les pas sur les vieilles planches et se redressa en relevant son chapeau de pêcheur.

— Ça ne mord pas du tout, aujourd'hui. Je n'ai pu prendre que ces trois malheureux petits poissons, mais je crois bien qu'il y en a assez pour deux. Tu viens m'aider à les manger ?

— Pourquoi pas ? répondit Tom, qui n'avait pourtant pas grand appétit. Oncle Clyde ne pêche pas avec toi, aujourd'hui ?

— Il est allé en ville faire renouveler son ordonnance. Sa tension artérielle fait des siennes, expliqua Wesley en remisant soigneusement un hameçon dans sa boîte. Il m'a raconté qu'il ferait également un tour au bordel, mais je lui ai dit : « Clyde, veux-tu bien me dire ce que tu vas faire dans c't'endroit ? La tension est élevée partout dans tes artères, sauf là où t'en as le plus besoin. » Viens, je vais nettoyer ça, dit-il en exhibant trois brochets de taille plus que raisonnable.

Tom suivit son père du côté nord du hangar à bateau, où Wesley lui tendit un seau en plastique bleu.

— Tiens, va me chercher un peu d'eau, tu veux ?

Tom attendit, pendant que son père écaillait et vidait les poissons sur une table de bois grossier.

— Tu ferais mieux de me raconter ce qui t'amène, dit finalement le vieil homme, au lieu de rester planté là, les mains dans les poches, comme lorsque tu étais petit et que les gamins du voisinage partaient attraper des grenouilles en oubliant de t'inviter.

Tom sentit que ses yeux picotaient et il se détourna brusquement vers le lac. Les écailles de poisson cessèrent de voler et Wesley leva la tête pour regarder les épaules de son fils, voûtées comme elles l'étaient rarement.

— Claire et moi sommes séparés.

— Oh, mon gars... dit le vieillard, dont le cœur fit un soubresaut. C'est terrible, ça. Vraiment terrible. Ça vient d'arriver?

— Ce matin même. Nous l'avons appris aux enfants il y a une heure à peine, et j'ai fait mes valises.

Wesley posa une main sur l'épaule de son fils, autant pour lui procurer du réconfort que pour en trouver lui-même. Il adorait Claire, en qui il voyait la meilleure épouse et mère que Tom aurait jamais pu trouver.

— J'imagine que c'est à cause de cette autre femme et de ton fils, Kent.

— Elle ne veut pas me pardonner, dit Tom en hochant imperceptiblement la tête, le visage toujours tourné vers le lac.

— C'est vraiment affreux. Comment les enfants le prennent-ils?

— Mal. Chelsea a pleuré. Robby faisait de son mieux pour retenir ses larmes.

— Eh bien, c'est compréhensible. C'est arrivé tellement vite.

— Tu parles! Il y a un mois encore, je n'avais jamais entendu parler de Kent Arens, et j'avais entièrement oublié sa mère.

— Ah, bon Dieu... soupira Wesley, qui souffrait pour son fils et toute sa famille. C'est bien triste ça, de voir une famille se briser.

Tom ne répondit rien.

— Je suppose que tu vas avoir besoin d'un endroit où rester. Tu pourrais reprendre ton ancienne chambre.

— Ça ne te dérange pas?

— Si ça me dérange? Et à quoi ça sert, un père? Viens, je vais voir si je peux dénicher quelques draps pour le lit.

— Et tes poissons?

— M'en occuperai plus tard.

— Pourquoi monter et redescendre? Je vais t'aider.

Wesley finit de nettoyer les poissons pendant que Tom les rinçait dans le seau et enterrait les déchets. Ils remontèrent à la cabane ensemble, Tom avec le seau et Wesley avec sa canne à pêche et sa boîte. Un silence recueilli semblait de circonstance, et il ne parla qu'à voix basse.

— J'espérais bien que tu accepterais de m'héberger. D'ailleurs, j'ai apporté des draps et des taies d'oreillers.

Une fois les bagages déchargés et le lit préparé, le père et le fils s'assirent devant une assiette de poisson pané, accompagné de tranches de tomates saupoudrées de sucre, de cornichons vinaigrés et de rondelles d'oignons qu'ils avaient empilés sur du pain de seigle beurré. Tom s'était cru trop préoccupé pour avoir faim, mais il mangea avec un plaisir qui le surprit. Peut-être était-ce la simplicité du repas, ou le fait qu'il le partageait avec son père, qui ne faisait pas de manières. Peut-être était-ce le besoin de se réfugier dans une époque plus souriante, lorsqu'il était enfant et qu'il habitait cette cabane, loin des soucis qu'impose la vie. La nourriture simple qu'avait l'habitude de lui servir sa mère semblait toujours avoir cet effet. Au milieu du repas, son oncle Clyde arriva.

— Alors, comment c'était au bordel? demanda Wesley sans lever la tête de son assiette.

— Les putains ne sont plus ce qu'elles étaient, répondit Clyde en s'assoyant à table sans attendre qu'on l'y invite.

— Ça, c'est vrai. Avant, elles avaient vingt ans et elles étaient mignonnes à croquer. De nos jours, les seules qui ne lèvent pas le nez sur de vieux débris comme nous sont dans la soixantaine et ressemblent à de vieux champignons ratatinés. T'es bien sûr que t'es allé au bordel?

— Tu me traites de menteur?

— Pas du tout. J'ai simplement dit que les putains ne sont plus ce qu'elles étaient.

— Et qu'est-ce que t'en sais? T'es jamais entré dans un bordel de ta vie.

— Pas plus que dans le bureau d'un médecin, d'ailleurs, si on oublie la fois où un frelon m'a piqué au doigt et que la blessure s'est infectée. T'es jamais allé voir le médecin, Clyde?

— *Jamais de la vie.*

— Alors, comment tu sais que ta tension est élevée ? Et comment as-tu obtenu cette ordonnance pour le médicament que t'es allé chercher en ville ?

— J'ai jamais dit que ma tension était élevée. C'est toi qui as inventé cette histoire.

— Ah, alors ta tension est basse ?

— Ni haute ni basse. Elle est juste parfaite. Tout est parfait, chez moi, comme l'a justement dit cette petite, au bordel, il n'y a pas plus d'une heure.

— C'était avant, ou après avoir cessé de rire ?

— Wesley, mon garçon, laisse-moi te dire une bonne chose, fit Clyde en pointant sa fourchette en direction de son frère, c'était pas un rire, mais un grand sourire de satisfaction, et sais-tu ce qui lui a mis ce sourire sur le visage ? Un homme d'expérience, voilà ce que c'est.

— As-tu jamais entendu autant de foutaises de ta vie, mon gars ? demanda Wesley en nettoyant son assiette avec un morceau de pain. Il vient ici, s'assoit à ma table, dévore mon poisson et les dernières tomates de mon jardin, et essaie de me faire croire qu'il y a encore de la sève qui coule dans sa vieille carcasse.

— Non seulement elle coule, mais elle court ! s'écria l'octogénaire. C'est pour ça que toutes ces petites filles sourient.

La discussion se prolongeait pour le bénéfice de Tom et aurait pu continuer dans la même veine pendant des heures. Wesley et Clyde n'avaient pas changé. Ils se disputaient à propos de ce genre de détails, inventés de toutes pièces, depuis toujours.

— Ça va, papa, finit par dire Tom. Tu peux l'apprendre à oncle Clyde.

— Je crois que tu as raison, mon gars, répondit Wesley d'un air sombre. Aussi bien le lui dire. Tom a quitté Claire. Il vient vivre ici quelque temps.

— Oh... fit Clyde, qui sembla secoué.

Tom entreprit de narrer aux deux hommes les événements des dernières semaines, et ne termina qu'au bout de longues minutes, déprimé et en proie à un terrible mal de tête.

Il passa le reste de la journée dans une quasi-inactivité. Envahi par une lassitude qui semblait ne jamais devoir le quitter, il se coucha, les mains sous la nuque, et regarda fixement le plafond, en mémorisant le dessin complexe que faisaient les mouches mortes dans le plafonnier. Comme, malgré toute sa fatigue, le sommeil le fuyait, il alla s'asseoir sur une chaise longue au bout du quai. Ses longues jambes croisées aux chevilles, les mains jointes sur l'estomac, il contempla les eaux du lac si longtemps que Wesley vint voir s'il allait bien. Non, Tom n'avait pas envie de dîner, pas plus qu'il ne désirait regarder la télé, jouer aux cartes ou commencer un puzzle. Tom avait toujours cru pouvoir compter sur l'énergie qu'il sentait bouillonner en lui, mais en constatant qu'elle disparaissait presque entièrement devant la dépression, il se demanda comment diable il pourrait accomplir ses tâches habituelles, à l'école.

L'aspect de la maisonnette de son père ne fit rien pour lui relever le moral. Lorsque Tom était arrivé, la nostalgie avait joué en faveur de l'endroit, mais en s'installant dans sa chambre, sur le vieux matelas défoncé, entouré des meubles vermoulus et parmi les relents de défécation de chauve-souris qui descendaient du grenier par les planches disjointes du plafond, il ne put s'empêcher de songer à la maison qu'il venait tout juste de quitter, et à tout ce qu'il perdrait si jamais Claire et lui se séparaient définitivement. Tout ce qu'ils avaient construit, acheté, économisé serait divisé ou vendu : leur foyer, leurs fauteuils favoris, le porche grillagé qu'il avait ajouté cinq ans auparavant, la pelouse de la cour arrière qu'il avait tondue si souvent, son garage, où tous ses outils étaient accrochés au mur, la stéréo et tous les disques et cassettes qu'ils avaient lentement accumulés.

S'ils divorçaient, il leur faudrait tout séparer, non seulement leurs biens et leurs comptes de banque, mais aussi la loyauté des enfants. Tom ferma les yeux comme pour chasser cette menace qui planait sur lui. De telles choses ne devraient jamais arriver, pas à des gens qui avaient entouré leur mariage de tant de précautions, comme Claire et lui l'avaient fait. Bon Dieu, il ne voulait pas se retrouver seul, à la dérive ! Il voulait continuer à respecter l'engagement qu'il avait pris envers sa femme et ses enfants !

Vers la fin de la soirée, il téléphona chez lui. Robby vint répondre.

— Comment ça va, à la maison ?

— Mal.

Cette réponse laconique enleva tous ses moyens à Tom. Malgré tout, il avait espéré que Robby resterait le boute-en-train qu'il avait toujours été, celui qui savait comment rendre moins lourds les moments les plus difficiles.

— Je sais, répondit-il faiblement. Comment va Chelsea ?

— Elle est restée enfermée dans sa chambre.

— Et maman ?

— Si tu veux mon avis, elle est toquée. Pourquoi a-t-elle fait ça ?

— Puis-je lui parler ?

— Elle est allée chez Ruth.

— Chez Ruth...

Tom poussa un soupir. Elle était probablement en train de lancer des imprécations contre son mari, tout en se faisant féliciter pour l'avoir chassé.

— Bon, dis-lui que j'ai téléphoné, d'accord ? Juste pour savoir si tout allait bien.

— Ouais. Je lui dirai.

— Vas-tu sortir, ce soir ?

— Non.

— Un samedi soir ?

— Ça ne me dit rien, papa.

— Oui, je comprends. Dans ce cas, va dormir. Tu n'as pas pu beaucoup le faire, hier soir.

— Ouais, d'accord.

— Nous nous reverrons demain, à l'église. Dis bien à Chelsea que je l'aime. Et ça vaut pour toi, également.

— Oui, d'accord. Moi aussi je t'aime, papa.

— Merci. Bonne nuit, mon gars.

— Bonne... bonne nuit, papa, fit Robby en s'éclaircissant la gorge.

Tom raccrocha et regarda fixement le téléphone. En être réduit à souhaiter bonne nuit à ses enfants au téléphone ! Après la léthargie dans laquelle il avait passé presque toute la journée, la colère sourde qui monta en lui sembla la bienvenue. De quel droit le réduisait-elle à cela ? Qu'elle aille au diable !

Plus la soirée avançait, plus Tom sentait ses émotions devenir instables. Il passa de la lassitude à la colère, puis de la colère à la douleur et à la culpabilité, avant de sombrer dans la frustration et un cruel sentiment d'impuissance. Parfois, il se levait brusquement, comme si Claire était dans la pièce, et lui envoyait une bordée de reproches en se disant que lui-même n'avait rien fait de mal après son mariage, qu'elle aurait dû lui pardonner cette seule incartade.

Va au diable, Claire ! Tu ne peux pas me faire ça !

Malheureusement, elle l'avait fait.

Au bout d'une nuit exécrable, Tom s'éveilla et alla se laver sous la minuscule douche de son père, essayant de ne pas voir les traces de savon jaunies du rideau de plastique et les taches de moisissure du mur. Il avait toujours fermé les yeux sur l'absence de propreté de son père, depuis le décès de sa mère, mais il devrait un jour demander au vieil homme s'il avait l'intention de vivre ici indéfiniment.

Une nuit dans la minuscule penderie de la chambre avait froissé son pantalon et son veston. Lorsqu'il demanda un fer, son père lui tendit une relique dont les trous pour la vapeur étaient irrémédiablement bouchés par le tartre. L'état pitoyable de la housse recouvrant la planche à repasser lui fit serrer les mâchoires avec détermination, mais il était trop heureux à l'idée de revoir Claire et les enfants à l'église pour se plaindre.

À sa grande consternation, pourtant, ils n'y étaient pas. Tom téléphona chez lui immédiatement après le service.

— Claire, qu'est-ce que ça signifie ? Pourquoi n'étiez-vous pas à l'église ?

— Les enfants étaient fatigués, alors je les ai laissés dormir. Nous irons plus tard.

Le ton monta rapidement, creusant davantage le fossé qui existait entre eux.

Lundi matin, Tom tira d'autres vêtements froissés du placard et s'escrima à nouveau avec le fer à repasser. En se regardant dans le miroir, avant de partir pour l'école, il essaya en vain de faire disparaître un pli de son pantalon. « Ah, merde ! » murmura-t-il avant de quitter la maison en maudissant son père de vivre dans des conditions aussi sordides. Son auto avait passé la nuit à la belle étoile et ses vitres étaient couvertes de rosée. Le pare-brise arrière aurait eu besoin d'être nettoyé, mais Tom n'avait pas de liquide lave-glace dans son coffre, et son père ne connaissait pas l'usage des serviettes de papier. La longue recherche d'un bout de chiffon finit par mettre Tom en retard. En chemin, il pensa subitement aux froids qui viendraient bientôt, et qui le forceraient à gratter ses vitres chaque matin. Il comprenait maintenant pourquoi on considérait généralement comme impossible pour des adultes de retourner chez leurs parents après avoir connu l'indépendance.

À l'école, il dut présider la réunion habituelle du lundi matin et faire face à Claire sans l'assurance que lui conférait une tenue vestimentaire parfaite. Il la regarda d'un air désespéré, s'attendant à un simple coup d'œil, mais rien ne vint.

Ils réussirent à se rendre jusqu'au bout de la réunion sans échanger de propos acerbes, mais immédiatement après, l'estomac de Tom fut pris de convulsions. Il courut au bureau de l'infirmière et demanda du Kaopectate, qu'il avala en vitesse, car déjà les autobus scolaires arrivaient, et pour rien au monde il n'aurait voulu manquer Chelsea. Robby arrivait toujours plus tôt pour s'entraîner dans la salle d'haltérophilie, et il devait déjà se trouver quelque part dans l'édifice.

En se précipitant vers le hall d'entrée, il songea avec angoisse qu'il l'avait peut-être déjà manquée, mais il l'aperçut, avec Robby à ses côtés, et sentit son cœur exploser dans sa poitrine. Les enfants se dirigèrent droit vers lui, comme s'ils avaient également grand besoin d'un contact. Leurs yeux étaient tristes et leurs visages, défaits. Tom les toucha tous deux et ressentit une peur identique à celle de tant de ces jeunes qui étaient venus lui dire que leurs vies s'écroulaient à cause du divorce de leurs parents. Jamais il n'aurait cru qu'un jour il se retrouverait prisonnier d'une telle réalité.

Il étreignit Chelsea au beau milieu du corridor, tous deux les victimes innocentes de la décision irrévocable et injuste de Claire.

— Venez tous deux à mon bureau, dit-il en se dégageant des bras de sa fille pour éviter que des larmes ne coulent.

— Je ne peux pas, fit Chelsea d'une voix entrecoupée. Je n'ai pas fait mon devoir durant le week-end, et je dois rédiger quelque chose en vitesse pour mon prochain cours.

— Et toi? demanda Tom en se tournant vers son fils, as-tu fait le tien?

— Je n'en avais pas.

— Et ton entraînement d'haltérophilie? N'arrives-tu pas à l'école plus tôt pour ça?

— Ça ne me disait rien, ce matin, fit Robby en évitant le regard de son père.

Claire et lui n'étaient séparés que depuis quarante-huit heures, et déjà les enfants en subissaient les contrecoups. Maintenant, il se voyait placé dans la triste obligation de leur faire des remontrances.

— Écoutez, vous deux. Vous n'allez pas commencer, hein? Peu importe ce qui arrive à la maison, vous ne devez pas négliger vos études et vos activités scolaires, compris? Vous allez continuer à tout faire comme avant. C'est promis?

Robby hocha la tête en gardant les yeux baissés.

— C'est promis, Chelsea?

La jeune fille imita son frère.

— Très bien, je vais vous laisser partir, maintenant, dit Tom, convaincu qu'il ne serait plus en mesure de poursuivre sa journée de travail dès qu'il les perdrait de vue. Qu'est-ce qu'il y a? demanda-t-il à Chelsea, qui semblait hésiter à le quitter.

— Je ne sais pas. Je... C'est très difficile d'agir normalement quand plus rien n'est normal autour de soi.

— Pourtant, que pouvons-nous faire d'autre?

— Pouvons-nous en parler à nos amis, papa? dit-elle d'un ton sombre, après avoir haussé les épaules.

— Si tu penses que tu le dois.

— Moi, en tout cas, je ne veux pas le faire, intervint Robby.

Chelsea était maintenant au bord des larmes. Il lui était trop difficile de discuter ainsi de sa situation, au début même de la journée.

— Je dois aller à mon cours, papa, fit-elle en lui tournant brusquement le dos.

— Moi aussi, dit Robby d'un ton absolument découragé.

— D'accord. À plus tard.

Tom posa une main sur le dos de son fils et le regarda s'éloigner dans la foule. Une fois seul, il prit conscience qu'aucun des deux ne s'était enquis de son état émotionnel, de la façon dont il se débrouillait chez leur grand-père. Ils éprouvaient de telles difficultés avec leurs propres sentiments qu'ils ne pouvaient plus s'occuper de ceux des autres. En tant que pédagogue, il était conscient qu'il s'agissait d'un comportement typique, mais il ne put s'empêcher d'être blessé par le fait que personne ne se souciait de ses besoins.

En retournant vers son bureau, cependant, il fit en silence le vœu de ne jamais laisser ses propres préoccupations le rendre indifférent à celles de ses enfants.

Toute la vérité devait finir par être connue, à l'école, mais les choses se passèrent plus vite que Tom ne l'avait imaginé.

Il se rendait vers les boîtes aux lettres des professeurs lorsque Vince Conti, le directeur de la fanfare, l'interpella.

— Oh, Tom... Je me demandais si je pouvais passer prendre votre canoë, un soir, cette semaine. La chasse aux canards débute samedi prochain.

Quelques semaines plus tôt, en effet, Tom avait proposé son canoë à Vince, dont le jeune garçon voulait s'initier à la chasse, un sport que le directeur d'école avait beaucoup aimé, des années auparavant, mais qu'il avait abandonné après son mariage.

— Euh... mais... bien sûr, Vince, bredouilla Tom, pris au dépourvu.

— Votre horaire est plus chargé que le mien, alors dites-moi quelle soirée vous convient le mieux.

— En fait... euh... n'importe quel soir fera l'affaire. Je...

Tom s'éclaircit la gorge, paniqué à l'idée de révéler que son mariage battait de l'aile. Jamais il n'aurait cru la chose si difficile. Cela revenait à reconnaître une défaite.

— À vrai dire, Vince, je vais devoir indiquer à Claire où sont les pagaies, et vous vous arrangerez avec elle. Je ne vis plus à la maison.

— Non ?

— Claire et moi avons décidé de nous séparer quelque temps.

Ce fut au tour de Vince d'être pris au dépourvu et de chercher quelle attitude adopter.

— Mon Dieu, Tom... Je suis désolé. Je l'ignorais.

— Personne n'est au courant, Vince. Vous êtes le premier à l'apprendre. C'est arrivé ce week-end.

— Tom, je suis vraiment désolé, dit Vince, visiblement mal à l'aise. Vous m'avez offert le canoë et... enfin, je ne veux pas...

— Ne changez rien à vos plans, Vince. Vous pouvez toujours l'emprunter. Je vais faire en sorte que Claire sache que vous allez passer et qu'elle récupère les pagaies. Robby peut vous aider à tout poser sur le toit de votre auto, sinon, je serai là.

— Non, laissez. Je demanderai à l'un de mes garçons.

— Comme vous voudrez... Vous savez où le trouver, alors. Derrière le garage. Claire vous montrera.

De toute évidence, Vince était dévoré par la curiosité, mais il s'abstint de poser la moindre question. Tandis qu'il s'éloignait, Tom se rendit compte que malgré le nombre élevé de couples séparés, les gens considéraient encore le divorce comme une catastrophe et ne savait pas comment réagir lorsqu'on leur en annonçait un. Vince ne désirait peut-être pas se montrer importun. Sans doute ignorait-il quoi dire. De toute manière, il avait instantanément érigé entre Tom et lui une barrière qui n'existait pas auparavant.

Vince n'était pas la seule personne à qui il fallut révéler la chose, ce jour-là. Un établissement de la taille du HHH s'apparente beaucoup à une petite communauté, dont toutes les parties sont interdépendantes. En tant que directeur, Tom se devait d'être accessible en tout temps, que ce soit en cas d'urgence ou pour répondre à une simple question, aussi lui fallut-il donner le numéro de téléphone de son père au directeur adjoint, à sa secrétaire, au chef de police, au directeur du district, et à Cecil, le chef d'entretien, qui appelait souvent en soirée, période durant laquelle son équipe faisait le plus clair de son travail. Lorsque tous ces gens eurent été mis au courant, la nouvelle se répandit comme une traînée de poudre dans l'école au complet.

Entre deux cours, Erin Gallagher, les yeux ronds et l'air ébahi, vint trouver Chelsea.

— Est-ce vrai, Chelsea ? Tout le monde dit que tes parents vont divorcer !

— Ils ne vont pas divorcer !

— Mais Susie Randolph m'a raconté que Jeff Morehouse lui a dit que ton père était parti de chez vous.

Les larmes qui commençaient à inonder les yeux de Chelsea confirmèrent immédiatement la rumeur. Erin fit sur-le-champ preuve de plus de sympathie.

— Oh, Chels, pauvre chérie ! Oh, c'est terrible ! Où est-il allé ?

— Chez mon grand-père.

— Mais pourquoi ?

— Oh, Erin, sanglota Chelsea, je dois en parler à quelqu'un. Je ne peux plus garder ça pour moi.

Les deux amies allèrent se réfugier dans l'auto de Chelsea, qui raconta tout à Erin, en lui faisant jurer le plus grand secret.

— Oh, mon Dieu, murmura-t-elle. Kent Arens est ton frère... Tu dois être dévastée.

Elles tombèrent dans les bras l'une de l'autre et Chelsea se remit à sangloter. Erin demanda à son amie si elle croyait que son père reviendrait un jour à la maison, ce qui eut pour effet de redoubler les pleurs de Chelsea. Elles n'assistèrent pas au sixième cours et une bonne partie du septième. Quand elles furent prêtes à y retourner, les yeux de Chelsea étaient désespérément rouges et gonflés.

— J'aimerais mieux mourir qu'être vue ainsi, fit-elle, découragée, en se regardant dans le rétroviseur.

— Tu ferais peut-être mieux de laisser tomber l'entraînement, ce soir. Demain, tu iras mieux et tu auras l'air plus normale.

— Qu'allons-nous dire aux professeurs des cours que nous avons séchés ?

Erin, qui avait pour habitude de suivre Chelsea en tout, prit subitement l'initiative.

— Viens, dit-elle d'un ton déterminé en ouvrant la portière, nous allons au bureau de ton père.

— Non, Erin. Es-tu folle ? Je ne veux pas lui parler maintenant.

— Pourquoi pas ? Il va nous donner des billets d'excuse.

— Jamais de la vie ! Il va me tuer si jamais il apprend que j'ai manqué des cours !

— Et comment comptes-tu éviter qu'il l'apprenne ? Viens donc, Chels. Ce que tu dis n'a pas de sens.

— Mais maman et papa ne nous laissent jamais sauter des cours, tu le sais bien ! S'il y a bien une règle qui ne souffre pas d'exception, à la maison, c'est bien celle-là, dit la jeune fille en hésitant devant la porte de son père.

— Eh bien, si tu n'y vas pas, moi, j'y vais, répliqua Erin en plantant son amie dans le corridor. Bonjour, monsieur Gardner, dit-elle après être passée devant Dora Mae. Chelsea et moi avons manqué nos cours parce qu'elle avait besoin de parler. Elle a beaucoup pleuré, et je crois qu'elle devrait rentrer chez elle, mais elle craint de venir vous voir. Pouvez-vous nous donner des billets d'absence pour nous excuser auprès de nos professeurs ?

— Où est-elle ?

— Dans le corridor. Elle a dit que vous alliez la tuer si jamais vous appreniez ce qui s'était passé, mais je ne la crois pas, car vous savez de quoi nous avons parlé...

Tom gagna immédiatement la porte, Erin sur ses talons. Chelsea attendait, loin des baies vitrées. Quand elle aperçut son père, ses yeux se remplirent de larmes.

— Oh, papa ! s'exclama-t-elle en s'élançant dans ses bras. Pardon, mais je devais en parler à quelqu'un. Je suis désolée... Je...

— Là, là... Ça va, ma chérie.

Il sembla à Erin qu'elle commettait une indiscrétion. Le directeur de l'école et sa meilleure amie étaient dans les bras l'un de l'autre. Chelsea pleurait maintenant à chaudes larmes, tandis que son père faisait de son mieux pour se contenir.

— Je comprends, murmura-t-il en caressant la tête de sa fille. C'est une journée difficile pour chacun de nous.

Un élève passa devant le père et la fille en ouvrant de grands yeux.

— Allons dans mon bureau, fit doucement Tom. Viens aussi, Erin.

— Je ne peux pas y aller comme ça, gémit Chelsea. Toutes les secrétaires vont me voir.

— Tu ne seras pas la première étudiante qu'elles auront vue pleurer. Tiens, dit-il en lui tendant son mouchoir. Sèche tes yeux et suis-moi. Je dois te parler.

Il les fit entrer et leur indiqua les fauteuils. Lui-même s'assit sur le bord de son bureau, tout près d'elles.

— Écoutez-moi bien, toutes deux. Je vais vous donner des billets parce que je vois très bien ce qui se passe, mais tu dois comprendre, Chelsea, qu'il ne faut plus manquer tes cours. C'est beaucoup demander, mais je veux que tu fasses un effort. Les choses n'iront pas en s'améliorant si tu laisses tomber tes études, tu sais ?

Chelsea hocha la tête, les yeux baissés, en froissant tristement le mouchoir entre ses mains.

— Erin, tu as eu raison de venir me voir aujourd'hui. Par contre, si vous séchez d'autres cours, à l'avenir, je ne pourrai plus faire quoi que ce soit pour vous.

— Compris, monsieur Gardner.

— Maintenant, allez voir Mme Roxbury, la conseillère péda-gogique de votre niveau, et prenez rendez-vous avec elle. Plus tôt ce sera fait, mieux ça vaudra pour toi, Chelsea. Quant à toi, Erin, il serait bon que tu lui parles aussi. Chelsea va avoir besoin de ton appui, et il importe que tu comprennes bien ce qu'elle vit main-tenant.

— Oui... très bien, murmura la jeune fille.

— Accepteriez-vous que j'aille chercher Mme Roxbury mainte-nant ? Bon, j'y vais tout de suite.

— Mon Dieu, Chelsea, chuchota Erin quand les deux amies se retrouvèrent seules, ton père est si gentil! Je ne comprends pas comment ta mère a pu le mettre à la porte.

— Je sais, répondit-elle tristement. C'est si injuste.

Mme Roxbury, une femme dans la quarantaine qui portait des lunettes à monture invisible et une permanente bouclée, vint chercher les deux étudiantes et les ramena dans son bureau. Avant de sortir, Chelsea se retourna vers son père.

— Merci, papa, lui souffla-t-elle avec un sourire las.

Quelques minutes plus tard, Lynn Roxbury revint et trouva Tom assis derrière son bureau, en train de regarder ses photos de famille d'un air sombre.

— Tom? fit-elle.

— Oh! lança-t-il en se tournant vers la porte. Merci beaucoup, Lynn. C'est très gentil à vous de les avoir reçues à l'improviste.

— Ce n'est rien. Je leur ai donné rendez-vous pour demain. Écoutez, continua-t-elle en s'appuyant, bras croisés, contre la porte, j'ai aussi du temps à vous consacrer si vous avez besoin de parler. Toutes sortes de rumeurs circulent, et j'ai une assez bonne idée de la raison pour laquelle les yeux de Chelsea sont rougis, et pourquoi vous avez l'air d'avoir perdu votre meilleure amie, ce qui n'est pas très éloigné de la vérité, je crois.

Tom poussa un profond soupir et enfouit son visage dans ses mains.

— Oh, Lynn... merde, comme dirait mon fils.

— On prononce souvent ce mot dans mon bureau, dit-elle en fermant discrètement la porte.

— Ce dernier mois a été infernal, à la maison.

— Inutile de préciser que tout ce que vous souhaiterez me dire restera entre nous. Ce doit être particulièrement difficile pour Claire et vous, qui travaillez tous deux au même endroit.

— C'est tout simplement affreux... Je vous en prie, asseyez-vous.

— Malheureusement, je n'ai que quelques minutes, en ce moment, dit-elle en prenant la place occupée tantôt par Erin.

— Tout ça tient en peu de mots. Claire et moi nous sommes

séparés à sa demande. Je vis maintenant chez mon père, dans sa maison au bord du lac, et les enfants restent chez nous avec leur mère. Un événement passé – un événement aux conséquences terribles – est venu bouleverser notre union. C'est à propos du nouvel étudiant, Kent Arens. J'ai découvert qu'il était mon fils. Je ne connaissais pas son existence avant qu'il vienne s'inscrire ici, et je n'avais jamais pris de nouvelles de sa mère. Il est né la même année que Robby. Il a été conçu le soir de l'enterrement de ma vie de garçon. Claire pense que j'ai renoué avec la mère de Kent, mais c'est absolument faux. Quoi qu'il en soit, elle a exigé que je parte.

Devant une histoire si dramatique, Lynn ne put s'empêcher d'exprimer son étonnement.

— Oh, Tom, non ! Vous êtes bien le dernier couple à qui je croyais qu'une telle chose pouvait arriver !

— Moi aussi, fit-il en écartant les mains. Je l'aime tant ! Je ne veux pas de cette séparation.

— Croyez-vous qu'elle va changer d'avis ?

— Je l'ignore. Cette histoire a révélé un aspect de sa personnalité qui était resté caché jusqu'à aujourd'hui. Elle agit avec un tel sang-froid, une telle... agressivité ! Elle est absolument convaincue qu'elle doit s'éloigner de moi pour quelque temps.

— Les mots auxquels il faut s'accrocher, ici, sont *quelque temps*.

— Je l'espère. Bon Dieu, Lynn, si vous saviez comme je l'espère.

— Tom, je suis vraiment navrée, mais je dois partir. On m'attend. Nous pouvons quand même nous revoir après l'école. Je serai libre vers seize heures trente.

— Après l'école, je dois assister à une réunion des directeurs du district, mais je vous remercie de m'avoir écouté. Vous êtes chic.

Tom se leva et contourna son bureau pour ouvrir la porte. Avant de sortir, Lynn posa une main sur son avant-bras.

— Ça va aller ?

— Oui, répondit-il avec un faible sourire.

Pourtant, le reste de la journée fut pénible pour Tom. Son

attention était ailleurs et son esprit le ramenait inlassablement vers Claire. En levant les yeux de son bureau, au milieu de l'après-midi, il l'aperçut en train de converser avec Dora Mae. Il souhaita désespérément qu'elle se tournât vers lui et le regardât, qu'elle lui accordât au moins cette faveur. Elle savait que la porte était ouverte et qu'il était probablement assis derrière son bureau. Mais Claire sortit de son champ de vision sans daigner faire le moindre geste dans sa direction. Ce nouveau rejet lui sembla pire que la torture.

À l'heure du déjeuner, il la vit traverser la cafétéria, pour se rendre à la salle à manger des professeurs. Elle bavardait avec Nancy Halliday et tourna brièvement la tête vers lui. Tom effectuait sa surveillance habituelle, au centre de la salle, sous le puits de lumière circulaire. Son cœur sembla faire une embardée, mais Claire détourna la tête avec indifférence et disparut dans la foule.

Tom se retint d'aller la voir, jusqu'à la pause entre les deux dernières périodes de la journée. À l'extérieur de sa classe, il attendit que les élèves de la sixième période sortent et vérifia inconsciemment le nœud de sa cravate. Claire était assise à son bureau, face à la porte, et cherchait quelque chose dans un de ses tiroirs. En même temps qu'un impérieux désir, Tom sentit une vive chaleur gagner son cou, ses joues et son front, comme une réaction en chaîne. Puis, la colère monta en lui. Pourquoi le forçait-elle à subir une telle épreuve ? Il ne voulait pas de cette séparation, nom de Dieu !

— Claire ?

— Bonjour, Tom, fit-elle en levant la tête, la main encore glissée dans le tiroir.

— Je... dit-il en s'éclaircissant la gorge. J'ai dit à Vince Conti qu'il pouvait passer prendre notre canoë, cette semaine. Il veut s'en servir pour la chasse au canard. Sais-tu où se trouvent les pagaies ?

— Oui.

— Eh bien... Les donnerais-tu à Vince ?

— Certainement.

— Il te dira probablement quand il pourra passer.

— Très bien.

— Nous en avions parlé, lui et moi, il y a quelques semaines.

Je ne croyais pas qu'il aurait à te déranger... Enfin... tu sais... Tu as tes répétitions presque chaque soir.

— Ça ira, Tom. Nous conviendrons d'un moment. Y a-t-il autre chose ? demanda-t-elle en voyant qu'il restait là, l'air timide et le visage cramoisi.

Se voir traité comme un vassal aux pieds d'une altière princesse piqua Tom au vif.

— Claire, comment peux-tu te montrer aussi distante ? explosa-t-il en s'avançant vers elle. Je ne mérite pas ça !

— Rien de personnel à l'école, Tom. L'aurais-tu oublié ? répliqua-t-elle en se penchant de nouveau vers le tiroir.

— Claire, je ne veux pas de cette séparation ! lança-t-il en agrippant le bord du bureau de ses deux mains.

Elle retira une chemise du tiroir de métal qu'elle ferma d'un coup sec. Deux élèves entrèrent dans la salle en riant.

— Pas ici, Tom, fit-elle à mi-voix. Pas maintenant.

Il se redressa lentement, livide, comprenant trop tard qu'il n'aurait pas dû venir. Il n'avait pas besoin d'une telle rebuffade au milieu de sa journée de travail, au milieu de sa vie !

— Je veux rentrer à la maison, exigea-t-il d'une voix juste assez faible pour que les élèves ne l'entendent pas.

— Vince aura son canoë, répondit-elle en le renvoyant aussi définitivement que si elle avait agité la cloche mettant fin à la récréation, comme les institutrices de l'ancien temps.

Tom n'eut d'autre choix que de battre en retraite en se frayant un chemin à travers les élèves qui arrivaient.

Treize

La nouvelle se répandit comme une traînée de poudre et atteignit le vestiaire de l'équipe de football le jour même : M. Gardner allait divorcer.

Kent Arens l'apprit de la bouche de Bruce Abernathy, qui – pour autant que Kent le sût – n'était même pas un ami de Robby. Il chercha immédiatement une confirmation auprès de Jeff Morehouse.

— Oui, le père de Robby a quitté la maison.

— Vont-ils divorcer ?

— Robby n'en sait rien. Il dit que sa mère a chassé son père parce qu'il a eu une aventure avec une autre femme.

Non ! voulut crier Kent. *Pas eux ! Pas la famille qui avait tout pour être heureuse !*

À peine venait-il d'absorber le premier choc qu'il en encaissa un second. Si c'était vrai, et si l'autre femme était sa mère ? Cette pensée le dégoûta.

En un instant, il réalisa que la famille Gardner représentait un idéal à ses yeux : quelque part dans ce monde de demi-familles et de valeurs à l'abandon, quatre personnes avaient survécu aux embûches des temps modernes et étaient restées solidaires. Leur bonheur semblait inébranlable, et même si Kent avait envié Chelsea d'avoir un père comme Tom Gardner, jamais il n'avait désiré le lui prendre. Si sa mère avait causé cet éclatement, comment pourrait-il encore la respecter ?

Ébranlé, il se laissa tomber sur un banc en serrant ses genoux de ses mains, aux prises avec une foule d'émotions qu'il éprouvait pour la première fois. Subitement, un grand silence succéda au brouhaha. Kent leva les yeux et vit Robby Gardner. Personne ne bougeait, personne ne soufflait le moindre mot, mais l'air semblait encore porter les échos des racontars échangés. Gardner s'arrêta brièvement devant Arens, qui lui rendit furtivement son regard, et se dirigea vers son casier. Quelque chose avait changé dans sa démarche. Robby semblait avoir perdu l'aplomb et l'air affectueusement moqueur qui le caractérisaient. Il passa au milieu des regards curieux de ses camarades, et quelques-uns se sentirent embarrassés pour lui tandis qu'il ouvrait la porte de son casier et commençait à se changer sans lancer ses habituelles plaisanteries.

Kent se retint d'aller poser une main sur son épaule et de lui dire : « Désolé », mais il se sentait coupable. Sa raison avait beau lui rappeler qu'il était le fruit d'un geste lointain et inconsidéré, qu'il n'avait rien fait ni désiré de mal, il n'en restait pas moins qu'il était là et qu'apparemment sa mère et M. Gardner avaient repris ensemble, causant une déchirure entre les parents de Robby et de Chelsea.

Qui était responsable de ce gâchis ?

Les joueurs continuèrent d'enfiler leurs chandails et de faire claquer les portes de leurs casiers. Puis vint le moment de se rendre sur le terrain. Le cliquetis de leurs crampons sur le sol de ciment s'éloigna rapidement. Robby, qui, d'habitude, courait en tête de l'équipe resta en arrière.

Kent se tourna vers lui. Tête baissée, Robby faisait glisser son chandail par-dessus ses épaulières. Kent se leva et se dirigea vers la sortie, mais s'arrêta derrière lui.

— Gardner ?

Robby se retourna enfin. Ils se regardèrent, immobiles dans leurs uniformes rouge et blanc, en se demandant comment ils arriveraient à supporter la chape d'émotions qu'on venait subitement de poser sur leurs épaules.

L'entraîneur sortit de son bureau et ouvrit la bouche pour leur ordonner de se dépêcher, mais il sembla changer d'avis et s'éloigna. Les deux frères se retrouvèrent seuls, dans un silence ponctué par le seul bruit d'une douche fuyant goutte à goutte, de l'autre côté du mur. Kent s'était attendu à ce que le visage de Robby exprimât le mépris, mais il n'y lut qu'une grande tristesse.

— J'ai appris, au sujet de ton père et de ta mère, dit Kent. Je suis désolé.

— Ouais.

Robby baissa la tête pour cacher d'éventuelles larmes. Il n'en versa aucune, mais la menace qu'elles représentaient était aussi claire pour Kent que si lui-même les avait senties sourdre derrière ses paupières. Il tendit la main et, pour la première fois, toucha son demi-frère à l'épaule... Un contact timide, incertain.

— C'est vrai, tu sais. Je suis vraiment désolé, fit-il doucement.

Robby continua de fixer le banc de bois, incapable de relever la tête. Kent laissa tomber son bras et se dirigea vers la porte, afin de laisser le temps à son demi-frère de se reprendre.

Lorsque Kent rentra chez lui, ce soir-là, il était plus en colère contre sa mère qu'il ne l'avait jamais été de sa vie. Il passa la porte en coup de vent et l'aperçut qui remontait du sous-sol avec une pile de serviettes pliées dans les bras.

— Je veux te parler, maman! cria-t-il.

— Eh bien! On voit tout de suite que tu es content de me voir.

— Que se passe-t-il entre M. Gardner et toi?

Monica s'arrêta net, interloquée, puis elle se dirigea vers l'armoire à linge.

— As-tu une liaison avec lui? insista Kent.

— Certainement pas!

— Mais tout le monde le dit, à l'école! Pourquoi M. Gardner a-t-il quitté sa femme?

— Il l'a quittée? s'exclama-t-elle en oubliant momentanément ses serviettes.

— Oui! Toute l'école en parle! Quelqu'un, au vestiaire, a dit que sa femme l'avait mis à la porte parce qu'il avait une maîtresse.

— En tout cas, ce n'est pas moi.

Kent scruta le visage de sa mère. Elle disait la vérité.

— Bon Dieu, maman, je suis si heureux de l'apprendre! fit-il en poussant un soupir de soulagement.

— Et moi je suis heureuse de voir que tu me crois. Peut-être vas-tu maintenant changer de ton ?

— Pardon.

— Alors, tu penses que c'est vrai ? Que Tom a quitté sa femme ? s'enquit-elle en rangeant les serviettes.

— On le dirait bien. J'ai questionné Jeff, et il me l'a confirmé. Jeff est l'ami de Robby depuis toujours.

— Et cette nouvelle te peine, on dirait, poursuivit Monica en prenant son fils par le bras pour le ramener à la cuisine.

— Ben... ouais... Ouais, je suppose.

— Même si je n'en suis pas responsable ? Enfin... pas directement, rectifia-t-elle devant son regard réprobateur.

— Oui, ça me peine, maman. Il n'y a qu'à voir Robby Gardner pour comprendre à quel point il est démoli. J'imagine que c'est la même chose pour Chelsea. Elle adore son père, tu sais. La façon dont elle parlait de lui... c'était... différent, tu comprends ? Les enfants ne parlent presque jamais de leurs parents comme ça. Aujourd'hui, quand Robby est arrivé dans le vestiaire, il avait l'air pitoyable. Je ne savais pas quoi lui dire.

— Et que lui as-tu dit ?

— Que j'étais désolé.

Monica fouilla dans le réfrigérateur et posa sur le comptoir un paquet de viande hachée et un demi-oignon dans un sac de plastique.

— Moi aussi, je le suis.

Ils restèrent silencieux un moment et songèrent à l'épreuve qu'allaient maintenant connaître les Gardner. Il leur était impossible de ne pas ressentir un obscur sentiment de culpabilité, mais rien ne changerait le passé. Monica sortit une poêle et commença à préparer le dîner.

— Dis, maman, que penserais-tu si... je ne sais pas... si j'essayais de devenir l'ami de Robby ?

Monica voulut réfléchir avant de répondre. Elle se rendit à l'évier, tira la planche à pain à elle, et ouvrit le paquet de viande hachée.

— Personne ne peut t'en empêcher, il me semble, finit-elle par dire en formant de petites boulettes de viande avec les paumes de ses mains.

— Alors, tu ne m'approuverais pas ?

— Je n'ai jamais dit ça...

La raideur de ses gestes montrait pourtant à quel point le projet de son fils semblait la menacer.

— C'est mon demi-frère. Aujourd'hui, après lui avoir parlé, j'ai beaucoup réfléchi à tout ça. Mon demi-frère ! C'est tout de même quelque chose, tu dois le reconnaître, maman.

Lui tournant le dos, elle alluma un des ronds de la cuisinière et y posa la poêle, dans laquelle elle versa un filet d'huile.

— J'ai pensé que je pourrais peut-être l'aider d'une façon quelconque. J'ignore comment, mais c'est à cause de moi qu'ils ont tous ces ennuis. Si ce n'est pas parce que tu as une liaison avec lui, c'est à cause de moi.

— Tu n'es responsable de rien du tout, trancha Monica d'un ton légèrement exaspéré. Ôte-toi cette idée-là de la tête !

— Mais alors, qui est responsable de ce qui arrive ?

— Tom ! Tom lui-même !

— Ainsi, je dois assister à l'écroulement de sa famille les bras croisés ?

— Mais enfin, que crois-tu pouvoir faire ?

— Je peux être l'ami de Robby.

— Es-tu certain que lui-même le désire ?

— Non, répondit Kent faiblement.

— Alors, prends garde.

— À quoi ?

— À ne pas te faire mal.

— Maman, j'ai déjà mal. Tu ne sembles pas le comprendre. Tout ce gâchis me fait énormément mal ! Je voudrais mieux connaître mon père, mais je dois me cacher de ses enfants chaque fois que je les aperçois. Ne serait-ce pas beaucoup plus facile de m'en faire des amis ?

Monica laissa tomber dans la poêle la viande qui se mit immédiatement à grésiller. Il lui était très difficile d'approuver le projet de Kent.

— As-tu peur que je m'éloigne de toi, maman? demanda-t-il affectueusement, en passant un bras autour des épaules de sa mère. C'est mal me connaître. Je suis ton fils et je le reste. Ça ne changera jamais. Mais je dois agir selon ma conscience, comprends-tu?

— Je comprends, dit-elle en se tournant brusquement vers lui pour le serrer si fort dans ses bras qu'il ne put voir les larmes qui tremblaient au bord de ses cils. Je comprends très bien. C'est la raison pour laquelle Tom insistait tant pour que je te parle de lui. Mais j'ai si peur de te perdre!

— De me perdre? Allons, maman, ça n'a aucun sens. Pourquoi me perdrais-tu?

— Je ne sais pas, fit-elle en reniflant. Tout cela est si embrouillé : toi et moi, eux et toi, lui et moi, lui et toi.

Elle se retourna pour s'occuper du repas. Une main encore posée sur l'épaule de sa mère, Kent la regarda trancher l'oignon. L'arôme de la viande et des oignons monta vers eux. Kent attira Monica plus près de lui.

— C'est vraiment terrible de grandir, pas vrai, maman?

— Tu en sais quelque chose, fit-elle en riant faiblement.

— Écoute, dit-il en lui prenant le couteau pour piquer à son tour les tranches d'oignon. Juste pour que tu ne te sentes pas menacée, je reviendrai te faire un rapport circonstancié. Tu sauras tout ce que j'aurai vu et tout ce dont nous aurons parlé. De cette façon, tu ne te sentiras pas délaissée. D'accord?

— De toute façon, je sais bien que tu n'en feras qu'à ta tête.

— Évidemment, mais c'est bien mieux avec ton accord.

— Bon, d'accord. Et maintenant, beurre donc quelques petits pains...

— Tout de suite.

— Et sors deux assiettes...

— Ouais.

— Et le pot de cornichons.

— Oui, chef!

Elle le suivit des yeux pendant qu'il s'affairait, et comprit à quel point elle s'était trompée. Son fils était trop bien pour l'abandonner ainsi. Elle en avait fait quelqu'un de si formidable que c'était maintenant lui qui montrait à sa mère que l'amour véritable n'avait aucun rapport avec la jalousie.

Ce soir-là, Claire consulta sa montre et frappa dans ses mains pour mettre fin à la répétition.

— Ça va, tout le monde, cria-t-elle pour dominer le babillage des élèves sur la scène. Il est dix heures. Assurez-vous que les accessoires sont bien sous clé ! Mémorisez vos répliques et à demain !

— Sam, cria à son tour John Handelman, à ses côtés. N'oublie pas de faire une photocopie du script des éclairages et de la remettre à Doug.

— Ouais, répondit le garçon.

— Parfait. Les peintres, mettez de vieux vêtements, demain soir. Les élèves d'arts plastiques ont dessiné les toiles, et nous allons remplir les arrière-plans !

Le chœur des salutations monta vers les deux professeurs, qui restaient seuls sur scène. Les voix des élèves faiblirent petit à petit, et l'auditorium retrouva son calme.

— Je vais m'occuper des lumières, dit John en se dirigeant vers les coulisses.

L'instant d'après, les puissants projecteurs s'éteignaient, laissant Claire dans l'ombre. Elle marcha avec précaution vers l'arrière-scène, où seule une faible lumière jetait des bandes grisâtres entre les rideaux. Claire avait posé sa veste sur un strapontin, à côté d'une caisse de bois vide. Elle se pencha d'un air las vers son fourre-tout pour y mettre son scénario, ses notes, un livre sur l'histoire du costume et quelques échantillons de tissus.

— Fatiguée ?

— Épuisée, répondit-elle en se tournant vers son confrère.

— Nous avons beaucoup travaillé, ce soir.

— En effet, dit-elle en mettant son sac sur son épaule.

— Claire, dit John en posant une main sur son bras. Pourrions-nous parler une minute ?

— Bien sûr.

— Beaucoup de rumeurs circulaient à l'école, aujourd'hui. Plutôt que d'échafauder des hypothèses, je préfère aller aux sources.

— Vous feriez d'abord mieux de me dire ce que vous avez entendu, John.

— On raconte que vous avez quitté Tom.

— C'est exact.

— Pour de bon ?

— Je n'en sais rien encore.

— On dit que Tom avait une liaison.

— Il en a eu une, mais prétend qu'elle est terminée.

— Et quelle est votre réaction ?

— J'ai mal. Je me sens perdue. Je suis en colère. J'ignore si je dois le croire ou non.

John étudia ses traits. Dans la pénombre, les orbites des deux professeurs semblaient exagérément creuses, et leurs visages prenaient des airs de masques de tragédie grecque.

— Vous avez causé un véritable choc au sein du corps enseignant, vous savez.

— Oui, je l'imagine facilement.

— Chacun dit n'avoir jamais cru qu'une telle chose pouvait vous arriver, à Tom et à vous.

— Moi non plus, je ne le croyais pas. Mais voilà...

— Avez-vous besoin d'une épaule sur laquelle pleurer ?

— M'offrez-vous la vôtre ? demanda-t-elle en se dirigeant vers la sortie.

— Bien sûr, et sans aucune hésitation, répondit-il en lui emboîtant le pas.

Depuis des années, Claire savait que John était attiré par elle, mais la rapidité avec laquelle il cherchait à profiter de la situation la surprenait. Elle était mariée depuis trop longtemps pour se sentir à l'aise devant un tel comportement.

— John, c'est arrivé avant-hier. J'ignore encore si je dois m'effondrer en larmes ou crier.

— Si vous avez plutôt besoin de crier contre une épaule, mon offre tient quand même.

— Merci. Je m'en souviendrai.

Avant de quitter l'auditorium, il éteignit les dernières lumières et la laissa sortir avant lui. La nuit d'automne était claire, remplie

d'étoiles et imprégnée de l'odeur des feuilles mortes. En se dirigeant vers le terrain de stationnement, Claire allongea le pas pour
accroître la distance entre eux.

— Écoutez, lança-t-il en la rattrapant, vous allez avoir besoin
d'un ami. Je ne fais rien d'autre qu'offrir mes services, d'accord?

— D'accord, fit-elle, soulagée.

John l'accompagna jusqu'à sa voiture et attendit qu'elle y
montât.

— Merci, et bonne nuit.

— À demain, répondit-il en fermant la portière à deux mains.

Il suivit l'auto du regard pendant qu'elle s'éloignait. Le cœur
de Claire battait sourdement, et ce qu'elle éprouvait ressemblait
beaucoup à de la peur. Pourtant, John Handelman ne lui ferait
jamais de mal. Pourquoi réagissait-elle ainsi? Sans doute parce
qu'elle ne s'attendait pas à ce que l'annonce de sa séparation la
transforme immédiatement en conquête possible aux yeux de tous
les célibataires de l'école. Elle ne voulait sortir avec personne, pour
l'amour du ciel! Elle voulait panser ses blessures! Comment John
pouvait-il oser s'imposer à elle de la sorte?

À la maison, les chambres de Robby et de Chelsea étaient
vides. Claire tourna en rond dans la sienne, mécontente qu'ils ne lui
aient même pas laissé une note. Ils rentrèrent ensemble à vingt-
deux heures trente.

— Très bien, vous deux. Où étiez-vous?

— Chez Erin, lança Chelsea.

— Chez Jeff, répondit Robby.

— Vous êtes censés rentrer à dix heures! L'auriez-vous oublié?

— Et après? fit Chelsea en tournant le dos à sa mère pour se
diriger vers sa chambre.

— Reviens ici tout de suite, jeune fille!

— Quoi? gémit celle-ci, avec un air de martyre.

— Il n'y a rien de changé, dans cette maison, même si votre
père ne vit plus ici. La semaine, vous devez rentrer à dix heures et
vous coucher à onze. Est-ce clair?

— Pourquoi devrions-nous rentrer, alors qu'il n'y a personne
d'autre, ici?

— Parce que nous obéissons à des règles, dans cette maison.

— Je n'aime pas la maison quand papa n'y est pas.

— Est-ce si différent de l'époque où il vivait ici et passait ses soirées à l'école, pour assister à ses réunions ?

— Oui, c'est différent. C'est morbide, et si tu dois aller à tes répétitions chaque soir, moi, je préfère passer la soirée en compagnie d'Erin.

— Vous me blâmez pour tout ce qui arrive, n'est-ce pas ?

— C'est toi qui l'as mis à la porte.

— Robby ? dit Claire en invitant son fils à s'exprimer.

— Je ne vois pas pourquoi tu n'aurais pas pu le laisser rester, pendant que vous essayiez de régler ce problème, dit Robby, visiblement mal à l'aise. Tu sais, il a l'air vraiment malheureux. Ça sautait aux yeux, ce matin.

Claire réprima son envie de crier et prit une décision soudaine.

— Écoutez-moi, vous deux.

Elle les entraîna dans sa chambre et les fit asseoir sur son lit pendant qu'elle s'installait sur le coffre de cèdre, sous la fenêtre.

— Robby, tu ne comprends pas pourquoi je ne pouvais pas le laisser rester ici ? Je vais vous le dire, le plus honnêtement possible, car je crois que vous êtes assez vieux pour l'entendre. Votre père et moi sommes encore des êtres sexués. C'est une partie de notre mariage que j'aimais... que nous aimions beaucoup. En découvrant qu'il avait fait l'amour avec une autre femme la semaine avant notre mariage, je me suis sentie bafouée, et ce sentiment ne m'a pas quittée. Certaines choses m'ont poussée à croire qu'il y avait encore quelque chose entre cette femme et lui. Je ne donnerai pas de détails, car je ne veux pas vous monter contre votre père, mais j'éprouve encore des doutes au sujet de sa fidélité. Tant et aussi longtemps que ces doutes ne m'auront pas quittée, je serai incapable de partager le même toit que lui. Je suis peut-être vieux jeu, selon la mentalité d'aujourd'hui, mais je m'en moque. La parole donnée est sacrée, et je ne me contenterai pas du titre de « femme en second ».

Ensuite, il y a la preuve en chair et en os de sa trahison : Kent Arens. Je le retrouve devant moi chaque jour en classe. Comment croyez-vous que je me sente ? Pensez-vous que ce n'est pas comme une gifle quotidienne ? Votre père vous a mis dans l'obligation de côtoyer chaque jour, à l'école, votre demi-frère illégitime. Pensez-vous que je puisse tout simplement passer l'éponge ? Tous les cinq dans le même édifice, comme si nous formions une belle grande famille ! Cette histoire serait grotesque si elle n'était pas déjà tragique.

Votre père est aussi le père de Kent, et – passez-moi l'expression – je trouve cela bien difficile à avaler. Vous avez sans doute constaté qu'absolument tous, à l'école, se sont jetés sur cette nouvelle comme la pauvreté sur le monde. Le sujet est sur toutes les lèvres, maintenant. Je suis furieuse que vous soyez soumis à cela, que nous y soyons tous soumis.

Je sais que votre père vous manque, mais croyez-le ou non, il me manque à moi aussi. On ne reste pas mariée à un homme pendant dix-huit ans pour le voir partir sans regret. Mais il m'a blessée, poursuivit Claire en portant une main à son cœur, cruellement, et j'ai besoin de temps pour récupérer. J'espère que vous allez comprendre, que vous ne me ferez pas porter tout l'odieux de cette séparation.

Claire se redressa et inspira profondément. Les enfants restaient assis sur le lit, tête baissée. La tristesse qui flottait dans la pièce semblait les clouer sur place. Leur mère comprit qu'elle seule pouvait rompre cette atmosphère pénible.

— Maintenant, venez, fit-elle en ouvrant grand les bras. Venez m'embrasser, car j'en ai terriblement besoin. Nous en avons tous besoin.

Ils se levèrent et restèrent longtemps dans ses bras, car ils venaient de comprendre qu'il y avait deux points de vue dans cette tragédie et que leur mère méritait leur compréhension.

— Je vous aime, dit Claire, le visage pressé contre les têtes de ses deux enfants. Et votre père aussi, ne l'oubliez jamais. Peu importe ce qui pourra arriver, il vous aime et n'a jamais voulu vous faire de mal.

— Nous le savons, répondit Robby.

— Très bien. Maintenant... fit-elle en les laissant aller, cette journée a été horrible et nous sommes tous fatigués. Je crois qu'il est temps d'aller dormir.

Quinze minutes plus tard, Claire était étendue sur son lit, qui était aussi celui de Tom, et laissait couler ses larmes sans chercher à les retenir. Il lui manquait. Oh, mon Dieu, comme il lui manquait, et elle lui en voulait de l'avoir rendue si entêtée, si inaccessible, de l'avoir forcée à prouver qu'elle pouvait vivre sans lui ! Il affirmait qu'il n'y avait rien entre Monica et lui, mais Ruth ne les avait-elle pas vus ensemble ? Pourquoi y avait-il eu tant d'émotion dans sa voix, quand il lui avait parlé au téléphone ? C'était si douloureux de ne plus pouvoir le croire, après des années de confiance mutuelle, mais c'était bien pire d'être hantée par toutes ces images de lui au lit avec une autre femme.

Pourtant ces images refusaient obstinément de la quitter. Elles ressurgissaient chaque soir, lorsque Claire se couchait sur ce lit où Tom et elle avaient connu tant de moments d'intimité, ce lit dont les draps restaient imprégnés de l'odeur de son mari. Elle aurait beau vivre cent ans, jamais elle ne s'habituerait à l'absence de son corps chaud, de sa respiration calme et régulière, de l'autre côté du lit.

Parfois, des pensées différentes surgissaient, sans être sollicitées.

Tu as peut-être une maîtresse, Tom Gardner, mais ne te crois pas le seul à être encore capable de plaire. Je n'aurais qu'à claquer les doigts pour que John Handelman se retrouve au lit avec moi !

Ce n'était qu'une menace en l'air, mais elle éprouvait néanmoins de la culpabilité à la proférer, comme si elle songeait effectivement à l'adultère.

Il fallait bien que l'un d'eux respecte ses vœux, dans l'intérêt des enfants. Si Tom en avait été incapable, elle le ferait, elle. Chelsea et Robby avaient besoin d'un modèle, et la baisse que leur père avait subie dans leur estime avait causé un grand chagrin à Claire.

Ses yeux seraient encore rougis, demain matin. Ça aussi, c'était sa faute. Sa faute, si elle devait vivre sans lui... Sa faute, si elle se retrouvait la proie des commérages, à l'école... Sa faute, si elle devenait une cible facile pour John Handelman...

Longuement, elle maudit Tom sans cesser de déplorer son absence, jusqu'à ce que le sommeil finisse par s'emparer d'elle.

Le lendemain, elle comprit, en voyant Kent Arens entrer dans sa classe, que la nouvelle de leur séparation lui était parvenue. Jusqu'à présent, le jeune homme s'était toujours montré attentif, mais distant. Aujourd'hui, il semblait l'étudier avec une sombre intensité, qu'elle pouvait percevoir même le dos tourné.

Elle aurait dû laisser Tom le changer de classe, comme il l'avait suggéré. Comment une femme – n'importe quelle femme – pouvait-elle rester objective devant le fils illégitime de son mari – et à plus forte raison se montrer bien disposée à son égard ? Son antipathie devait être flagrante. Elle ne l'invitait jamais à prendre la parole, ne le regardait pas, ne le saluait pas quand il entrait en classe. Lorsque, par hasard, leurs regards se croisaient, ni l'un ni l'autre ne souriait. Claire se sentait coupable de le traiter ainsi, mais le comportement du jeune homme demeurait exemplaire, tout comme ses notes, ce qui permettait à son professeur d'étouffer ses remords.

Ce mardi-là, quand la cinquième période prit fin et que les élèves commencèrent à sortir lentement de la classe, Kent resta assis à son pupitre. Claire fit semblant de ne pas le voir et continua à ranger ses notes et à vérifier son plan de cours, mais sa présence était difficile à ignorer. Kent déplia ses longues jambes et vint se planter juste devant elle.

— J'ai appris la nouvelle, à propos de M. Gardner et de vous.

— Vraiment ? fit-elle en levant vers lui un regard dépourvu de bienveillance.

— Je suppose que tout est de ma faute.

Claire rougit en l'entendant se charger du poids de la faute d'un autre.

— Non, bien sûr que non.

— Alors, pourquoi me traitez-vous comme un lépreux ?

— Je suis désolée, Kent, bredouilla-t-elle en rougissant. Je ne m'en étais pas aperçue.

— Je crois plutôt que vous le faites exprès, pour me punir d'être dans cette école.

Frappée de plein fouet par la vérité, Claire se laissa tomber dans son fauteuil en frissonnant, le souffle coupé.

— Vous lui ressemblez beaucoup, murmura-t-elle.

— Vraiment ? Je n'en sais rien.

— Dans la même situation, il n'aurait pas hésité à me tenir tête. Je vous admire d'oser le faire.

— Alors, pourquoi l'avoir quitté ?

— Franchement, Kent, cela ne vous regarde en rien.

— Ça ne me regarde pas ? Rien de tout ça ne serait arrivé si je n'étais pas venu vivre dans ce district. Ai-je bien raison ?

— En effet, reconnut-elle à mi-voix.

— Peut-être ne cherchez-vous pas à me punir, moi. Mais si vous cherchez à vous venger de lui, vous devez savoir que vos enfants vont en souffrir également. Ça n'a aucun sens. Je sais ce qu'on éprouve quand on grandit sans son père. Vos enfants en ont un et vous les en privez. Vous me pardonnerez de vous parler ainsi, madame Gardner, mais ce n'est pas juste. Chelsea m'a déjà dit à quel point elle aimait son père et hier encore, au vestiaire, on voyait bien que Robby n'était plus que l'ombre de lui-même. Il ne s'est même pas mis à la tête de l'équipe pour la séance d'entraînement.

— J'ai parlé à mes enfants, hier soir, et je pense qu'ils comprennent les raisons pour lesquelles j'ai quitté Tom.

— Vous ne pensez tout de même pas qu'il a une liaison avec ma mère ? Parce que je lui ai carrément posé la question, et elle m'a dit que non. Pourquoi ne le demandez-vous pas à votre mari ?

Claire fut tellement prise au dépourvu qu'elle ne put réagir. Qu'est-ce qu'elle faisait là, à discuter de sa vie intime avec un de ses élèves ?

— Je ne crois pas que cela vous regarde, Kent.

— Très bien, dans ce cas, dit-il d'un ton poli mais glacial, je vous présente mes excuses.

Il se dirigea vers la porte avec une raideur toute militaire. Kent se maîtrisait bien plus que n'importe quel autre adolescent à qui Claire avait déjà enseigné. Ne craignait-il pas les représailles ? Jamais un élève normal n'aurait osé s'adresser à son professeur sur ce ton. Le plus remarquable était qu'il l'avait fait avec le plus grand respect, le même genre de respect que Tom et elle avaient toujours tenu à conserver dans leurs désaccords. En voyant Kent quitter la salle, Claire ne put se défendre d'un certain respect à l'égard du jeune homme.

Dès la fin de la semaine, la rumeur avait pris de l'ampleur, et toute la communauté du HHH savait que Kent Arens était le fils illégitime du directeur. Son nom était maintenant sur toutes les lèvres, et nombreux étaient ceux et celles qui s'aventuraient à poser des questions à Robby et à Chelsea. Claire remarquait maintenant que son arrivée dans une pièce produisait un silence de conspirateur chez ceux qui s'y trouvaient déjà. Tom avait rencontré Lynn Roxbury, qui lui avait fortement conseillé de ne tenir aucun compte de l'opinion des gens et de raffermir sa relation avec Kent.

Il décida de convoquer le jeune homme à son bureau dès la première heure de la journée, et cette fois, son fils arriva au bout de cinq minutes seulement. Une fois seuls, ils s'étudièrent en silence, comme s'ils avaient encore besoin de se familiariser avec l'idée qu'ils étaient père et fils. Ce moment leur parut encore plus chaleureux que leur dernière rencontre, marquée par des complications de toutes sortes et la nécessité de garder le secret. Ils purent scruter à leur aise les yeux, la forme du visage et la musculature de l'autre, sans subir à nouveau le choc de leur ressemblance.

— Nous avons vraiment beaucoup de traits communs, n'est-ce pas ? dit Tom.

Kent hocha imperceptiblement la tête. Il dévisageait encore son père, qui avait contourné son bureau et se tenait maintenant devant lui.

— Tout le monde à l'école est au courant, maintenant.

— Cela te dérange-t-il ? demanda Tom.

— Au début, oui. Maintenant... je ne sais plus. En fait, je serais plutôt... fier.

— J'aimerais bien que tu voies des photos de moi quand j'avais ton âge, dit Tom, surpris et heureux.

Le silence reprit pendant qu'ils songeaient à toutes les possibilités que recélait l'avenir, au temps perdu qu'ils devaient reprendre, à ce qu'ils seraient en tant que père et fils.

— Mon père aimerait te rencontrer, dit enfin Tom.

— Moi aussi, fit simplement Kent au bout d'un moment.

— Je vis chez lui, maintenant, tu le savais ?

— Oui, je suis au courant. Je suis désolé d'être la cause de tout ça.

— Ce n'est pas toi. Ce qui arrive est plutôt ma faute. Mais il s'agit de mon problème et c'est à moi de le régler. Quoi qu'il en soit, papa et moi avons pensé que tu pourrais peut-être venir ce week-end, samedi ?

— Bien sûr. Je veux dire... enfin... Ce serait sensationnel !

— Tu pourrais aussi rencontrer oncle Clyde, si tu veux.

— Certainement, répondit Kent, qui rayonnait de joie.

— Je dois te prévenir : oncle Clyde et papa sont deux vieux hâbleurs. Tu devras prendre ce qu'ils diront avec un grain de sel.

— Je n'arrive pas à croire que je vais rencontrer mon grand-père.

— C'est vraiment un chic type, tu verras. Je suis sûr qu'il va te plaire... Bon, écoute, je ne dois pas te retenir plus longtemps. Veux-tu que je passe te prendre, samedi ?

— Non, maman va me laisser sa voiture.

— Très bien, dans ce cas. À deux heures ? Tiens, un instant, dit Tom en retournant à son bureau. Je vais te dessiner le chemin.

Kent se tint tout près de son père pendant qu'il traçait un croquis sur une feuille.

— Il faut chercher une rangée de pins sur le bord de la route et prendre à droite au carrefour. La maison de papa est située cent cinquante mètres plus loin. En fait, c'est une maisonnette en rondins. Ma Taurus rouge devrait être à côté de sa camionnette, dit Tom en tendant le papier à son fils.

— Merci. Deux heures... J'y serai, fit Kent en pliant la petite feuille une, deux, puis trois fois, sans raison.

Ils n'avaient plus rien à se dire pour le moment, mais ils restaient en attente, conscients qu'ils devaient franchir un seuil au-delà duquel leur relation ne serait plus jamais la même. Leurs regards parlaient pour leurs cœurs et révélaient leur désir le plus cher, aussi bien que leurs craintes.

Tom ouvrit les bras et Kent s'élança vers lui. Ils restèrent silencieux, pressés l'un contre l'autre, en proie à une émotion indescriptible. Leurs retrouvailles étaient devenues un miracle, un don inespéré du ciel. Ils se sentaient incroyablement favorisés, comblés par le destin.

Lorsqu'ils se séparèrent et se regardèrent dans les yeux, ils constatèrent qu'ils étaient sur le point de pleurer.

Tom posa la paume de sa main sur la joue de son fils pendant que le jeune homme laissait retomber ses bras. Il tenta de parler, mais sans succès. Aucun sourire, aucun son ne vint briser la perfection de ce moment. Ils s'éloignèrent, Tom baissa la main, et Kent quitta le bureau, maintenant plongé dans un silence réservé d'habitude aux églises.

Quatorze

— Allez, papa. Mettons un peu d'ordre dans ce capharnaüm.

— Ben, pourquoi ? fit Wesley en regardant le porte-revues débordant de magazines, la pile de vieux journaux jaunis, les housses poussiéreuses et de travers, ainsi que l'évier taché de la cuisine.

— Je ne comprends pas comment tu peux vivre dans une telle porcherie.

— Ça ne me dérange pas, moi !

— Je m'en doute, mais ne pourrais-tu pas rendre la maison présentable, pour une fois ?

— Oh, d'accord, ronchonna Wesley en se levant avec lenteur de sa chaise de cuisine. Que veux-tu que je fasse ?

— Rien qu'une chose : jette tout ce que tu n'as pas utilisé au cours des six derniers mois, prends une douche, et mets des vêtements propres. Je m'occupe du reste.

Wesley baissa les yeux vers son pantalon trop grand et sa chemise kaki, puis releva la tête vers son fils avec un air indigné qui semblait vouloir dire : *Et qu'est-ce qui cloche dans mes vêtements ?* Il baissa les yeux de nouveau, gratta un morceau de jaune d'œuf séché sur son ventre, renifla et entreprit de trier les journaux.

Clyde vint faire un tour peu avant deux heures, vêtu comme si on l'avait invité à des noces. Contrairement à son frère, il prenait un grand plaisir à enfiler ses plus beaux atours.

— Doux Seigneur Jésus, regardez-moi ça ! s'exclama-t-il dès qu'il eut posé les yeux sur Wesley. Tom, passe-moi vite un canif, que je grave la date d'aujourd'hui sur le mur.

— Ferme-la, Clyde, avant que je ne te fasse taire.

— Comment t'y es-tu pris, Tom? ricana le vieillard. L'as-tu enchaîné sous la douche? Bon Dieu, t'es joli à croquer, frérot. Si tu es gentil avec moi, je t'emmènerai au bordel, tout à l'heure.

Kent arriva à l'heure convenue. En sortant de sa Lexus, il fut accueilli par les trois hommes, qui le saluèrent du porche. Tom alla à sa rencontre. À nouveau, il y eut entre eux un moment embarrassé, comme lorsqu'ils s'étaient donné l'accolade.

— Bonjour Kent. Heureux de te voir.

— Bonjour monsieur. Moi aussi.

— Eh bien... Viens que je te présente.

Tom hésitait encore sur la façon dont il devait s'y prendre.

— Kent, je te présente mon père, Wesley Gardner, et mon oncle, Clyde Gardner. Papa, oncle Clyde, voici mon fils, Kent Arens.

« Mon fils, Kent Arens. » L'effet de cette déclaration fut plus puissant que ce que Tom avait imaginé. Mon fils, mon fils, mon fils... Une grande joie se répandit en lui, tandis qu'il assistait à la rencontre de son père et de Kent. Wesley garda longtemps la main du jeune homme dans la sienne. En souriant, il regarda alternativement Kent et son père.

— Oui monsieur, lança-t-il, tu es bien le fils de Tom! Et je veux bien être damné si tu n'as pas quelques traits de ta grand-mère, également. Tu ne trouves pas qu'il a la bouche d'Anne, Clyde?

Kent commença par sourire timidement, puis se mit à rire. Quand vint le moment de serrer la main de Clyde, le pire était passé.

— Eh bien, suis-moi, mon gars. Je vais te faire les honneurs de la maison, dit Wesley en montrant le chemin. Ton père m'a tout fait chambouler, ce matin, pour enlever l'odeur de poisson. Je ne sais pas ce que tu en penses, mais je ne vois pas en quoi dérange une petite odeur de poisson. Ça donne un certain charme à une maison. Tu aimes pêcher, fiston?

— Je ne l'ai jamais fait.

— Jamais fait! Il va falloir changer ça, pas vrai, Clyde? C'est trop tard pour cette année, mais l'été prochain, quand la saison débutera, tu verras! J'ai mis une canne à pêche entre les mains de ton père quand il ne m'arrivait même pas à la taille, et laisse-moi te dire qu'il a vite appris! Nous commençons peut-être un peu tard, avec toi, mais au moins, tu n'as pas encore pris de mauvais plis. Tu n'as jamais vu une canne à pêche Fenwick, Kent?

— Non, monsieur, jamais.

— C'est bien la meilleure... « Monsieur »? dit Wesley en fronçant les sourcils d'un air faussement choqué. Qu'est-ce que c'est que ce « Monsieur »? J'ignore ce que tu en penses, mais je me sens passablement veinard, aujourd'hui. Je viens tout juste de me trouver un nouveau petit-fils, et si ça ne te fait rien, j'aimerais bien que tu m'appelles grand-père, comme font tous les autres. Tu ne veux pas essayer, un peu?

Kent ne put s'empêcher de sourire. Il était très difficile de ne pas aimer un vieux moulin à paroles comme Wesley.

— Grand-père, dit-il.

— Voilà qui est mieux. Maintenant, viens un peu par ici. Je vais te montrer ma Fenwick Goldwing. Je viens tout juste d'y mettre un moulinet Daiwa, une très bonne marque.

— Ne l'écoute pas, fiston, sinon tu vas tout de suite prendre de mauvaises habitudes, glapit Clyde. Ce vieux toqué croit posséder la meilleure canne et le meilleur moulinet au monde, mais ça ne vaut pas tripette à côté de ce qu'il y a chez moi. Je possède une G. Loomis et un Stradic deux mille de Shimano. Demande-lui un peu qui a attrapé la plus grosse perche, cet été. Vas-y, demande-lui!

— Qui a attrapé la plus grosse perche, grand-père? demanda Kent, en se prenant instantanément à leur jeu.

— Tu me prends pour un animal, Clyde? grogna Wesley. T'as accroché ta prise à cette sacrée vieille balance rouillée, qui a probablement servi à peser la baleine de Jonas!

— Elle a beau être vieille, elle est quand même exacte.

— Alors, dis-lui donc qui a attrapé le plus gros achigan.

— Un instant, intervint Kent, un instant. Qu'est-ce qu'un achigan?

— Qu'est-ce qu'un achigan ? dirent en chœur les deux frères en le dévisageant avec incrédulité.

— Pauvre petit, fit Wesley en hochant la tête. Nous avons tout un rattrapage à faire.

Tous ensemble, ils passèrent une journée mémorable, et Kent en apprit beaucoup plus sur son grand-père et son grand-oncle que sur Tom. Assis sur le canapé, il écouta les deux vieillards raconter leur enfance à Alexandria, Minnesota, ainsi que les tours pendables qu'ils s'amusaient à jouer à leurs voisins. Clyde et son frère avaient volé des pastèques, enduit des poignées de porte de fromage, caché des serpents dans des boîtes aux lettres, collé des pièces de dix cents au trottoir, et mis du sucre dans les salières du restaurant du coin. Ils avaient même, un jour, dérobé les énormes dessous de leur professeur d'anglais, Mme Fabrini, pour les hisser au mât de l'école.

— Ouuuh ! Tu te souviens comment elle était ? demanda Clyde à son frère en tendant les bras devant lui comme s'il portait deux gros sacs d'épicerie.

— Et le derrière aussi !

— Tu peux le dire ! Quand le vent s'est mis à agiter sa culotte, les professeurs de sciences ont fait sortir leurs élèves, croyant qu'une éclipse était en train de se produire.

— Et tu te souviens de sa moustache ?

— Et comment ! répliqua Clyde. Elle se rasait plus régulièrement que bien des garçons les plus vieux. En fait, je crois que beaucoup d'entre eux l'enviaient. Pas moi, en tout cas. J'avais une barbe bien fournie dès ma dixième année. Les filles commençaient déjà à me reluquer.

— Ouais, bien sûr... Je suppose que t'allais déjà au bordel, à l'époque ?

— Jaloux, Wesley ? ricana son frère en clignant de l'œil.

— Pardon ? Il n'est pas encore venu le jour où je serai jaloux d'un homme dont la tension artérielle est quatre fois plus élevée que son Q.I.

Tom les laissa se quereller en regardant Kent. Parfois, leurs regards se croisaient, et ils échangeaient des sourires amusés. En entendant parler de bordel, le jeune homme eut l'air un peu décontenancé, mais il comprit qu'il ne s'agissait que d'un vieux refrain entre les deux frères. Lorsqu'ils eurent terminé leur joute oratoire, Wesley sortit des albums poussiéreux et montra à Kent de vieilles photos de Tom enfant.

— Voilà ton père juste après sa naissance. Il avait très souvent des coliques et ta grand-mère devait arpenter la maison avec lui une bonne partie de la nuit. Ici, il est avec la petite voisine, Sherry Johnson. Ils jouaient ensemble dans la cour, et je leur donnais souvent des leçons de natation. Ton père n'en avait pas vraiment besoin : il nageait comme un véritable poisson. T'ai-je dit qu'il avait suivi les cours de secourisme jusqu'au rang le plus élevé ? Ah, ça, ici, je m'en souviens bien...

Ils virent les photos de Tom en uniforme de footballeur, en toge, pour la remise des diplômes, et en smoking, le jour de son mariage. Le dernier album venait d'être refermé lorsqu'ils entendirent klaxonner, dehors. À travers le rideau de la porte arrière, ils aperçurent quatre personnes sortant d'une Bronco rouge.

— Je veux bien être pendu si ce n'est pas Ryan et ses petits, dit Wesley en se levant. On dirait que Connie n'est pas avec eux. Eh bien ! s'écria-t-il en ouvrant la porte. Regardez un peu qui est là !

Des voix diverses saluèrent en chœur. Tom se leva également. Il ne s'attendait pas à une telle surprise. Son frère aîné et ses enfants ne savaient rien de Kent. Ils vivaient à une heure et demie de route de là, à Saint-Cloud, et Tom ne les voyait pas souvent.

Les choses se passèrent très vite. Les nouveaux arrivants entrèrent dans la maisonnette, Kent se leva lentement en jetant un regard interrogateur à Tom, et Clyde se mit à serrer des mains et à distribuer de grandes tapes dans le dos de tout le monde.

— Ça alors, s'écria Ryan en apercevant son cadet, moi qui croyais devoir poursuivre ma route pour te trouver.

— C'est ton jour de chance, mon vieux, dit Tom en lui serrant la main. Où est Connie ?

— Elle est allée à une grande vente aux enchères d'antiquités avec sa sœur. J'ai rassemblé les enfants et leur ai dit : « Allons donc voir grand-père ! » Dis, je ne vois pas Claire, fit-il en jetant un regard empreint de curiosité à Kent.

— Elle est à la maison.

— Avec les enfants ?

— Oui.

— Tout le monde va bien ?

— Oui, oui... tout le monde.

— Et qui avons-nous là ? demanda Ryan en se tournant vers Kent.

— Eh bien... fit Tom en posant une main sur l'épaule de son fils. Je crois qu'il faudrait quelques explications, que je serai heureux de fournir, si ça ne te fait rien, Kent.

— Allez-y, répondit le jeune homme en regardant son père droit dans les yeux.

Kent n'arrivait pas à s'arracher de la fascination qu'exerçait sur lui ce groupe de gens qui lui étaient apparentés. Ryan semblait être la réplique en plus large de Tom, mais avec des lunettes et un peu de gris aux tempes. Un véritable oncle... et ses trois enfants ! Assez proches de son âge pour qu'ils puissent devenir des amis, si tout se passait bien.

— Voici mon fils, Kent Arens, annonça Tom d'une voix forte, dépourvue de culpabilité.

Tous se turent et un grand silence tomba sur la pièce, jusqu'à ce que Ryan, dissimulant son étonnement, tende à Kent une main qui évoquait un gant de boxe, pendant que Tom faisait les présentations.

— Kent, voici ton oncle Ryan, ton cousin Brent, et tes cousines Allison et Erica.

Ils se dévisagèrent un instant et leurs visages rougirent.

— Eh bien, quelqu'un n'a-t-il pas quelque chose à dire ? finit par lancer Wesley.

— Ben... bredouilla Erica en provoquant l'hilarité générale, où étais-tu tout ce temps ?

— Asseyez-vous tous. Kent et moi allons vous expliquer, dit Tom. Il n'y a plus de secret qui tienne. Toute l'école est au courant, il est juste qu'il en soit de même pour la famille. Ce n'est pas tous les jours qu'on se découvre un nouveau cousin ou un nouveau neveu, alors aussi bien commencer par dire la vérité. Papa, je crois qu'il va nous falloir encore du café.

Tom leur raconta toute l'histoire sans rien cacher. Kent fournit quelques détails supplémentaires, en échangeant des regards avec son père, mais garda le silence la plupart du temps, encore frappé par l'élargissement subit de son horizon familial. Tous ensemble, ils burent du café et de la bière d'épinette, mangèrent quelques petits gâteaux, et Kent put finalement engager la conversation avec Brent, qui étudiait à l'Université du Minnesota pour devenir orthophoniste. Allison avait dix-neuf ans et travaillait dans une banque, tandis qu'Erica, âgée de quinze ans, ne semblait pas revenir de sa surprise et rougissait chaque fois qu'elle parlait à Kent.

Ryan et Tom purent converser seul à seul vers la fin de l'après-midi, alors que le soleil commençait à décliner à l'horizon.

— Allons faire un tour, proposa Ryan à son frère, qui sortit à sa suite dans le froid d'octobre. Côte à côte, ils s'appuyèrent contre le capot de la camionnette de Ryan et contemplèrent les nuages bas à travers les branches des grands pins. Un couple de malards traversa le ciel et le vent tourbillonna dans la clairière, autour de la petite maison, agitant les cheveux des deux hommes et les longues herbes séchées à leurs pieds. Il leur sembla même sentir de petits flocons de neige sur leur peau.

— Pourquoi n'as-tu pas téléphoné ? demanda Ryan.

— Je ne savais pas quoi dire.

— Bon Dieu, je suis ton frère. Tu n'as pas à me faire de longs discours, tu le sais bien.

— Oui, je sais, fit Tom en gardant les yeux baissés vers le bout de ses chaussures.

— As-tu quitté Claire ?

— Non, c'est plutôt l'inverse... Enfin, elle m'a mis à la porte.

— Je n'arrive pas à le croire.

— Moi non plus.

— Vous avez toujours paru si unis... Je croyais que rien ne vous séparerait jamais ! Bon Dieu, Connie et moi, nous nous disputons plus souvent que vous.

Ils se turent et leurs visages devinrent lentement aussi sombres que le jour déclinant. Au bout d'un moment, Ryan laissa lourdement tomber son bras sur les épaules de son petit frère.

— Comment te débrouilles-tu avec tout ça ?

— Vivre chez papa, ce n'est pas terrible, fit Tom en se croisant les bras.

— Ouais, je comprends.

— Il va falloir que je me trouve un appartement. Tout ce désordre me rend fou.

— As-tu des meubles ?

— Non.

— Alors, que vas-tu faire ? Emménager chez quelqu'un ?

— Non, rien dans le genre.

— Donc, il n'y a rien entre cette femme et toi ?

— Non, rien du tout.

— Tant mieux. Au moins, tu n'auras pas cette complication. Tu vas sûrement tenter de te réconcilier avec Claire.

— Pour autant qu'elle le veuille aussi. Jusqu'à maintenant, elle s'est montrée intraitable. Elle ne veut plus me voir. Elle a besoin d'espace. Elle veut réfléchir et panser ses blessures.

— Et ça va prendre combien de temps, tout ça ?

— Je n'en sais rien, soupira Tom en fermant les yeux. Je n'arrive pas à la comprendre.

— Ouais, qui peut comprendre les femmes ? dit Ryan en serrant davantage les épaules de son frère. Que veux-tu que je fasse ? ajouta-t-il après un temps. Tu n'as qu'à demander.

— Il n'y a pas grand-chose que tu puisses faire.

— J'ai quelques vieux meubles, un fauteuil inclinable qui ne pourra pas rentrer dans la chambre de Brent, à la résidence étudiante, et deux vieilles tables de formica.

— Non, merci quand même. Je vais probablement louer quelque chose. Rien de trop permanent, tu comprends ? Si je tarde tant à déménager, c'est que je vais me sentir très seul, surtout au moment des fêtes. Papa n'est pas des plus soigneux, mais au moins il me tient compagnie. Oncle Clyde vient chaque jour, et ils se racontent un tas d'inepties. Tu sais comment ils sont.

— Ah oui, dit Ryan en riant doucement. Je sais.

Deux oiseaux les survolèrent. En des temps plus heureux, les deux frères auraient cherché à les identifier, mais ils ne firent que lever la tête pour les regarder s'enfuir au loin.

— Je sais à quel point tu l'aimes, reprit Ryan. Ce doit être infernal pour toi.

— Tu peux le dire.

Ryan pressa son frère contre lui et frotta maladroitement la manche de sa veste plusieurs fois.

— Le garçon m'a l'air pas mal impressionnant, fit-il.

— C'est quelqu'un, pas vrai? Je dois reconnaître que sa mère a fait un sacré bon boulot.

— Écoute, veux-tu que je parle à Claire?

— Je ne suis pas sûr que ça aiderait.

— On peut toujours essayer. Je lui téléphonerai la semaine prochaine. Si je peux t'être utile en quoi que ce soit d'autre, tu n'as qu'à me le demander.

— J'aurai peut-être besoin d'un endroit où aller pour la Thanksgiving.

— Tu es le bienvenu chez nous.

Ils se turent et Ryan tourna la tête vers le rectangle de lumière issu de la porte du chalet.

— Je crois bien que c'est l'heure de partir. Connie doit être revenue à la maison, maintenant, et j'en ai pour une bonne heure et demie.

— Oui, je crois bien...

Ils se redressèrent et se donnèrent une longue et chaleureuse accolade, attristés par les difficultés que Tom aurait à affronter.

— Écoute, petit frère, tu m'appelles si tu as besoin de moi, compris?

— Oui, dit Tom en se tournant brusquement vers la maisonnette pour que Ryan ne voie pas qu'il arrivait à peine à contenir ses larmes. Claire dirige ses répétitions chaque soir, reprit-il alors qu'ils arrivaient à la porte. Si jamais tu veux lui téléphoner, fais-le tard, d'accord?

— D'accord.

— Et appelle-moi tout de suite après, pour me dire comment elle va.

Dix minutes plus tard, Tom saluait les deux véhicules qui s'éloignaient ensemble dans la nuit tombante. Ryan retournait chez lui, auprès de sa Connie, et les enfants discuteraient avec animation autour de la table. Il imagina son propre foyer sans lui : Claire, Robby et Chelsea, silencieux, l'air sombre. Kent, lui, retrouverait sa mère et lui raconterait tout à propos de son cousin et de ses cousines, de son grand-père, de son oncle et de son grand-oncle. Derrière lui, Clyde et Wesley avaient fermé la porte et devaient être en train de sortir le jeu de cartes. La canasta servirait de prétexte à leur dispute, ce soir. Tom avait connu de nombreux moments difficiles, depuis qu'il avait annoncé l'existence de son fils à Claire, mais jamais il ne s'était senti aussi solitaire. Même les canards qui survolaient le lac allaient en couple.

Lorsqu'il rentra, il vit que le jeu de cartes était effectivement étalé sur la table. Son père sortait des toilettes, tandis que Clyde fouillait dans le réfrigérateur à la recherche d'une bière.

— Je sors faire un tour, dit Tom.

— Et où vas-tu ? s'enquit son père.

— À la pharmacie, chercher des pastilles contre la toux... D'accord, reprit-il devant l'expression méfiante du vieil homme. Je suppose que tu ne me croirais pas non plus, si je te disais que je vais au bordel ?

— Non plus.

— Je vais parler à Claire.

— Là, je te crois ! Bonne chance.

Sur la route, Tom n'était pas très sûr de ce qu'il éprouvait. De la peur, bien sûr, et de l'espoir, mais aussi beaucoup de pitié envers lui-même et une énorme insécurité, à laquelle il n'était pas habitué. *Et si je ne fais qu'empirer les choses ? S'il y a quelqu'un, là-bas ? Irait-elle jusqu'à inviter John Handelman chez elle ? Si je rends les enfants tristes ? Si elle se met à pleurer ? À crier ? Si elle tente de me chasser ?*

Parfois, un accès de colère venait à sa rescousse. Après tout, il l'avait suppliée de lui pardonner, et elle ne songeait pas assez à toutes leurs années de bonheur.

Tom hésita un bref moment devant la porte de sa maison et se rebiffa. Il n'allait quand même pas frapper avant d'entrer! Cette maison, il l'avait payée, bon Dieu! Il avait peint lui-même cette porte, en avait remplacé la serrure quand elle avait fait défaut. La clé se trouvait dans sa poche! Frapper? Jamais de la vie!

À l'intérieur, la cuisine était vide, mais on entendait de la musique à l'étage. Au pied de l'escalier, Tom aperçut une faible lueur venant du bout du couloir.

— Claire? lança-t-il.

— Je suis dans la chambre, entendit-il après un court silence.

Claire était assise devant son miroir et finissait de mettre une boucle d'oreille. Elle portait des souliers à talons hauts, une robe bleu sombre et un chemisier à motif floral qu'il ne lui avait jamais vu auparavant. La pièce sentait le parfum d'Estée Lauder qu'elle portait depuis des années.

— Salut, dit-il.

— Salut, répondit-elle en prenant sa deuxième boucle d'oreille.

— Où sont les enfants?

— Robby est sorti avec une fille et Chelsea est allée chez Merilee.

— Merilee Sand? Elle la voit beaucoup, ces jours-ci, non?

Ni l'un ni l'autre n'aimait particulièrement cette jeune fille.

— Je m'assure qu'elle rentre à l'heure indiquée.

— Qu'est-il arrivé à Erin?

— Chelsea ne va plus beaucoup chez elle.

Tom resta dans l'embrasure de la porte, les pieds bien écartés. En voyant Claire se pencher vers le miroir pour mieux voir ses boucles d'oreilles, il sentit le désir monter en lui et se demanda ce qu'il allait faire.

— Et toi, où vas-tu?

— Voir une pièce de théâtre, au Guthrie, avec Nancy Halliday.

— En es-tu bien sûre?

— Qu'est-ce que cette question est censée signifier? demanda Claire en ouvrant un tiroir pour y prendre une longue chaînette en or qu'il lui avait offerte pour leur quinzième anniversaire de mariage.

— Depuis quand mets-tu des talons hauts et du parfum pour sortir avec Nancy ?

— Je mets des talons hauts et du parfum pour aller à un théâtre fréquenté par des gens chic, répliqua-t-elle en passant la chaînette autour de son cou.

— Pour qui me prends-tu ? Je suis déjà allé au Guthrie. La moitié des gens, là-bas, ont l'air d'anciens hippies. Les femmes portent des collants noirs et des chandails de laine trop grands pour elles, et les hommes, des pantalons de velours côtelé dans un état pire que toute la garde-robe de mon père !

— Ne sois pas ridicule, Tom, dit-elle en éteignant la radio.

— Écoute, Claire ! lança-t-il en s'avançant vers elle en deux enjambées. Nous sommes séparés, pas divorcés ! Tu n'as pas le droit de sortir avec d'autres hommes !

— Je ne sors pas avec d'autres hommes ! Je vais au Guthrie avec Nancy Halliday !

— Et que diable est-il arrivé à son mari ?

— Il reste chez lui. Il n'aime pas le théâtre.

— Et John Handelman ne va pas avec vous, par hasard ?

Claire le regarda avec colère et rougit. Comprenant qu'elle venait de commettre une erreur, elle fit volte-face, ouvrit la porte de la penderie et arracha sa veste du cintre.

— J'ai bel et bien mis le doigt dessus, n'est-ce pas, madame Gardner ? cria Tom en la faisant pivoter sur elle-même. Alors, écoute-moi bien ! J'ai vu cet homme te déshabiller du regard pendant dix ans. Je l'ai vu se glisser dans ta classe entre deux cours, et attendre sa chance comme un sale petit opportuniste. Maintenant qu'on sait que nous sommes séparés et qu'il peut te voir chaque soir, aux répétitions, il croit sans doute avoir le champ libre. Plutôt crever, Claire ! Tu es encore ma femme, et si John Handelman pose ne serait-ce qu'un doigt sur toi, je le fais castrer, ce fils de pute !

— N'emploie pas ce ton avec moi, Tom Gardner ! cria-t-elle en libérant son bras. Pas pour m'accuser de ce que *tu* as fait, afin de te déculpabiliser ! Il ne se passe rien avec John Handelman. Nous dirigeons les répétitions, point final !

— Essaies-tu de nier qu'il salive à la porte de ta classe depuis le jour où il a posé les yeux sur toi ?

— Non...

— Parce que c'est vrai !

— ...mais je ne l'ai jamais encouragé ! Jamais !

— Allons donc, Claire, dit-il d'un ton méprisant. Me prends-tu vraiment pour un imbécile ? Je t'annonce que j'ai un fils illégitime, tu es blessée dans ton orgueil, John Handelman rôde dans les coulisses chaque soir après les répétitions, et tu veux me faire croire que tu ne l'encourages pas ?

— Je me moque de ce que tu crois, répliqua-t-elle en finissant d'enfiler son manteau. Et la prochaine fois que tu viendras dans cette maison, frappe avant d'entrer !

— Mon œil !

Il la saisit et la précipita vers le lit. En un éclair, elle se retrouva étendue sur le dos, plaquée au matelas par le corps de son mari. Elle eut beau rager, Tom était le plus fort. Il saisit ses poignets et l'immobilisa.

— Claire... Claire... murmura-t-il d'un ton suppliant. Pourquoi faisons-nous de telles choses ? Je t'aime. Je ne suis pas venu ici pour me quereller.

— On ne le dirait vraiment pas ! cria-t-elle en détournant la tête comme il allait l'embrasser.

— Claire, je t'en prie, dit-il en la forçant à le regarder de nouveau. Je suis venu te demander de me laisser revenir à la maison. Je t'en prie, Claire. Je ne peux plus vivre chez mon père. Ça ne marche pas, là-bas, et je me rends compte que je vais devoir me trouver un appartement. Le premier du mois arrive bientôt, mais avant de faire quoi que ce soit... Je t'en prie, Claire, reprit-il de façon plus pressante, alors qu'elle refusait d'ouvrir les yeux. Je ne veux pas vivre seul dans un appartement miteux. Je veux vivre avec toi et les enfants, dans cette maison, chez moi.

— Va au diable, Tom, sanglota-t-elle en se couvrant le visage de sa main libre.

Elle roula sur le côté et lui-même glissa dans la direction opposée, en se penchant au-dessus d'elle pendant qu'elle se recroquevillait.

— Tu n'as aucune idée du mal que tu m'as fait, n'est-ce pas, Tom ?

— Non, Claire, apparemment pas. C'était il y a si longtemps... Je n'arrive pas à comprendre pourquoi cela t'affecte tant.

— Tu es passé d'elle à moi en trois jours ! dit-elle en lui jetant un regard furieux. Le savais-tu ? J'ai relu le journal que je tenais à cette époque. J'avais l'habitude d'y consigner chacune des fois où nous faisions l'amour. D'elle à moi – bang ! bang ! En as-tu pris conscience, Tom ? J'étais ta fiancée, poursuivit-elle en épanchant sa douleur dans chacun de ses mots. Je portais ton enfant, et je croyais... Je croyais que mon corps était sacré pour toi. Te le donner était... comme prendre part à un sacrement. Je t'aimais d'une façon incroyable, presque depuis le premier moment où nous nous étions rencontrés. À mes yeux tu étais, purement et simplement, un dieu. Je réalise ma grande erreur, aujourd'hui. Je n'aurais jamais dû t'idéaliser ainsi, car lorsque tu es descendu de ton piédestal, tu t'es brisé en mille morceaux sous mes yeux.

Maintenant, je retrouve ton fils illégitime chaque jour en classe, et je suis en butte aux commérages, à la curiosité malsaine et – oui, c'est vrai – aux avances de John Handelman, ce que je trouve énormément embarrassant, parce que j'ignore comment me défendre. Crois-tu que c'est ce que je désirais, Tom ? Le crois-tu ?

Tom la regardait sans rien dire. Plus elle parlait, plus il comprenait qu'il ne résoudrait jamais ses problèmes en s'introduisant dans sa maison, comme il venait de le faire, pour renverser sa femme sur le lit. Il se laissa tomber sur le dos et se couvrit les yeux de son bras.

— Je voudrais que les choses redeviennent comme avant, murmura-t-elle, mais c'est impossible. Parfois, je te déteste de nous avoir fait une telle chose.

Tom avala péniblement sa salive. Toute trace de désir venait de disparaître en lui. Il n'éprouvait plus que la crainte de perdre sa

296

femme et ses enfants pour avoir sous-estimé la force de la crise que traversait Claire.

Elle se traîna jusqu'au bord du lit et se redressa lentement, le dos tourné, sans chercher à aller plus loin. Tom resta étendu sur les couvertures froissées, le visage toujours dissimulé par son bras, car il avait peur de ce qu'il lirait sur le visage de sa femme quand il lui poserait la question qu'il redoutait tant.

— Veux-tu que nous divorcions, Claire ? Est-ce cela que tu veux ?

— Je n'en sais rien, répondit-elle doucement, si doucement qu'il comprit dans quel abîme leur mariage menaçait de sombrer.

Tom continua de la regarder sans bouger, en proie à un mélange d'amour, de douleur et de peur qui le prenait à la gorge. Il avait défait la coiffure de sa femme. Ses cheveux, doux et gonflés lorsqu'il était arrivé, étaient maintenant aplatis contre son crâne. Il se releva et s'approcha d'elle de façon à ce qu'elle ne puisse voir son visage, et tenta délicatement, mais sans succès, de leur redonner leur forme originale.

— Claire, je suis désolé.

Elle ne répondit rien, mais Tom sut néanmoins qu'elle le croyait. Pourtant, elle ne pouvait pas lui pardonner.

— Nous devons surmonter cette crise ensemble, reprit-il. Ne le vois-tu pas ?

— Si.

— Veux-tu que nous allions voir un conseiller matrimonial ?

L'air morne, Claire hocha lentement la tête, presque de guerre lasse, et il ferma les yeux en retenant un soupir de soulagement.

— Mais tu ferais bien quand même de prendre cet appartement, Tom.

— Maintenant ? fit-il en sursautant. Avant les fêtes ? Claire, je t'en prie...

— Prends-le, Tom.

Elle se rendit à la salle de bains pour refaire sa coiffure et son maquillage. Il se laissa de nouveau tomber sur le dos et regarda fixement le plafond de stuc, où la lumière conférait une ombre disproportionnée à la moindre irrégularité. Claire fit couler l'eau, puis ferma les robinets. Elle fouillait sa trousse de cosmétiques et faisait des bruits familiers : une petite boîte qu'on ouvrait et qu'on refermait, un pinceau à mascara qu'on trempait dans l'eau... Au bout d'un moment, Claire renifla et tira un mouchoir de papier de la boîte près de l'évier. Tom ne cessa pas de fixer le plafond, mais eut conscience du moment où elle revint et s'arrêta dans l'embrasure de la porte pour le regarder.

— Je dois partir, dit-elle calmement.

Quelque chose se brisa un peu plus à l'intérieur de Tom. Il avait cru qu'elle ne pourrait pas sortir après leur altercation, mais elle restait intraitable dans son désir de continuer à vivre sans lui, pour un temps du moins.

— Je vais rester un peu ici, si ça ne te fait rien, dit-il sans bouger.

— Pour autant que tu sois parti lorsque je reviendrai.

— Ne t'inquiète pas. Je serai parti.

— Très bien, alors. Veux-tu que je laisse la lumière allumée ?

— Non. Tu peux éteindre.

Elle quitta la chambre et descendit sans ajouter un mot. Avant de sortir, elle éteignit les lumières à l'étage, et laissa son mari dans l'obscurité.

Quinze

Les rencontres parents-professeurs allaient raccourcir la semaine scolaire, et Claire avait par conséquent décidé d'allonger d'une heure les répétitions du lundi, du mardi et du mercredi. Tout le monde avait travaillé très fort, mais les élèves ne se plaignaient pas d'avoir à passer un peu plus de temps à l'école, et ils voyaient arriver avec une joie indescriptible les quatre jours où ils n'auraient pas de répétitions. Grâce à la collaboration des élèves en arts plastiques, les toiles de fond étaient maintenant terminées et le décor promettait d'avoir l'air extraordinairement réaliste. Quelques mères avaient accepté de confectionner les costumes, qui seraient bientôt achevés. On avait imprimé les billets et un reporter du journal local avait pris d'excellentes photos, pour un article dithyrambique sur la pièce en cours de préparation. Les comédiens et l'équipe technique savaient maintenant qu'on se dirigeait vers un succès, et le moral était au beau fixe quand la répétition du mercredi prit fin, à vingt-trois heures.

Claire et John avaient maintenant pris l'habitude de se rendre à leurs autos ensemble. Le terrain de stationnement était désert à cette heure de la nuit, et de pâles nuages traversaient le ciel à la hâte, empêchant momentanément la lune de se refléter sur le toit des deux véhicules garés non loin l'un de l'autre.

— Bonne nuit, John, lança Claire sans s'arrêter.

— Bonne nuit.

Elle introduisit la clé dans la serrure et sursauta en entendant une voix juste dans son dos.

— Êtes-vous pressée de rentrer, Claire ?

— Mon Dieu, John, fit-elle en pressant une main sur son cœur. Vous m'avez fait peur.

— Désolé, c'était involontaire. Aimeriez-vous une tasse de café ?

— À cette heure-ci ?

— Bon, alors, un verre de coca ? De lait ? ajouta-t-il en la voyant hésiter. D'eau ?

— Je ne crois pas, John. Il se fait tard, et j'ai une journée chargée, demain. Vous savez comment sont ces rencontres. Demain soir, je serai vidée et de mauvaise humeur.

— Raison de plus pour prendre quelque chose ensemble ce soir même, non ? Je n'arrive pas à décrocher du travail. Tout s'est si bien passé, et les jeunes sont fantastiques. J'aime beaucoup cette atmosphère enthousiaste, et j'aimerais bien qu'elle se prolonge. Qu'en dites-vous... Juste une demi-heure ?

— Non, John, je suis vraiment désolée.

— Craignez-vous toujours que je vous fasse des avances ?

— Ai-je jamais dit que je le craignais ?

— Pas besoin de le dire, ça saute aux yeux.

— Oh... Je... je ne m'en étais pas rendu compte.

— Vous avez failli crier quand je suis arrivé derrière vous... Claire, je sais que je ne vous laisse pas indifférente. Un homme sent ce genre de choses.

— Je vous en prie, John, je dois partir.

Elle se pencha pour ouvrir sa portière, mais il lui prit doucement le bras et la fit tourner vers lui.

— Voulez-vous simplement me dire, Claire, où en sont les choses entre Tom et vous ?

— Nous sommes séparés, soupira-t-elle en s'appuyant avec lassitude contre son auto. Il vit chez son père, mais il va bientôt se trouver un appartement. J'ai accepté d'aller voir un conseiller matrimonial avec lui.

— L'aimez-vous encore ?

Personne ne lui avait encore posé la question depuis qu'elle avait quitté Tom. Ce fut presque avec reconnaissance qu'elle prononça la véritable réponse.

— Oui, John, je l'aime encore.

Il s'inclina vers elle et posa ses mains sur le toit de l'auto, de part et d'autre de sa tête, la forçant à rester immobile.

— Eh bien, je vais courir ma chance et vous révéler quelque chose qui va peut-être, je l'espère sincèrement, vous faire changer d'avis à mon propos. Lorsque j'ai commencé à enseigner ici, je venais de mettre fin à une relation amoureuse qui m'avait absolument anéanti. J'avais été fiancé à une femme qui avait une liaison avec un autre homme, et qui m'avait rendu sa bague. Je les avais surpris au lit, dans l'appartement que Sally et moi partagions. Je n'avais plus grande estime pour moi-même quand je vous ai rencontrée, mais vous m'avez encouragé à parler, vous m'avez dit que ce qu'elle avait fait était répréhensible et que je ne devais pas me laisser abattre. Vous rappelez-vous m'avoir dit qu'elle n'était pas la seule femme au monde, et que je ne devais pas croire qu'elles étaient toutes les mêmes ? Nous avions pris l'habitude de converser durant les pauses entre les cours, et je vous jure que je devenais presque fou à attendre que la cloche sonne, à la fin de chaque heure, pour que je puisse enfin m'échapper de ma classe et aller vous voir. Tout ce que j'avais en tête, c'était vous parler, car tous vos propos sur l'amour et l'engagement auprès de l'être cher coïncidaient exactement avec ma pensée, et je puisais des trésors de sagesse auprès de vous.

Je suis devenu amoureux de vous, Claire, continua-t-il d'une voix encore plus douce, il y a je ne sais plus combien d'années... Dix ? Onze ? Je suis devenu désespérément amoureux de vous, et j'ai souffert sans dire un mot devant tous les sourires que vous échangiez avec Tom, quand vous vous croisiez dans les corridors. J'avais mal, car je ne pouvais pas vous dire tout ce que j'éprouvais.

J'ai adopté la conduite la plus honorable, dans les circonstances. Jamais je ne me suis ouvert à vous. Je ne voulais rien faire de sacrilège, car simplement rêver que vous puissiez céder à mes avances aurait été un sacrilège de ma part.

Maintenant, en revanche, tout est différent. Vous prétendez l'aimer encore, mais vous ne vivez plus sous le même toit. J'ai espéré longuement rencontrer une femme qui puisse vous être comparée, mais aucune n'arrive à votre cheville, alors je dois absolument saisir ce qui sera probablement la seule et unique chance qui s'offrira jamais à moi de vous révéler mes sentiments.

Je vous aime, Claire. Je vous aime depuis une éternité, et si jamais il existe une infime possibilité que cet amour devienne réciproque, vous me sauveriez la vie.

— Oh, John, dit-elle, désemparée par la profondeur insoupçonnée des sentiments de son collègue. Je ne savais pas...

— Je vous l'ai dit, Claire, je devais me taire. Je ne suis pas le genre d'homme qui tente de séduire des femmes mariées et heureuses de leur union.

— Mais vous ne comprenez pas, John. Heureuse ou pas, je suis encore mariée.

— Pourtant, il y a des circonstances atténuantes.

— Non. Pas lorsqu'on a donné sa parole.

Il scruta son visage à la lumière de la lune. Ils étaient si près l'un de l'autre que le menton de Claire disparaissait dans l'ombre que faisait la tête de son collègue.

— Et si je vous embrassais ?

— Notre relation de travail s'en trouverait incroyablement compliquée.

— Quelle importance ? Pour moi, voilà plus de dix ans qu'elle est chaotique. Vous mettriez-vous en colère si je le faisais ?

— Je dois partir, John, dit-elle en faisant une tentative infructueuse pour l'éloigner d'elle.

— Vous mettriez-vous en colère ? Si oui, je ne prendrai pas ce risque.

— John Handelman, dit-elle en étouffant un rire nerveux. Vous savez exactement ce que vous faites, n'est-ce pas ? Je ne suis pas en bois. Après tout, les compliments et la flatterie me touchent autant que n'importe quelle autre femme, surtout lorsqu'ils sont accompagnés d'une déclaration sincère de sentiments. Il m'est certainement impossible de feindre l'indifférence, mais je ne peux pas vous dire oui non plus : je suis mariée.

— Mais séparée.

— Pas aux yeux de la loi.

— Juste à ceux du cœur... C'est bien cela, Claire ?

— Peut-être... oui, fit-elle, confuse et tentée. Je ne sais pas. Bonne nuit, John, je dois partir.

— Bonne nuit, Claire. Tout sera de ma faute, dit-il en inclinant la tête vers elle pour l'embrasser.

Elle posa les mains sur ses épaules pour le repousser, mais ses bras étaient sans force. Claire tenta de s'éloigner de lui, mais elle sentit le corps de John se plaquer contre le sien. Il portait un jean et un blouson court. Son manteau à elle était déboutonné. Sa bouche entrouverte se faisait chaude et persuasive, et sentir la langue d'un autre homme lui causa un choc qui la fit reculer, car, à sa grande surprise, ce contact n'était pas déplaisant. John était bien de sa personne, attirant. Elle le connaissait depuis longtemps et il lui avait toujours plu. Rien de ce qu'il avait dit ou fait ne l'avait jamais peinée ni choquée. Il lui avait déclaré son amour et lui volait un seul baiser, auquel elle ne s'était opposée qu'en paroles.

Claire recula davantage, le forçant à mettre fin à son entreprise, mais il frotta sa joue contre la sienne et approcha sa bouche de son oreille.

— Juste un seul, Claire... Un seul baiser, Claire, ma jolie Claire... J'en rêve depuis si longtemps.

John glissa ses bras sous son manteau et l'attira à nouveau vers lui. Une de ses mains remonta le long de son dos, et lui saisit le cou pour la forcer à tourner la tête. Claire finit par céder et leurs deux bouches s'unirent de nouveau. Les lèvres de John étaient douces et charnues, et il savait s'en servir. John partageait avec Claire un certain sens du théâtre, et il savait en faire bon usage au moment opportun. Or, on n'aurait pu rêver décor plus propice : une lune automnale, au milieu d'un endroit absolument désert...

Elle succomba au charme de son baiser, à son profond enchantement et à ses dangers encore plus grands, en répondant à son geste avec une énergie égale à la sienne. S'il s'agissait du dernier baiser qu'il devait échanger avec Claire, John Handelman était résolu à en faire un souvenir éternel. Il fléchit légèrement les genoux et remonta brusquement vers le haut en se frottant contre elle, encore et encore, jusqu'à ce qu'elle se cambre et lance une légère plainte.

Où commence la trahison ? se demanda Claire tout en savourant le moment. Elle savait que son geste était répréhensible, mais elle se sentait si seule, et les manifestations de ce genre lui avaient tellement manqué... Tom avait peut-être fait la même chose avec la mère de Kent Arens durant les dernières semaines. Claire n'avait-elle pas droit à sa vengeance ? Elle comprenait maintenant comment ce genre de chose pouvait se faire facilement, commencer en toute innocence et se terminer par un innocent adultère. Mais elle n'irait pas plus loin, pas plus qu'elle ne rougirait d'avoir connu ce plaisir illicite.

— Arrêtez, John. C'est assez, ordonna-t-elle en écartant ses bras.

À son grand désarroi, tous deux haletaient, et des ondes de choc semblaient parcourir son bas-ventre, lui montrant le prix qu'il y avait à payer pour la chasteté. Le souffle de John agitait rythmiquement une mèche de ses cheveux. Il posa ses lèvres sur son front.

— Nous ne ferons jamais plus une telle chose, je veux que vous me le juriez.

— Pas question, répondit-il dans un murmure.

— Tom a menacé de vous faire castrer si jamais vous deveniez trop entreprenant à mon égard.

— Vous lui aviez parlé de moi ? Vous saviez... dit-il en lui levant le menton du bout des doigts.

— Non. Tom avait des soupçons, c'est tout.

— Qu'a-t-il dit ?

— Non, fit-elle en repoussant toute autre question d'un geste sans équivoque des deux mains. Je ne vais pas en discuter avec vous ni divulguer les sentiments intimes de mon mari. J'en ai déjà fait bien assez. Pardonnez-moi.

— *Que je vous pardonne ?*

— Oui, jamais je n'aurais dû laisser une telle chose se produire. Tout cela est absurde. Je veux sauver mon mariage, pas le réduire en cendres. Je suis désolée, John, absolument désolée. Maintenant, je dois partir. Essayons d'oublier toute cette histoire.

Elle se tourna pour ouvrir la portière, mais il s'empressa de le faire à sa place. En son for intérieur, Claire souhaitait presque qu'il essayât de la retenir, peut-être même de pousser plus loin ce qu'il venait de provoquer entre eux, mais il tint parole et ne chercha pas à obtenir autre chose que ce seul et unique baiser. Il recula et attendit pendant qu'elle tournait la clé de contact, et fit un geste de la main en la suivant du regard tandis que son auto s'éloignait.

Claire rentra chez elle dans un état terrible, fait à la fois d'excitation et de culpabilité, et se coucha seule dans son lit froid et vide. Remplie de colère envers Tom, elle pleura et se traîna de son côté du lit, pour poser ses seins sur son oreiller. Il lui manquait tellement qu'elle voulait monter dans sa voiture, se rendre jusqu'au lac et l'engueuler pour les avoir placés dans cette situation sans issue.

Après avoir beaucoup sangloté et s'être tournée dans tous les sens, elle descendit dans la cuisine pour lui téléphoner, loin de la chambre des enfants, en espérant qu'à une heure et demie du matin, Wesley dormirait du sommeil du juste et n'aurait connaissance de rien. La sonnerie retentit cinq fois avant qu'on ne décrochât, et il fallut à Tom deux bonnes secondes avant de parler.

— Hmm ? fit-il en s'éclaircissant la gorge.

— Tom ?

— Claire ? dit-il aussitôt d'une voix remplie d'espoir et de sommeil.

— Je n'arrivais pas à dormir. Je réfléchissais.

Il attendit.

— Nous devons prendre rendez-vous avec un conseiller sans attendre.

— Très bien. Lequel ?

— Aucun qui ne soit relié de la moindre façon à l'école. Je ne veux pas qu'on soit au courant de nos ennuis, jusque dans leurs détails sordides.

— J'ai une liste de cliniques à l'école.

— Alors, choisis-en un. N'importe lequel.

— Devons-nous y aller ensemble ou séparément, la première fois ?

— Je n'en sais rien.

— Ensemble, résolut-il.

— Je ne sais pas. Le conseiller nous dira peut-être ce qui vaut mieux.

— J'ai une bien meilleure idée, moi. Laisse-moi reprendre ma place à côté de toi, au lit. Demain matin, nous n'aurons plus besoin de l'aide de qui que ce soit.

— Oh, Tom, ne vois-tu pas que nous ne résoudrons rien ainsi?

— Dans ce cas, pourquoi m'appelles-tu au beau milieu de la nuit?

— Parce que tu me manques, imbécile!

— Claire... Claire, est-ce que tu pleures?

— Oui, je pleure!

— Je t'en prie, laisse-moi revenir, Claire, dit-il en sentant que l'aveu de sa femme faisait battre son cœur plus rapidement.

— Tom, j'ai si peur. J'ignore... j'ignore ce que je suis en train de devenir.

Il se laissa tomber sur le banc de piano de sa mère en se passant une main sur le front.

— Claire, m'aimes-tu?

— Oui! s'écria-t-elle, exaspérée.

— Moi aussi, alors pourquoi restons-nous séparés ainsi?

— Parce que je ne t'ai toujours pas pardonné, que je ne suis pas sûre de pouvoir le faire. Ne vois-tu pas que cette histoire ne cessera pas de me hanter tant que je ne t'aurai pas pardonné? Oh, mon Dieu, je ne sais pas... J'ai fait quelque chose, ce soir...

— Qu'as-tu fait? lança-t-il en se redressant brusquement.

— Tu vois? Tu es déjà en colère contre moi, alors que je ne t'ai encore rien dit.

— Tu étais avec John Handelman, c'est bien ça, n'est-ce pas?

— Trouve un conseiller. Le plus vite sera le mieux.

— Qu'as-tu fait avec lui?

— Tom, je ne veux pas en parler maintenant. Il est presque deux heures du matin, et j'en ai pour dix heures de rencontres avec les parents, demain.

— Bon Dieu, Claire ! Tu me réveilles à deux heures du matin pour me dire que tu étais avec un autre homme, mais que tu ne veux pas en parler ?

— Qu'est-ce qui te prend de hurler comme ça ? maugréa Wesley en sortant de sa chambre.

— Retourne te coucher, papa !

— Tu parles à Claire ?

— OUI ! Retourne te coucher !

Le vieil homme regagna sa chambre sans demander son reste.

— Ah, merde ! s'écria Claire. Tu as réveillé ton père.

— Tu n'as pas le droit de me faire ça, Claire. D'accord, j'ai agi sur un coup de tête, il y a dix-huit ans, mais toi, tu tournes le fer dans la plaie, et tu le sais. Si tu veux voir un conseiller, cria-t-il, prends toi-même rendez-vous ! Et John Handelman ferait bien de numéroter ses abattis !

Tom raccrocha brutalement et resta immobile en regardant le lac d'un air farouche, puis se dirigea au pas de charge vers sa chambre et chercha le numéro de téléphone de Handelman. Sitôt qu'il l'eut trouvé dans un calepin, au fond d'une de ses valises, il retourna au téléphone en maudissant son père, qui avait encore une de ses antiquités à cadran. Pourquoi ce vieux toqué n'avait-il pas suivi le progrès et ne s'était-il pas procuré un téléphone à clavier ?

John répondit enfin.

— Handelman ? Tom Gardner. Gardez vos sales pattes loin de ma femme, ou je vous fais quitter le district à coups de pied au cul ! Est-ce clair ?

— Eh bien, répondit finalement l'autre sans perdre son sang-froid, ça n'a pas traîné.

— Vous m'avez compris, Handelman ?

— Tout à fait.

— Et que je ne vous voie plus tourner autour d'elle entre les cours. C'est clair ?

— Absolument. Rien d'autre ?

— Oui. Contentez-vous de la pièce que vous préparez, au lieu de répéter *Roméo et Juliette* avec ma femme. Si votre petit cœur est esseulé, allez voir ailleurs !

Tom était si furieux que le combiné rebondit sur la table lorsqu'il raccrocha. Il le reprit et raccrocha une deuxième fois, encore plus fort, puis se laissa tomber sur le canapé en se prenant la tête entre les mains. Il resta longtemps effondré ainsi, puis finit par se lever et regagna sa chambre avec la démarche d'un vieillard. Bon Dieu ! Bon Dieu ! Quand allait-elle retrouver son bon sens ?

Tom dormit terriblement mal et finit par s'éveiller avec un mal de tête carabiné. Sous la douche, il découvrit que le vieux chauffe-eau de son père avait rendu l'âme. L'eau glacée le ramena brutalement à la réalité, et il arriva à l'école en tremblant encore de froid. L'incident Claire-Handelman de la veille l'avait mis d'une humeur massacrante, et il n'arrêtait pas de se demander ce qui avait bien pu se passer.

Les professeurs bénéficiaient d'une heure pour se préparer avant le début des rencontres, aussi se versa-t-il une tasse de café brûlant et prit-il résolument le chemin de la classe de sa femme. Claire avait le dos tourné à l'entrée et s'affairait à remplir une boîte de carton de dossiers à couvertures brunes. Elle ne tourna la tête vers lui que lorsqu'il referma la porte.

— Laisse-la ouverte, dit-elle.

— Je croyais que tu ne voulais pas que toute l'école soit au courant des détails sordides de nos disputes.

— Tom ! Ouvre cette porte !

— Je veux savoir ce que tu as fait avec lui.

— *Pas maintenant !*

— Tu me téléphones au milieu de la nuit, et...

— Écoute-moi bien ! éclata-t-elle, furieuse. J'ai trois jours de rencontres devant moi. Si jamais tu commences à me faire pleurer... si j'abîme mon maquillage, je te promets solennellement de faire quelque chose avec John Handelman que tu ne seras pas du tout content d'apprendre ! Maintenant, sors d'ici !

— Claire, tu es encore ma femme !

— SORS D'ICI ! cria-t-elle d'une voix menaçante, en pointant la porte.

Elle avait raison : ce n'était ni le moment ni le lieu. Il tourna brusquement les talons, ouvrit la porte à toute volée, et sortit.

Lorsque arrivait le temps des rencontres parents-professeurs au HHH, le personnel enseignant s'installait derrière une rangée de tables autour du gymnase, et les parents allaient de l'une à l'autre, en choisissant les files où l'attente était la plus courte, jusqu'à ce qu'ils aient rencontré toutes les personnes qu'ils désiraient voir. Il y avait des périodes plus tranquilles, des accalmies durant lesquelles certains professeurs se retrouvaient seuls, mais la plupart du temps, le gymnase était rempli de parents traversant la salle pour lire les noms affichés aux murs, ou pour entamer une conversation avec d'autres parents avant de prendre place dans une file.

Peu avant midi, la première journée, Claire put bénéficier d'un bref répit. Elle recula légèrement sa chaise et s'étira, mais s'arrêta net en apercevant Tom, juste à côté des portes du gymnase, en conversation avec Monica Arens.

Le sang afflua aux joues de Claire avec la puissance d'un geyser. Malgré tous ses efforts, elle ne parvenait pas à détacher son regard du couple. Monica avait changé sa coiffure pour adopter un nouveau style qui la flattait davantage. Elle portait un chic tailleur terre de Sienne, orné au revers d'une épinglette en or assortie à ses boucles d'oreilles. Claire avait déjà entendu dire que lorsqu'on avait une aventure, on commençait à faire preuve de coquetterie.

Tom avait commencé par assumer sa posture « M. le directeur » : bras croisés, jambes bien jointes, le haut du corps légèrement balancé vers l'arrière, mais Monica lui dit quelque chose et il sourit, mit les mains sur ses hanches, baissa le menton et prit une pose plus détendue. Il répondit à Monica et, ensemble, ils se mirent à rire.

Ils riaient !

Ils reprirent bien vite une attitude sérieuse et échangèrent encore quelques mots. Claire ne voyait maintenant que le visage de Monica. Si son expression n'était pas celle d'une femme amoureuse, elle voulait bien être pendue !

Tout d'un coup, les yeux de sa rivale se tournèrent vers elle, et Claire se pencha en catastrophe pour fouiller dans la boîte de dossiers, à ses pieds. Elle trouva celui de Kent, l'ouvrit sur ses genoux, et en étudia le contenu, tandis que sa mère s'approchait à travers la foule.

La proximité de la femme qui avait couché avec son mari, dont le corps avait accueilli sa semence, et qui maintenant riait avec lui, déclencha en elle l'alerte rouge.

— Bonjour, fit une voix.

Claire craignait de lever les yeux. Lorsqu'elle se décida à le faire, elle trouva devant sa table une femme qui la regardait avec aplomb, et ne semblait absolument pas effarouchée par leur rencontre.

— Je suis Monica Arens, la mère de Kent, dit-elle en tendant la main.

Claire la trouva plus attirante que dans ses souvenirs. Son maquillage ajoutait de la vie à sa bouche et agrandissait ses yeux. À partir du sommet de sa tête, ses cheveux descendaient en fines mèches pour former une permanente bouclée d'une fausse simplicité, qui encadrait son visage sans jamais le toucher. Son tailleur, sans doute coûteux, était de bonne coupe et lui seyait à la perfection, tout comme ses bijoux, simples et de bon goût.

— Bonjour, répondit Claire en tendant une main qu'elle laissa volontairement molle. Eh bien...

Claire avait déjà été professeur de rhétorique et professeur de théâtre au cours de sa carrière, et elle consacrait chaque année un de ses cours à l'improvisation orale. Combien de fois avait-elle rappelé à ses élèves de ne jamais commencer un discours par « Eh bien... »? Maintenant, paralysée par le trac, elle commettait cette même bourde. Elle s'éclaircit la gorge et répéta son erreur.

— Eh bien... Kent est certainement... euh... un bon élève.

Les deux femmes continuèrent sur cette lancée. Le professeur parlait avec confusion et nervosité, mais la mère écoutait attentivement, en posant à l'occasion des questions intelligentes et pleines d'intuition. Il n'y eut pas entre elles d'échanges acerbes du genre : « Mon fils a été bouleversé de découvrir qui était réellement son professeur », « Votre fils a eu la prétention de me dire comment sauver mon mariage », « Mon fils a rencontré son grand-père et son oncle, le week-end dernier », « Notre famille en est train de se détruire par votre faute ». Elles se parlèrent comme on le faisait couramment durant ce genre de rencontres, en personnes soucieuses, avant tout, de bien jouer leur rôle.

Pourtant, elles ne se serrèrent pas la main lorsque Monica se leva et attendit un moment, à côté de sa chaise de métal, dans une atmosphère de forte tension. Elle semblait chercher ses mots et Claire attendit. Le silence devenait embarrassant.

— Eh bien... dit encore une fois Claire en pensant avec dépit : *Oh, quelle oratrice je fais!*

La chance était passée. Monica recula d'un pas, coinça son sac sous son bras, salua et partit. Deux autres parents attendaient, mais même pendant qu'ils s'assoyaient, Claire continua de suivre Monica du regard, puis se tourna vers Tom, qui se trouvait encore à l'entrée du gymnase. Il les avait surveillées avec attention. Comme leurs regards se croisaient, il se dirigea vers elle, mais il gaspillerait sa salive à essayer de nier quoi que ce fût. Elle reporta son attention vers les parents qui avaient pris la place de Monica.

Tom n'en continua pas moins d'avancer, et poussa l'outrecuidance jusqu'à contourner la table où sa femme était assise. Il salua brièvement le couple qui attendait, posa une main sur la table et l'autre sur le dossier de la chaise de Claire, et se pencha vers elle en s'interposant entre sa femme et ses interlocuteurs.

— Vendredi en huit, à dix-sept heures. Le nom du conseiller est M. Gaintner.

— Je croyais que tu avais dit que je pouvais le choisir moi-même, fit-elle en bannissant toute expression de son visage.

— J'ai changé d'avis. Tu es occupée, aujourd'hui, et j'ai pensé qu'il vaudrait mieux que je le fasse.

— Ça n'aurait pas pu être plus tôt?

Tom se tenait plus près d'elle qu'il ne l'avait fait depuis des semaines. Elle aurait voulu lui mettre une main sur le visage et le repousser pour qu'il tombe à la renverse devant tous les occupants du gymnase.

— Que veux-tu que je te dise? fit-il en haussant les épaules. Le monde est rempli de gens étranges qui font tout pour ruiner leurs vies.

— Veut-il nous voir tous les deux ? demanda-t-elle en relevant sa remarque avec colère.

Tom hocha la tête, se redressa d'une façon qui évoquait James Dean, et partit. Il avait consulté un homme ! Sale manipulateur ! Il savait parfaitement qu'elle aurait préféré une femme, après toutes les discussions qu'ils avaient déjà eues à ce sujet ! Les femmes savaient écouter bien mieux que n'importe quel homme, et ne cherchaient pas à cacher leurs émotions coûte que coûte. Les hommes, eux, gardaient leurs distances au lieu de vous prendre dans leurs bras. Évidemment, ils avaient bien raison de craindre les accusations de harcèlement sexuel, de nos jours. Mais il avait osé choisir un homme !

Claire eut peine à rester concentrée et à retenir sa colère tout le reste de l'après-midi et de la soirée, tandis que les aiguilles de l'horloge se traînaient péniblement vers vingt et une heures. Sa voix devenait de plus en plus rauque à force de parler sans cesse, et elle finit par épuiser sa provision de pastilles pour la gorge. Mais les professeurs avaient été bien avertis par leur estimé directeur qu'ils ne devaient pas quitter leur poste avant l'heure prévue, et jamais Claire n'aurait osé désobéir à Son Altesse !

À vingt et une heures, elle referma brusquement sa boîte de carton, la prit sous son bras, et courut rencontrer Joan Berlatsky dans son bureau avant qu'elle ne quittât l'édifice.

— Joan, avez-vous un moment, je vous prie ?

— Voulez-vous fermer la porte ? dit-elle, car toutes deux savaient que Tom pouvait passer à tout moment en se rendant à son bureau.

— Je présume que vous savez tout de notre séparation et de sa cause ?

— Oui, Claire, je sais tout. Je suis vraiment désolée.

— Vous savez donc que Kent Arens est son fils. Voyez-vous, j'ai un aveu à vous faire. Tout d'abord, laissez-moi dire, pour ma propre défense, que je suis un bon professeur. Je me soucie beaucoup de mes élèves et de leur bien-être. Pourtant, j'ai fait aujourd'hui quelque chose dont je ne suis pas fière. J'ai évité d'aborder une question importante avec la mère d'un élève. Oui... j'ai rencontré la mère de Kent.

Joan avait joint les mains. Elle étudiait les traits de Claire avec attention, en fronçant légèrement les sourcils.

— Voilà des semaines, Tom a suggéré de transférer Kent dans une autre classe, ce que j'ai obstinément refusé. Maintenant, les choses sont devenues incroyablement compliquées, et les relations entre nous tous ont été chambardées. Je ne peux m'empêcher de croire que le garçon en est affecté plus qu'il n'y paraît. J'aurais dû en discuter franchement avec sa mère, mais j'en ai été incapable. Les notes de Kent sont excellentes, et je me suis dit que je n'avais pas à soulever de questions personnelles. C'était lâche de ma part, et je sais que je vous utilise un peu comme un confesseur, mais... voyez-vous... Enfin, il me semble, parfois, que Tom entretient certaines relations avec elle. Voilà, je l'ai dit. C'est enfin sorti.

Joan continuait d'écouter en silence, sourcils froncés, en tapotant sa bouche du bout des doigts. Au bout d'un moment, elle posa quelques questions pertinentes, afin d'avoir un tableau exact de la situation.

— ...et maintenant, il vient de prendre rendez-vous avec *un* conseiller. Joan, je suis sûre qu'il l'a fait exprès pour avoir un homme de son côté. Mais moi, j'aurais préféré une femme !

— Le lui avez-vous dit ?

— Pas exactement, mais il devrait le savoir !

Joan ne fit que changer légèrement la position de ses bras. Elle aussi avait eu une longue et difficile journée. Elle avait dû parler à des parents obtus et à des adolescents récalcitrants depuis le matin. Le bruit des néons du gymnase lui avait donné mal à la tête, et quelques cas pitoyables lui avaient fendu le cœur. Elle désirait ardemment rentrer chez elle, se jeter sur son lit, et dormir jusqu'au prochain siècle. Mais pour comble de malheur, voici qu'elle avait devant elle une femme normale, équilibrée, et remplie de sollicitude qui sabordait son mariage et détruisait sa famille parce qu'elle n'arrivait pas à se défaire des fausses impressions créées par une jalousie maladive. Claire Gardner était une femme instruite et fine psychologue, mais elle semblait avoir perdu tout bon sens. Parfois, Joan Berlatsky en avait par-dessus la tête de ces professeurs qui auraient dû avoir davantage de jugeote. Dieu merci, Joan Berlatsky, elle, en avait à revendre !

— Claire, combien de fois avez-vous lu et entendu que le manque de communication est la cause principale de la plupart des problèmes conjugaux ? Si vous vouliez vraiment consulter une femme, vous auriez dû le préciser. Je constate plutôt que vous blâmez Tom parce que vous êtes en colère contre lui, et c'est tout à fait autre chose. Demandez à n'importe quel avocat spécialisé en divorces : c'est ainsi que la guerre éclate chez bien des couples. Désirez-vous sauver votre mariage ?

Claire sursauta. Elle ne s'attendait pas à une rebuffade de ce genre.

— Oui, fit-elle, intimidée. Du moins, je le pense.

— À vous voir agir, on ne le dirait pas. Il y a douze ans que je connais Tom, et je ne l'ai jamais entendu prononcer autre chose que des louanges à votre sujet. N'oubliez pas que j'ai participé à des rencontres avec lui, et que nous avons siégé à des comités dont vous n'étiez pas. Ce qu'il dit de vous en votre absence vous ferait probablement rougir de fierté. Tom vous adore, et il aime ses enfants. Ce que vous êtes en train de leur faire subir ne saurait trouver aucune sympathie chez moi, car vous agissez sans aucun motif valable. S'il a jadis commis une erreur de jugement, il vous a clairement exprimé ses regrets et demandé votre pardon. Peu importe ce dont vous l'accusez maintenant, vos soupçons ne sont fondés que sur des preuves circonstancielles. Je ne vois pas comment il pourrait avoir une maîtresse, étant donné l'amour qu'il vous porte. Vous vous dites embarrassée d'avoir à enseigner à son fils, Kent, maintenant que toute l'école sait qui il est. Et alors ? Tout le monde l'a très bien accepté. Ce garçon est un des élèves de notre école, il n'est pas question de le frapper d'ostracisme, pas plus que Tom, d'ailleurs. Vous êtes la seule à agir aussi déraisonnablement, et ce faisant, vous vous aliénez votre propre famille. Je n'ai probablement pas l'air de bien faire mon métier de psychologue, en ce moment, mais si je passe outre au besoin que vous exprimez de vous confier à quelqu'un, c'est que, très franchement, j'ai pris parti dans toute cette histoire, et ce n'est pas en votre faveur. Je suis carrément du côté de Tom, car tout ce que je vois à l'horizon, pour vous, c'est un foyer détruit et quatre personnes malheureuses, si vous ne changez pas de direction. Tom est profondément malheureux, tout comme vos enfants. À vrai dire, je crois que vous l'êtes aussi. Maintenant, je suis épuisée, j'ai parlé toute la journée, et je veux aller me coucher.

Joan coupa court à toute réplique en se levant pour ouvrir la porte et éteindre d'un geste sec, sans laisser à Claire le temps de recouvrer ses esprits et de se rendre compte qu'on venait de lui passer un savon.

Les deux femmes se dirigèrent vers les portes de verre et Joan se tourna vers le bureau du directeur, d'où sortait encore de la lumière.

— Tom, êtes-vous encore là ?

— Oui, Joan, dit-il en apparaissant dans l'embrasure de la porte. Laissez ouvert.

— Très bien. Bonne nuit.

— Bonne nuit.

Il ne dit rien à Claire, qui resta également muette. Leurs regards se croisèrent au-dessus des bureaux déserts, mais la fierté les retint.

Oh, Tom, pensa-t-elle, *je sais que je devrais faire exactement ce qu'a dit Joan.*

Tu sais ce que je pense, Claire ? se dit Tom. *Tu peux aussi bien te donner corps et âme à John Handelman si tu as couché avec lui, parce que dans ce cas, il est hors de question que je te reprenne !*

Seize

À vingt heures trente ce soir-là, Chelsea laissa une note sur la table de la cuisine : « Chère maman, Drake Emerson m'a invitée au Mississippi Live avec ses amis. J'ai accepté parce qu'il n'y a pas d'école demain et que je pourrai dormir tard. Je sais que j'aurais dû te demander la permission avant, mais je n'ai pas pu, car tu avais tes rencontres. À demain. Chels. »

La jeune fille se regarda une dernière fois dans le miroir de la salle de bains, ajouta un peu de rouge à lèvres, fit la moue devant son reflet et éteignit.

— Je m'en vais dans une minute, lança-t-elle à Robby, qui était dans sa chambre. Qu'est-ce que tu fais, ce soir ?

Son frère tourna la tête vers elle et l'inspecta des pieds à la tête. Elle portait des jambières noires et une espèce de chandail en filet de même couleur, par-dessus un minuscule T-shirt noir qui laissait voir son nombril. Chelsea ressemblait un peu à l'une de ces « danseuses aérobiques » qu'on voyait à la télévision. Des mèches tirebouchonnées dépassaient de sa chevelure et ses yeux étaient charbonneux. Son rouge à lèvres habituel, d'un ton assez doux, était remplacé par un écarlate agressif, et ses énormes boucles d'oreilles oscillaient follement sans arrêter de tinter. Jamais Robby n'avait vu sa sœur ainsi.

— Je vais au ciné avec Brenda. Elle travaille jusqu'à neuf heures. Tu sors attifée comme ça ?

— Bien sûr, dit-elle relevant la tête. C'est ainsi que s'habillent toutes les filles qui fréquentent cet endroit.

— Tu aurais dû demander à maman si tu pouvais y aller.

— Impossible. Elle est au gymnase, et au cas où tu l'aurais oublié, il n'y a pas de téléphone au gymnase.

— Tu aurais dû aller lui en parler, alors. Et tu aurais également dû demander sa permission pour sortir avec Drake Emerson. Il n'a pas très bonne réputation.

— Dis donc, il a téléphoné comme un garçon bien élevé, et m'a parlé poliment. Si on donnait la chance d'agir convenablement aux jeunes qui ont mauvaise réputation, ils pourraient peut-être s'amender. D'ailleurs, papa et maman n'ont jamais raconté qu'il avait été puni pour quoi que ce soit.

— Tes autres amies y vont-elles ?

— Mes autres amies sont si ennuyeuses ! Nous faisons toujours les mêmes choses, aux mêmes endroits. Je suppose que ce sera une bonne occasion de rencontrer des gens différents.

— Maman n'aimerait pas ça. Ni papa.

— Je m'en fous éperdument, répliqua Chelsea en durcissant ses traits. Nous ont-ils demandé si nous approuvions ce qu'eux ont fait ? D'ailleurs, ils ne sont pas ici, alors comment vais-je demander leur permission ?

— Chelsea, je ne crois pas que tu devrais porter ce genre de fringues.

— Oh, Seigneur, et quoi encore ? fit-elle en levant les yeux au plafond.

Chelsea descendit et mit son blouson afin de pouvoir sortir dès que la sonnette retentirait. Ainsi, Drake n'aurait pas à entrer dans la maison. Sinon, Robby serait bien capable de se prendre pour Tom ou Claire et de le soumettre à un interrogatoire en règle.

En fin de compte, Drake arriva en retard, alors que Robby était déjà parti. La jeune fille courut vers lui tandis qu'il remontait le trottoir menant à la maison.

— Salut, chérie, ça va ? lança-t-il avec un sourire légèrement narquois.

— Très bien. J'ai hâte de voir cet endroit.

— C'est le meilleur pour s'envoyer en l'air.

Chelsea réprima le léger frisson d'inquiétude qui la parcourut.

Mais quoi? Ce ne serait rien d'autre qu'une innocente sortie entre amis.

L'auto qui les attendait avait l'air en si piètre état que la jeune fille se demanda s'ils pourraient se rendre jusqu'à Minneapolis. Un garçon nommé Church était au volant. À côté étaient assis Merilee et Esmond, un jeune homme de vingt-trois ans qu'elle ne connaissait pas. Chelsea les voyait à peine dans l'obscurité. Durant tout le trajet, ils restèrent trois têtes sombres et sans corps devant la lumière verte du tableau de bord. Elle était assise à l'arrière, entre Drake et une jeune fille du même âge que Robby, et qui se nommait Sue Strong. On décrivait Sue comme une grande consommatrice de marijuana. Selon la rumeur, elle avait un serpent tatoué sur une fesse et on l'avait déjà surprise à moitié nue dans la chaufferie de l'école, avec un garçon qui avait abandonné ses études l'année précédente. Chaque fois que le nom de Sue avait été mentionné à la table familiale, cela avait toujours été de manière défavorable.

— Salut, Sue, dit Chelsea après avoir été présentée.

— T'es la fille du directeur? demanda l'autre d'un ton hargneux en dirigeant la fumée de sa cigarette vers le plafond.

— Mais... oui.

— Alors là, bravo, Drake! Son vieux m'a fait chier plus d'une fois pour des trucs qui ne le concernaient pas. Ça va vraiment être super de traîner cette cruche avec nous toute la soirée.

Chelsea sentit son estomac se nouer, mais Drake passa un bras autour d'elle et l'attira contre lui en lui adressant à nouveau un sourire ironique.

— Ta gueule, Sue. Elle n'est pas habituée à un langage de ce genre, pas vrai, mon chou?

Chelsea sourit de façon tendue et sentit le cuir du blouson de Drake. La lumière verte fit briller les yeux noirs du garçon à l'air moqueur. Il rappela à Chelsea ce forain qui s'occupait du stand de tir, à la foire, l'an dernier. Ses paroles étaient aimables, mais une certaine lubricité transparaissait dans son sourire, comme si chacun des mots qu'il disait possédait un double sens.

— T'en fais pas, dit Drake en se penchant vers son oreille. Esmond et elle n'arrêtent pas de s'engueuler, ce soir, c'est tout.

Mais toi et moi, on va bien rigoler. Tu vas trouver cet endroit vraiment super.

Il avait raison. Le Mississippi Live était situé dans Riverplace, un quartier historique de Minneapolis, sur les rives du Mississippi. Il s'agissait d'un complexe de salles de danse, d'un paradis pour amateurs de musique et de rock, d'un maelström de sensations fortes pour quiconque y mettait le pied. Sur le trottoir menant à l'entrée, Chelsea entendait déjà la musique battre à travers les murs de verre. Le mouvement et les lumières lui parvinrent avant même qu'elle eût passé la porte. À l'intérieur, les pulsations rythmiques semblaient amplifiées à l'extrême et la frappaient sans répit au ventre. Un jeune homme était attaché, bras et jambes écartés, à un gigantesque gyroscope qui tournoyait en tous sens. Des deux côtés montaient des escaliers de fer en spirale menant à l'étage supérieur. On y voyait une foule de jeunes gens dans la vingtaine, les yeux rivés sur la forme humaine qui tourbillonnait. Plusieurs d'entre eux tenaient des bouteilles de bière ou des verres de boissons alcoolisées.

Chelsea suivit Drake jusqu'à l'étage, où la musique d'en bas était submergée par celle d'un concours d'amateurs de karaoké. Un maître de cérémonie vêtu de couleurs criardes battait des mains, et encourageait la foule à chanter et à danser pendant qu'un jeune homme s'égosillait sur scène. Les paroles d'une chanson à la mode défilaient sur des écrans de télévision. Drake et Chelsea se dirigèrent vers une caverne obscure ou un disc-jockey trônait au milieu d'une cabine de verre. Des haut-parleurs invisibles crachaient de la musique rap, tandis que les lumières stroboscopiques décomposaient les mouvements des danseurs en une multitude de bras et de jambes disloqués. Une jeune fille portait un corsage noir, une jupe de toile grossière qui lui arrivait aux mollets, et des bottes de cosaque. Un garçon paradait dans un pantalon de cuir rouge et noir, orné au bas de motifs en forme de dents de requin d'une trentaine de centimètres. Un danseur portait des bretelles, des lunettes à la Spike Lee sur le bout du nez, et un chapeau melon décoré de paillettes. Il tournait sans fin sur lui-même, et son chapeau semblait s'envoler cinq fois par seconde, au rythme des lumières stroboscopiques. La musique tonitruante faisait mal aux oreilles de Chelsea. On aurait dit que son cœur voulait exploser.

— Tu veux boire quelque chose ? lui cria Drake à l'oreille.

— Un coca, répondit-elle à tue-tête.

Il sourit et se détourna. Chelsea le regarda s'éloigner vers le bar. Son pantalon était si serré qu'il devait lui faire mal. Il avait aux pieds des bottes à semelles épaisses rappelant celles d'un alpiniste. Son blouson de cuir comportait de nombreuses fermetures éclair sur les bras et la poitrine. Le barman dut lui poser des questions, car Drake produisit ce qui, très certainement, était une carte d'identité trafiquée. L'instant d'après, il revint avec deux gobelets de plastique. Chelsea remercia d'un signe et but avec précaution, pour découvrir avec soulagement qu'il s'agissait bien de coca-cola, et de rien d'autre. Fascinée, elle se tourna vers la piste de danse. Personne ne semblait faire usage de chaises, sauf peut-être, à l'occasion, pour y poser un pied. Après quelques minutes, Drake entraîna Chelsea parmi les danseurs. Elle dansa jusqu'à ce que la sueur mouille son soutien-gorge et que ses cheveux collent à la peau rougie de son cou. Pas une fois elle ne toucha Drake, mais il lui sembla qu'il lui avait passé plusieurs fois les mains sur les zones érogènes de son corps. Il possédait des membres nerveux, insaisissables comme de la fumée, et gardait son regard fixé sur elle d'une façon qui la rendait téméraire.

Bien vite, ils quittèrent cette section de la discothèque pour se rendre à une autre et à un autre bar, suivi d'un autre, et d'un autre, jusqu'à ce qu'ils en aient fait cinq. Ils dansèrent et burent à la plupart d'entre eux. Au dernier endroit, un orchestre jouait de la musique country. Au-dessus des couples, un cow-boy vêtu de strass tournait lentement, en jetant mille feux autour de lui. Le rythme ralentit et la musique devint plus douce.

— Allez, chérie, encore une fois.

Drake l'entoura de ses bras, colla son bassin contre le sien, et fit glisser ses mains vers le bas de son dos, où il battit la mesure du bout des doigts. Chelsea lui saisit fermement les poignets et lui remonta les mains.

— Qu'est-ce qu'il y a ? demanda Drake en pressant à nouveau

ses hanches contre les siennes. T'as jamais dansé comme ça avant ?

— Pas devant autant de gens.

— Et quand il n'y avait personne ? dit-il en lui adressant à nouveau son sourire suggestif.

— Mmmh... fit-elle en souriant elle-même, la tête légèrement renversée vers l'arrière.

— Allez, laisse-toi faire.

Il prit les mains de Chelsea et les fit doucement se croiser derrière son cou, puis fit glisser les siennes jusqu'aux hanches de la jeune fille, auxquelles il imprima le mouvement qu'il recherchait. Chelsea sentait les os et les muscles de Drake se presser contre les siens. Il continua d'onduler et de remuer, toujours plus étroitement lié à elle, jusqu'à ce qu'il parvienne à introduire une jambe entre ses deux genoux. Sa main droite remonta subrepticement sous la résille et se posa sur la peau humide de la jeune fille, juste au-dessus de sa taille. Drake écarta les doigts et glissa son pouce sous l'élastique de son soutien-gorge.

Chelsea pensa aux secrets intimes que lui avait confiés Erin à propos d'elle et de Rick. Elle pensa à ses parents. *Eh, papa et maman, qu'est-ce que vous dites de ça ? Votre petite fille n'est plus aussi parfaite, hein ?*

Subitement, elle fut prise d'un vertige et ferma les yeux.

— As-tu mis quelque chose dans mon verre, Drake ?

— Tu ne me fais pas confiance ?

— Oui ou non ?

— Juste un peu de rhum. Tu n'as même pas dû en percevoir le goût.

— Je t'ai dit que je ne voulais que du coca.

— D'accord, rien que du coca, à partir de maintenant.

— Je crois bien que je suis déjà soûle. Je ne sais pas... Jamais je ne me suis sentie comme ça avant.

— T'es pas malade, au moins ?

— Non, juste étourdie.

— Garde les yeux ouverts et tout ira bien.

— Drake, tu n'aurais pas dû faire ça. Je n'ai pas la permission de boire de l'alcool.

— Désolé, princesse. J'ai cru que tu aimerais prendre un peu de bon temps, comme nous le faisons tous. Un petit verre ne peut pas faire de mal. Ça détend, ça fait tomber les inhibitions, et ça rend la danse plus agréable.

Cette fois, il glissa ses deux mains sur les fesses de Chelsea, mais elle n'arrivait pas à récupérer son équilibre, et préféra rester collée contre lui. Son corps semblait suivre sans effort les mouvements de son partenaire. Par-dessus son épaule, elle vit d'autres couples dans la même attitude. C'était probablement la façon de faire dans un endroit comme celui-ci.

— Drake, je me sens vraiment mal. Je devrais peut-être rentrer.

— Tu rigoles, il est encore tôt.

— Quelle heure est-il? demanda-t-elle en essayant en vain de lire les chiffres qu'indiquait sa montre.

— Minuit. Un peu passé minuit.

— Je dois être rentrée à une heure. Il faut que je parte, insista Chelsea, qui en avait subitement assez de sa première rébellion ouverte.

— D'accord, princesse. Tout ce que tu veux. Allons trouver les autres.

Il leur fallut du temps pour rassembler le groupe. Lorsqu'ils quittèrent l'édifice, il était une heure moins le quart, et Chelsea se dit qu'elle n'arriverait jamais avant la limite permise.

Dehors, l'air frais sembla la revigorer, mais lorsqu'ils s'installèrent sur les banquettes et que le véhicule se mit en mouvement, le monde se mit à tourner. Chelsea jeta la tête en arrière, se sentant comme si on l'avait enfermée dans une boîte de carton et expédiée à toute vitesse sur un tapis roulant. Ils étaient maintenant quatre, assis sur la banquette arrière, et elle était coincée entre Drake et la portière. Il l'embrassa en glissant une main sous son manteau. C'était bien différent du baiser qu'elle avait échangé avec Kent. Rien d'aussi innocent. En un éclair, elle comprit que la culpabilité qu'elle avait ressentie alors avait été bien déplacée. Maintenant, elle avait une véritable raison de se sentir coupable, et ce serait le cas, sans aucun doute, demain. Drake l'embrassait à pleine bouche, une main sous son soutien-gorge, puis sur ses fesses, et bien vite, entre ses cuisses.

— Arrête, Drake, murmura-t-elle, mortifiée parce que des choses bien pires semblaient se dérouler de l'autre côté de la banquette, entre Sue et Esmond, qui, de toute évidence, s'étaient réconciliés.

— Allez... il n'arrivera rien.

— Non, arrête.

— T'as jamais senti un garçon ? murmura-t-il en lui prenant la main pour la faire glisser jusqu'à sa fourche. Vas-y, princesse, explore. C'est comme ça chez les garçons, tu vois ? C'est chaud et dur, et... non, non, dit-il en ramenant le visage de la jeune fille vers le sien. Ne t'inquiète pas des autres. Ils ne peuvent pas nous voir. Ils sont occupés.

— Drake, non...

— T'as toujours été une bonne fille, c'est ça ? T'as toujours obéi à papa et à maman ? Mais ce soir t'as décidé de voir un peu comment vivaient les mauvaises filles, et je parie que t'aimes ça, pas vrai ? Y a jamais personne qui t'a embrassée là ?

Trop vite pour que Chelsea puisse réagir, il souleva son soutien-gorge et fixa sa bouche sur un de ses seins. Chelsea se mit à pleurer en essayant de lui relever la tête. Elle se sentait malade, et craignait de vomir sur le plancher de l'auto, devant tout le monde. Drake releva la tête de lui-même et appliqua son pouce sur le mamelon, en décrivant des cercles sur la chair mouillée.

— Je parie que tu commences à te réchauffer, pas vrai ? Y a rien de mal à ça... Tout le monde le fait, tu sais ?

— Drake, je crois que je vais être malade. Dis à Church d'arrêter la voiture.

— Ahhh, merde... lança-t-il d'un air dégoûté. Eh, Church, arrête un peu. Faut qu'elle gerbe.

Aussi longtemps qu'elle vivrait, Chelsea n'oublierait pas comment elle avait vomi parmi les hautes herbes chargées de givre, le long de l'autoroute, tandis que les automobiles passaient à toute vitesse et que le couple, dans la voiture, continuait de rebondir sur la banquette arrière comme s'il était seul dans le jardin d'Éden.

Totalement humiliée, elle reprit sa place à côté de Drake, qui se tint enfin tranquille et entreprit de rouler une cigarette qui dégagea une odeur âcre en se consumant.

— T'en veux, princesse? demanda-t-il quand la puanteur eut envahi tout l'habitacle.

— Non, merci.

— Jamais essayé ça non plus, hein?

Chelsea serra plus étroitement ses bras contre son corps et regarda défiler les lumières de l'autoroute, que ses larmes transformaient en étoiles brouillées. Elle songea à ses vrais amis, et chercha à comprendre pourquoi elle les avait délaissés. Pourquoi avait-elle couru après Drake Emerson? Car elle avait effectivement flirté avec lui. Elle n'avait d'ailleurs pas eu beaucoup d'efforts à faire avant qu'il l'invitât à sortir avec lui. Pourtant il la dégoûtait, et elle s'ennuyait tellement d'Erin! Tout d'un coup, ce qu'elle désira plus que tout au monde, c'était de se retrouver assise en tailleur sur le lit de sa meilleure amie, à manger du maïs soufflé et à essayer de nouvelles coiffures.

Ils arrivèrent enfin chez elle. La lumière de la cuisine brillait, et Drake ne la raccompagna pas jusqu'à la porte.

— Eh, princesse! Faudrait que t'apprennes à te laisser aller un peu. La prochaine fois que tu voudras t'amuser, t'auras qu'à me demander!

La porte de la maison s'ouvrit et la lumière encadra la silhouette de Claire.

— Rentre immédiatement!

Dans la lumière crue de la cuisine, Chelsea ne put échapper à l'examen attentif de sa mère.

— Où donc étais-tu passée? Te rends-tu compte qu'il est une heure et demie du matin?

— Et alors?

— Il y a des règles à ce sujet, dans cette maison! Et il y en a d'autres à propos des gens et des endroits à ne pas fréquenter! Robby dit que tu es sortie avec Drake Emerson. Est-ce vrai?

Chelsea refusait de regarder sa mère dans les yeux. Son manteau ouvert, elle restait immobile, les lèvres serrées, avec une expression têtue. Claire saisit le menton de sa fille et lui releva la tête de force.

— Qu'est-ce que c'est que cet accoutrement ? Et quelle est cette odeur ? Chelsea, as-tu pris de l'alcool ?

— C'est pas tes oignons ! cria Chelsea en se dégageant pour gagner sa chambre.

Claire resta seule dans la cuisine, la gorge serrée par la peur. L'haleine fétide de sa fille imprégnait encore l'air environnant. Mon Dieu, non, pas Chelsea ! Pas sa petite fille, qui ne lui avait jamais causé la moindre inquiétude, qui avait toujours choisi des amis fiables, qui rentrait tôt, qui ne prenait part qu'à des activités recommandables... La jeune fille modèle dont rêvaient tous les parents ! Ce n'était pas elle qui venait tout juste de passer la porte. Celle-là était vêtue comme une prostituée, et revenait en compagnie d'un garçon qui s'était attiré la désapprobation unanime du personnel enseignant par sa consommation de drogues et son rendement scolaire pitoyable. D'après l'accoutrement de sa fille, Claire se dit qu'il n'était pas impossible qu'elle ait cherché à avoir des relations sexuelles avec Drake Emerson. Sida, grossesse : les mots défilèrent en un éclair devant ses yeux, en même temps que toutes les histoires sordides qu'elle avait entendues à propos d'autres jeunes filles de l'école. Il y en avait tellement qu'elle avait cru y être habituée. Mais les choses étaient maintenant bien différentes, car l'une des victimes potentielles était sa fille, et Claire devait en porter toute la responsabilité. Une main sur la bouche et les larmes aux yeux, elle eut une pensée instinctive : *Tom, j'ai besoin de toi.*

Mais Tom n'était pas là. Elle l'avait mis à la porte parce qu'elle ne pouvait pas lui pardonner une erreur passée. Maintenant, tout cela semblait peser moins lourd que l'avenir de Chelsea, et que le danger extrême qu'elle paraissait avoir couru. Oh ! si seulement Tom était là ce soir, si elle pouvait glisser sa main dans la sienne et sentir la pression rassurante de ses doigts. Si seulement elle pouvait se tourner et murmurer : « Tom, que devrions-nous faire ? » C'était insensé : de telles choses arrivaient aux enfants des autres, pas aux leurs ! Mais il était deux heures moins vingt-cinq, et la journée de Tom avait été aussi épuisante que celle de Claire. Le temps qu'elle lui téléphone et qu'il parcoure tout le chemin séparant Eagle Lake de la maison, il serait passé deux heures. Tous deux devaient se présenter très tôt à l'école, pour la dernière journée de rencontres. En fait, eux-mêmes devaient rencontrer les professeurs de leurs propres enfants. Non, décidément, Claire devait résoudre ce problème seule.

À l'étage, Robby dormait derrière la porte fermée de sa chambre et Chelsea s'était réfugiée dans la salle de bains. Claire cogna doucement et attendit. La jeune fille ferma le robinet et prit le savon sur le lavabo de marbre. Claire cogna de nouveau et poussa la porte en la laissant s'ouvrir d'elle-même, tandis qu'elle se croisait les bras et s'appuyait contre le mur. Penchée au-dessus du lavabo, Chelsea se frottait vigoureusement le visage.

— Chelsea? Pourquoi? murmura sa mère, consternée parce qu'elle ne savait ni que faire ni que dire, parce qu'aucun manuel sur l'éducation des enfants ne l'avait préparée à un tel moment.

Sans répondre, Chelsea pressa une serviette sur son visage. Lorsqu'elle se releva, elle se regarda fixement dans le miroir, comme s'il n'y avait personne d'autre dans la pièce.

— Est-ce à cause de papa et de moi?

— Je ne sais pas, murmura la jeune fille d'une voix morne, en baissant les bras sans lâcher sa serviette.

La pièce était silencieuse, hormis le bruit de l'eau tombant goutte à goutte du robinet. Il aurait été réparé depuis des jours si Tom avait été là. *Tom, Tom, je ne sais pas quoi dire.*

— As-tu bu, ce soir?

Le menton de Chelsea trembla et elle hocha piteusement la tête, tandis que ses yeux se remplissaient de larmes.

— As-tu pris de la drogue?

Toujours sans dire un mot, elle nia vigoureusement.

— As-tu couché avec lui?

— Non, maman, non, insista Chelsea d'un ton plaintif. Je te le jure.

— Je te crois.

— Vas-tu en parler à papa?

— Oui, je vais lui en parler. Il le faut. Je ne sais pas comment faire face à cette situation toute seule. Tu n'as pas la permission d'aller dans ce genre d'endroits. Tu es rentrée après l'heure autorisée, et tu as bu de l'alcool. Il doit être mis au courant.

— Va-t-il revenir, alors ?

Au fond du cœur de Claire, quelque chose fondit. Elle n'avait plus d'autre envie que d'imiter sa pauvre petite fille qui pleurait maintenant à chaudes larmes.

— Est-ce pour cela que tu as agi ainsi ? Pour que papa revienne ?

Chelsea laissa échapper un sanglot et se réfugia brusquement dans les bras de sa mère.

— Je ne sais pas, maman, hoqueta-t-elle. Peut-être, mais... c'est si... horrible, ici, sans lui. Tu ne veux pas... le laisser revenir avec nous ? Je t'en prie, maman. Ce n'est plus la même chose, sans... sans lui. Toi non plus, tu n'es plus la même, et je ne sais pas pourquoi tu nous fais ça, à tous !

La culpabilité, la peur et l'amour : tous ces sentiments exerçaient une force terrible sur Claire. Elle souffrait d'une façon nouvelle pour elle. En tenant Chelsea dans ses bras, en réalisant quelles mesures désespérées sa fille était prête à prendre pour apporter la réconciliation dans sa famille, Claire comprit qu'il y avait bien davantage en jeu que son mariage. Elle caressa la tête de Chelsea avec désespoir pour tenter de la rassurer.

— Papa et moi avons convenu de voir un conseiller matrimonial. Nous allons tenter de résoudre ce problème.

— V... Vraiment ? dit Chelsea en redressant la tête.

— Oui, nous avons pris rendez-vous pour la semaine prochaine.

— Alors, est-ce que papa va pouvoir revenir, maintenant ?

— Non, ma chérie, pas tout de suite.

— Mais pourquoi ? Si tu veux reprendre avec lui, pourquoi retarder ?

— Il y a des choses que nous devons régler auparavant, expliqua Claire en tendant un mouchoir de papier à sa fille pour qu'elle se sèche les yeux.

— Quelles choses ?

— Kent Arens, par exemple.

— Et M. Handelman?

— M. Handelman?

— Il y a des élèves, à l'école, qui disent que M. Handelman et toi sortez ensemble.

— Oh! C'est ridicule et totalement faux!

— Mais vous passez beaucoup de temps ensemble, aux répétitions, et il a le béguin pour toi, non? Oh, maman! Ne me dis pas que c'est vrai, s'écria la jeune fille en voyant sa mère rougir. Il n'y a rien entre vous, n'est-ce pas? Maman, comment as-tu pu?

— Je te l'ai dit : il n'y a rien! Et comment cette conversation a-t-elle pu dévier ainsi? C'est de toi que nous parlons, et de ton mépris des règles. Il va falloir te punir, tu le sais.

— Oui.

— Mais je... Je ne suis pas prête à m'occuper de ça toute seule. Je dois en parler à ton père, demain. Entre-temps, tu ne dois pas quitter la maison ni toucher à la voiture. Donne-moi tes clés.

— Très bien, maman, répondit docilement Chelsea.

Elle se rendit à sa chambre pour les chercher. Restée seule, Claire s'essuya les yeux et sentit son cœur se gonfler d'amour pour sa fille, jusqu'à étouffer la panique qui menaçait de s'emparer d'elle. Pourtant elle était seule et abandonnée, incertaine de la conduite à suivre relativement à tout ce qui semblait maintenant régir sa vie : Tom, les enfants, Kent, Monica, les répétitions, son faux pas avec John Handelman, et les accusations de Chelsea.

Un terrible sentiment de culpabilité s'empara de Claire : elle avait failli en tant que mère et elle se mit à regretter l'absence de Tom au cours des deux derniers mois. Finalement, elle essuya ses larmes et alla chercher les clés dans la chambre de Chelsea. Le subit retour à la raison de sa fille paraissait mettre fin à cette journée désastreuse, et Claire comprit qu'il lui restait à dire une chose capitale, une chose qu'elle avait besoin d'entendre autant que Chelsea.

— Chelsea, tu sais que je t'aime, n'est-ce pas?

— Oui... je crois, répondit la jeune fille sans lever les yeux. Mais ces derniers temps, je me le demandais.

— Je t'aime... Énormément. Mais les parents ne sont pas infaillibles. Parfois, ils ne font pas ce qu'il faut, même s'ils sont persuadés d'avoir raison. Parfois, ils agissent exactement comme des enfants, ne trouves-tu pas ?

Chelsea hocha tristement la tête, toujours sans regarder sa mère. Elles baignaient toutes deux dans la lumière ocre de la petite lampe de chevet, entourées par des symboles d'enfance que Chelsea avait conservés depuis qu'elle était fillette, et qui avaient récemment commencé à perdre du terrain en faveur des attributs de jeune fille : pompons de meneuse de claque, patins à roulettes et rouge à lèvres sur la commode, poupées et bas de nylon sur le fauteuil à bascule, une boîte à bijoux sous une affiche de Rod Stewart. Toutes deux éprouvèrent en silence la tristesse que le passage de l'adolescence à l'âge adulte crée parfois chez les mères et leurs filles.

Il était tard et leur fatigue se faisait de plus en plus sentir. Claire exprima le besoin criant qu'elles éprouvaient toutes deux.

— Eh bien... Tu m'embrasses ?

— Je t'aime, maman, dit Chelsea en la serrant dans ses bras.

— Moi aussi, je t'aime.

— Tu mettras un peu d'ordre dans ta chambre et tu feras ton repassage, demain. Nous nous reverrons lorsque je rentrerai, vers dix-huit heures. Nous reparlerons de tout ça à ce moment-là.

Chelsea hocha la tête sans relever les yeux.

Le matin suivant, une période avait été prévue pour les enseignants dont les enfants fréquentaient le HHH. Tom et Claire devaient rencontrer les professeurs de Robby et de Chelsea entre huit heures et huit heures trente.

Claire arriva avec une quinzaine de minutes d'avance. Il y avait de la lumière chez Tom, même si le bureau de la direction était encore vide. Claire s'arrêta devant sa porte. Ignorant qu'elle était là, Tom continua de travailler. Il avait mis le veston couleur d'ardoise qu'elle avait toujours aimé, ainsi qu'une jolie cravate qu'elle lui avait offerte pour la fête des Pères, l'été dernier. Tom possédait un corps svelte, fait pour les vêtements bien coupés. Le voir ainsi, assis derrière son bureau, élégamment vêtu, arrivait encore à l'émouvoir. Hier, lorsqu'elle l'avait vu parler avec Monica Arens dans le gymnase, un accès de jalousie l'avait aveuglée.

De quoi avaient-ils ri ? Combien d'autres fois avaient-ils parlé et ri ainsi ? S'étaient-ils retrouvés avec Kent, pour qu'il puisse mieux faire la connaissance du jeune homme ? Avait-il aussi connu Monica plus intimement ? Les imaginer tous trois ensemble tortura Claire, car elle comprit qu'elle n'avait jamais cessé d'aimer son mari.

— Tom ?

— Tu as quinze minutes d'avance, répondit-il en relevant la tête, sans le regard de profond désir qu'elle s'était habituée à voir chez lui depuis qu'elle l'avait chassé de la maison.

— Je sais. Puis-je entrer quand même ?

— Je travaille à un truc budgétaire qui ne peut souffrir aucun retard.

— C'est important.

— Bon, d'accord, dit-il en laissant tomber son crayon d'un air contrarié.

— Pourquoi est-ce que je me sens toujours comme une élève prise en faute quand je viens dans ton bureau ? demanda-t-elle en s'asseyant.

— Sans doute parce que tu es coupable de quelque chose, Claire.

— Je n'ai rien à me reprocher, mais cette question devra attendre. Je suis venue te parler de Chelsea.

Elle lui narra les événements de la veille, et vit son visage trahir une inquiétude de plus en plus grande.

— Oh, mon Dieu ! fit-il après son récit.

Ils restèrent un moment silencieux, pris d'un sentiment de culpabilité commune.

— Drake Emerson, murmura-t-il en se fermant les yeux. Crois-tu qu'elle dit la vérité, lorsqu'elle affirme ne pas avoir couché avec lui ?

— Je n'en sais rien.

— Bon Dieu, Claire ! Et si elle l'a fait ? Qui sait ce qu'il pourrait lui avoir transmis ?

— Je crois que tout ce que nous pouvons faire, c'est la croire, dit Claire.

— Et ce bar...

— Je sais... fit-elle d'une voix ténue.

— Je me souviens quand elle est née, dit rêveusement Tom. Nous la couchions entre nous sur le lit pour lui embrasser la plante des pieds.

Tout les poussait dans les bras l'un de l'autre, autant leur amour commun pour leurs enfants que leurs consciences, qui leur intimaient de réparer leurs fautes et de faire la paix. Mais ils s'étaient fait mal, ils avaient peur, et chacun restait sur ses gardes. Claire se leva pour regarder par la fenêtre. En cette fin d'octobre, les nuages semblaient chargés de neige, et le gazon du terrain de football était passé du vert au brun.

— Je ne savais pas quoi faire au juste, alors je lui ai interdit de sortir jusqu'à ce que nous en ayons parlé, et j'ai confisqué ses clés d'automobile.

— Crois-tu que ce soit vraiment la chose à faire... la punir?

— Elle a enfreint les règles.

— Peut-être est-ce nous qui les avons enfreintes, Claire.

— L'as-tu fait... avec Monica?

— Non, répondit-il fermement. Pas ces dix-huit dernières années. Et toi, avec Handelman?

— Non.

— Pourquoi suis-je incapable de te croire? Dans toute l'école, on raconte que vous flirtez durant les répétitions, et que vos autos sont les deux dernières à quitter le stationnement, le soir.

— Pourquoi suis-je incapable de te croire? Je t'ai observé, hier, quand elle est entrée dans le gymnase. Vous riiez ensemble comme deux vieux amis, et quelque chose a transformé sa vie, cela sautait aux yeux. Elle avait l'air d'une nouvelle femme.

— Que veux-tu que je te dise? fit-il en écartant les bras, dans une attitude qui rétablissait d'un seul coup toutes les défenses existant entre eux. Je suppose qu'il faudra régler tout ça devant le conseiller. Nous devons aller à la rencontre, maintenant, ou nous allons être en retard.

— Et Chelsea?

— Je vais lui parler.

— Sans moi?

— Comme tu voudras.

Sa quasi-indifférence blessa Claire. Lorsqu'ils se mirent en route, Tom ne mit pas la main dans son dos, comme il l'aurait fait autrefois. Elle ne trouvait plus de plaisir dans leurs rencontres à l'improviste, dans les corridors. Ils n'échangeaient plus de plaisanteries intimes, à voix basse, pour qu'on n'entende pas autour d'eux. Les baisers, la façon qu'avait Tom de faire l'amour lui manquaient. Son poids rassurant, de l'autre côté du lit, le bruit de son auto entrant dans le garage lui manquaient. Elle n'entendait plus le rire de leurs enfants à la maison. On ne discutait plus en famille des événements de la journée, le soir, autour de la table. Le bonheur avait disparu de leur vie.

— Je veux que tu saches que Kent a fait la connaissance de son grand-père, dit Tom pendant qu'ils se dirigeaient vers le gymnase. Il a rencontré tout le monde, même Ryan et ses enfants. J'ai cru qu'il devait avoir la chance de connaître sa famille.

Mon Dieu, qu'ai-je fait? pensa Claire, saisie de vifs remords. Ryan avait laissé un message, cette semaine, mais elle ne l'avait pas rappelé.

— J'ai également trouvé un appartement, dans lequel je vais bientôt emménager. Je te donnerai le numéro de téléphone dès que je l'obtiendrai.

Claire subit un choc supplémentaire en se rendant compte du nouveau tour que prenait la situation. Elle avait mis Tom à la porte pour exprimer sa douleur et sa colère; elle lui avait refusé son pardon, n'avait pas cherché à apaiser les tensions entre eux, s'était dérobée à toute manifestation d'affection. Tom s'était alors tourné vers d'autres personnes pour en obtenir. Vers son fils récemment découvert, et sans aucun doute vers la mère de ce dernier, puisque Monica semblait répondre à l'attention de Tom de façon spectaculaire. Maintenant, il venait de se trouver un appartement. Pour quelle autre raison, sinon pour abriter ses nouvelles amours des regards?

Claire s'assit devant le premier professeur dans un tel état émotionnel qu'elle réussit à peine à contenir ses larmes. Comme si cette première demi-heure à l'école n'avait été assez funeste, les rencontres avec les professeurs de Chelsea apportèrent d'autres mauvaises nouvelles. La plupart concernaient une baisse de son rendement scolaire. Elle négligeait de remettre ses devoirs, et ceux qu'elle faisait étaient bâclés. Pour la première fois, deux professeurs rapportèrent qu'elle manquait des cours. Pour Tom et Claire, qui se retrouvèrent à la fin des rencontres, le choc fut énorme.

— Tout ça... parce que nous sommes séparés ? demanda Claire.

Leurs yeux se rencontrèrent, deux regards inquiets dans lesquels chacun admettait sa part de responsabilité.

— Ne savais-tu pas que son travail allait à vau-l'eau ? dit Tom.

— Non. Je crois que... J'étais occupée par les répétitions et tout le reste, et... Je...

— J'aurais dû venir la voir plus souvent.

Ils souffraient de ne pas pouvoir se toucher, s'étreindre, de ne pas pouvoir faire autre chose que de rester là, bras ballants, à se sentir coupables. Mais autour d'eux, les parents entraient et sortaient du gymnase. Le personnel de la direction accueillait les gens. Et il y avait cette règle, entre eux, la séparation marquée entre la vie privée et le travail.

Un sujet les unissait toujours, pourtant : leur amour pour leurs enfants. Ils feraient tout le nécessaire pour que Robby et Chelsea ne s'écartent pas du droit chemin.

— J'irai à la maison dès la fin des rencontres, décida brusquement Tom.

— Oui, fit-elle, sentant un regain d'espoir et d'énergie la gagner. Je crois que ça vaut mieux.

Aucun d'entre eux ne chercha à s'assurer qu'il voulait dire : *Je vais à la maison pour y rester.*

Dix-sept

Le samedi matin, dernier jour des rencontres parents-professeurs, Robby se leva tard et entreprit de laver son maillot de football (ce que sa mère lui avait appris à faire des années auparavant) parce qu'il devait le remettre à l'école. Les Sénateurs avaient perdu leur dernière partie, et leur dernière chance de prendre part au championnat de l'État. C'était à la fois la fin de la saison, et de la carrière de footballeur de Robby au HHH. Il passa quelques heures à ruminer cette pensée en traînant de la savate sans but, dans la maison.

Finalement, vers le milieu de l'après-midi, il décida d'aller porter son maillot et de s'entraîner un peu dans la salle d'haltérophilie. L'atmosphère était trop déprimante à la maison. Chelsea, privée de sortie, était à peine sortie de sa chambre. Sa mère ne reviendrait des rencontres parents-professeurs que vers dix-huit heures, et elle continuait de traiter son père en pestiféré. Il n'était revenu que deux fois à peine, depuis qu'il était parti chez grand-père et chaque fois, Claire l'avait traité si rudement qu'il ne s'était guère attardé.

C'était une vraie torture de le voir repartir avec un air de chien battu. Même à l'école, il n'était plus lui-même. Parfois, Robby éprouvait une colère terrible contre sa mère, de même qu'une envie de la semoncer, de lui demander quelle importance cela pouvait avoir, si son mari avait été infidèle avant le mariage ? Car après tout, cela s'était déroulé *avant*. Qu'est-ce que ça pouvait bien faire, *maintenant* ? Bon Dieu, Robby lui-même avait fini par reconnaître que ce n'était pas si terrible que Kent soit son demi-frère. Les autres, à l'école, étaient revenus de leur étonnement et ne posaient même plus de questions.

À vrai dire, Kent Arens était tout à fait correct. Il s'était même montré pas mal respectueux de leur filiation commune. Il possédait une façon bien à lui de ne pas s'imposer, de faire juste ce que l'entraîneur disait, en laissant de côté leur différend. D'ailleurs, M. Gorman avait raison : Kent était un bon athlète.

Robby trouvait difficile de ne pas remarquer les ressemblances entre Arens et lui, en ce qui concernait leurs capacités sportives. Sans aucun doute, il s'agissait d'un trait hérité de leur père. Parfois, quand Robby remettait le ballon à Kent ou lui lançait une courte passe, il avait l'impression que c'était son père qui se mettait à courir vers la zone des buts. Dans de tels instants, Robby éprouvait un sentiment étrange, presque semblable à de l'affection.

En d'autres occasions, surtout lorsqu'il n'arrivait pas à dormir, la nuit, Robby songeait à la vie de Kent, à la façon dont l'absence de son père avait pu l'affecter. Il repassait ses souvenirs d'enfance et s'imaginait racontant à Kent ce qu'avait été grandir avec un père comme Tom Gardner.

Il lui arrivait aussi de rêver qu'ils allaient au même collège, qu'ils fréquentaient la même pizzeria, qu'ils revenaient ensemble à la maison pour les week-ends. Quand ils seraient plus vieux, qu'ils se marieraient et auraient des enfants... Ouaouh, ça, ce serait quelque chose ! Leurs enfants seraient cousins ! Des idées de ce genre finissaient toujours par laisser Robby anormalement songeur.

Il réfléchissait de nouveau à tout cela en se rendant à l'école avec son uniforme, puis dans le vestiaire aux longs bancs de bois verni. Pour une fois, il n'y avait pas de lumière dans le bureau de l'entraîneur, et sa porte était verrouillée. Quelqu'un avait laissé une seule lampe allumée, au plafond. Elle jetait une pâle lumière qui contribuait à la tristesse de fin de saison des lieux. L'air confiné et humide rappelait la sueur et la camaraderie dont les murs avaient été témoins. Dans un coin, près du bureau, trois grands barils de plastique bleu portaient des inscriptions de la main de l'entraîneur : *Uniformes*, *Protège-tibias*, *Épaulières*. Robby traversa la pièce et commença à lancer les pièces de son équipement dans les barils correspondants.

Se tournant alors, il aperçut Kent Arens, aussi surpris, aussi méfiant que lui. Tous deux semblèrent péniblement chercher quoi dire.

— Salut, finit par lancer Robby.

— Salut.

— Je ne savais pas que tu étais ici... Tu viens remettre ton uniforme ?

— Ouais... Toi ?

— Moi aussi.

— C'est dommage que la saison soit terminée.

— Ouais...

— Bon, eh bien...

Ils durent se croiser pour se rendre à leurs casiers respectifs, mais ils s'assurèrent de passer chacun de son côté du banc. Ils commencèrent à remplir chacun leur baluchon des choses qu'ils devaient ramener, sans jamais regarder l'autre. Un grand bruit annonça que Kent lançait son équipement dans les barils. Caché derrière la porte métallique de son casier, Robby jeta un coup d'œil, mais déjà Kent se retournait et Robby se replongea dans ses affaires.

— Je pourrais te parler de quelque chose ?

En entendant la voix de son demi-frère, Robby sentit son cœur se mettre à battre un peu plus vite, un peu comme la première fois où il avait embrassé une fille. C'était le même besoin merveilleux et effrayant de poser un geste téméraire. Il avait peur de se lancer à l'eau, et peur d'échouer. Il fallait pourtant aller de l'avant, afin de pouvoir viser une prochaine étape sur le chemin de la vie.

— Ouais, bien sûr... répondit-il, en essayant de paraître naturel, mais sans lâcher la porte de son casier, car il n'était pas sûr de la fermeté de ses genoux.

— Tu ne veux pas t'asseoir ? demanda Kent en s'installant à califourchon sur le banc.

— Euh... non. Ça va. Alors, de quoi veux-tu parler ?

— J'ai rencontré notre grand-père.

Entendre ainsi son demi-frère parler de leur relation familiale, même de façon aussi circonspecte, procura un immense soulagement à Robby. Il s'assit également sur le banc, à deux bons mètres de Kent, et le regarda droit dans les yeux.

— Comment ? demanda-t-il doucement.

— Ton père me l'a présenté.

— Quand ?

— Il y a quelques semaines. J'ai aussi rencontré notre oncle Ryan et ses trois enfants.

Il leur fallut quelque secondes pour bien comprendre qu'ils allaient partager le même oncle, le même grand-père, mais aussi pour prendre conscience qu'ils pouvaient partager beaucoup plus, s'ils ne laissaient pas la peur se mettre sur leur chemin.

— Qu'en penses-tu, finit par demander Robby ?

— C'est pas mal incroyable, dit Kent en hochant la tête.

— C'est curieux, je pensais justement à quelque chose du genre en venant ici... À mes cousins que tu ne connaissais pas encore, à grand-père et à grand-mère, avec qui tu n'as jamais passé de temps comme je l'ai fait. Je me disais que c'était dommage pour toi.

— C'est vrai ? Tu le pensais vraiment ?

— C'est pas mal important pour un enfant, je crois, dit Robby en haussant les épaules. Je ne m'en étais pas rendu compte avant d'apprendre que tu en avais été privé.

— Je n'ai pas d'autres grands-parents. Enfin, je n'en ai plus... J'ai perdu les miens quand j'étais très jeune, et je ne me souviens plus très bien d'eux. J'ai une tante, ici, et elle a deux enfants, mais ce sont pratiquement des étrangers. Je ne m'attendais pas à trouver un grand-père quand nous sommes arrivés ici. C'est vraiment quelqu'un.

— Ah pour ça, oui ! Il vient habiter chez nous, parfois, quand maman et papa font un voyage ensemble. Enfin... quand ils le faisaient. Maintenant... euh... Enfin, tu sais... Ils ne vivent plus ensemble.

— Je suppose que c'est à cause de maman et de moi.

Robby haussa les épaules et se mit à frotter le bois verni du bout de son pouce.

— Je ne sais pas. Ma mère... On dirait qu'elle est devenue toquée, tu vois ? Elle a mis mon père à la porte, et il est allé vivre chez grand-père. Chelsea est devenue toute bizarre. Maintenant, elle s'est mise à sortir avec toutes sortes de minus... On dirait bien que notre famille s'en va au diable.

— Je suis désolé.

— Ouais, ben... Ce n'est pas vraiment ta faute.

— Pourtant, je me sens coupable.

— Non... c'est juste que...

Robby se trouva incapable d'exprimer ses sentiments. Il cessa de frotter le banc et resta immobile, à fixer la tache mate qu'il venait d'y faire.

— Dis, je peux te demander quelque chose ?

— Bien sûr.

— Tu ne te mettras pas en rogne ?

— Il en faut beaucoup pour me mettre en rogne.

— Ah oui ? fit Robby d'un air légèrement amusé. Comme la fois où tu as foncé chez nous comme un taureau furieux ?

— Oh, ça... Désolé. J'étais un peu sous le choc.

— Ouais, nous l'avons compris.

— Je sais bien que je n'aurais pas dû faire ça, mais mets-toi un peu à ma place.

— Oui, bien sûr. C'est un peu comme recevoir un coup de marteau sur la tête.

Pour la première fois, l'ombre d'un sourire parut sur leurs lèvres, et le silence qui suivit leur sembla un peu plus confortable.

— Alors, que veux-tu me demander ?

— Eh bien... c'est un peu difficile.

— Toute cette conversation est difficile. Allez, vas-y.

— D'accord. Crois-tu que mon père et ta mère ont une aventure ?

— Je ne le crois pas, répondit Kent sans se mettre en colère, à la grande surprise de son interlocuteur. Je l'aurais su si c'était le cas.

— Ma mère est persuadée du contraire. C'est la raison pour

laquelle elle a chassé mon père. Est-ce qu'il... je ne sais pas... Est-ce qu'il passe beaucoup de temps chez toi?

— À ce que je sache, il n'est venu à la maison qu'une seule fois, quand il a compris que j'étais son fils et qu'il est venu en chercher la confirmation auprès de ma mère.

— Alors, tu ne crois pas qu'ils se voient en cachette?

— Écoute, à vrai dire, ma mère ne sort pas beaucoup avec des hommes. Elle vit seulement pour son travail. Et pour moi aussi, bien sûr. C'est le genre de femme pour qui la réussite passe avant tout.

— Ça veut dire que ma mère s'est mise hors d'elle pour rien?

— Tu oublies un facteur important : moi. Je peux te dire qu'elle n'est pas du tout heureuse de me voir à l'école.

— Moi non plus, je ne l'étais pas, au début, mais j'ai fini par l'accepter. Pourquoi pas elle?

— Tu as fini par l'accepter?

— Ouais... fit-il en haussant les épaules. Tu ne m'as jamais ramené cette histoire sous le nez, et à la fin de la saison, nous avions fini par faire une bonne équipe, sur le terrain de football. Je ne sais pas... Je suppose que je suis devenu un peu plus mûr, et que j'ai fini par me mettre à ta place.

Ils se turent encore une fois pour réfléchir à cette nouvelle franchise entre eux, et au fait qu'ils pouvaient désormais songer à devenir des amis, et même de bons amis.

— Crois-tu que nous pourrions, euh... faire des choses ensemble? Enfin, pas vraiment comme des frères, mais...

— Tu crois que tu voudrais?

— Peut-être... Ouais, pourquoi pas? Mais ta mère s'objecterait probablement.

— Elle s'habituerait.

— Ta sœur, en tout cas, n'aimerait pas ça.

— Tu sais, elle t'aimait bien, au début. Je ne sais pas ce qui est arrivé, mais elle n'arrêtait pas de parler de toi.

— Je vais te dire ce qui est arrivé : je l'ai embrassée, un soir... Voilà.

— Tu l'as embrassée!

— Ben, quoi ! s'exclama Kent en ouvrant grand les bras, je ne pouvais pas savoir que c'était ma sœur ! Comment l'aurais-je deviné ? Je l'aimais bien. Elle était mignonne, et intelligente, et gentille. Nous nous entendions très bien, et un soir, après la partie de football, je l'ai raccompagnée, et je l'ai embrassée. Juste après, nous avons appris la vérité, et depuis ce temps-là, nous ne pouvons même plus nous regarder en face quand nous nous rencontrons dans les corridors, et encore moins nous parler. Aaah ! je ne sais pas... conclut-il en fixant son genou droit.

— Tu l'as embrassée, murmura Robby, sidéré. Ben, mon vieux... Et c'est tout ?

— Que veux-tu dire : « C'est tout ? » C'est bien assez !

— Euh, enfin... C'était une simple erreur, non ?

— Bien sûr, mais j'ai la frousse de lui adresser la parole depuis ce temps-là. Tu comprends : quel genre de pervers va embrasser sa sœur ?

— Bah, voyons ! Tu n'es pas pervers.

— Non, mais je me sens si stupide. Tu vois, je l'aimais vraiment, pas seulement comme petite amie, mais comme amie tout court. Nous avions parlé de toutes sortes de choses importantes, et c'était vraiment super d'arriver dans un endroit inconnu et de tomber immédiatement sur quelqu'un comme elle. Tu ne me croiras pas, mais l'un des sujets dont nous avions parlé, c'était ton père. Notre père. J'ai même avoué à Chelsea que j'étais un peu jaloux d'elle, parce qu'elle avait un père comme le sien. C'est ironique, non ?

Ils se turent un moment en songeant au moyen de remettre en place les fragments épars de leurs vies.

— Qu'arriverait-il, d'après toi, si je te ramenais à la maison ? demanda soudain Robby.

— Ah non ! Rien à faire.

— Mais attends... Il faut que je te raconte, à propos de Chelsea. Elle n'est plus elle-même depuis que papa est parti, et son comportement commence à m'inquiéter sérieusement. Elle ne voit presque plus Erin, maintenant. Elle fréquente plutôt une traînée du nom de Merilee, et s'habille comme une souillon. La plupart du temps, d'ailleurs, elle se tient avec une bande de dégénérés. Hier soir, elle est allée au Mississippi Live avec Drake Emerson.

— Drake Emerson ! Le camé aux fermetures éclair ?

— Exactement. Elle est partie, tout bonnement, sans en parler à maman, pour revenir bien après l'heure permise. Elle avait bu. Maman était furieuse. Je l'entendais crier à travers la porte de ma chambre. Quoi qu'il en soit, crois-tu que... Oh, zut, je ne sais pas... Ce que je vais te dire est peut-être idiot, mais Chelsea t'aimait bien. Si tu lui parlais, si tu lui disais que tu aimerais être à nouveau son ami... En joignant nos forces, tous les trois, nous arriverions peut-être à réparer tout ce gâchis.

— Si ta mère apprend que je suis allé chez toi, ça ne fera qu'empirer les choses.

— Elle n'en saura rien. Les rencontres parents-professeurs vont la retenir toute la journée. Chelsea ne parlera pas. Elle est seulement... Écoute, je dois avouer que j'ai peur de ce qui va arriver à notre famille. Chelsea a tellement changé depuis que mes parents se sont séparés. Je crois qu'elle a peur, elle aussi, et qu'elle le montre de cette façon. Bon Dieu, je ne comprends vraiment rien aux filles ! En tout cas, j'ai bien réfléchi, ces dernières semaines, à ce que les choses devraient être entre nous trois. Nous avons le même père, pas vrai ? Allons-nous passer le reste de nos vies à faire comme si de rien n'était, ou allons-nous prendre le taureau par les cornes, comme des gens responsables ? Voilà ce que je me suis dit. Pourquoi devrions-nous toujours faire les quatre volontés de maman ? Est-ce que mon opinion ne compte pas ? Et celle de Chelsea ? Celle de papa ? Je sais que papa veut que nous redevenions une famille, mais il se sent coupable. Il a peur et n'agit plus comme il le devrait. Toi, je ne sais pas ce que tu veux vraiment, mais si tu désires mieux nous connaître, nous devrions peut-être commencer maintenant, en mettant Chelsea dans le coup. Qu'en dis-tu ?

— Crois-tu que Chelsea acceptera de me parler ? demanda Kent au bout d'un moment.

— Pourquoi pas ? Si le fait que vous vous soyez embrassés la tracasse autant que toi, elle sera contente de régler la question et de passer à autre chose.

— Tu es bien sûr que ta mère ne rentrera pas tout de suite?

— Pas avant une bonne heure et demie. Les rencontres ne prendront pas fin avant dix-huit heures, et papa insiste beaucoup pour que les professeurs restent jusqu'à la fin.

— Et ton père?

— Il reste à l'école aussi longtemps qu'il y a du monde. D'ailleurs, je te l'ai dit : il ne vient plus souvent à la maison.

— Alors, allons-y, fit Kent en balançant ses longues jambes par-dessus le banc de bois.

Kent avait enfin obtenu sa propre automobile. Il suivit Robby et se gara derrière lui dans l'allée des Gardner.

— Cette vieille Chelsea va avoir la surprise de sa vie, dit Robby en ouvrant la marche.

Chelsea n'était nulle part au rez-de-chaussée. Ils montèrent et Robby frappa à la porte de sa chambre.

— Quoi? fit-elle d'une voix agacée.

— Je peux entrer?

— Qu'est-ce que tu veux?

— Il y a quelqu'un qui veut te parler.

— Je m'en fous!... Entre!

Robby tourna la poignée et poussa la porte. La pièce était dans un ordre impeccable. Assise par terre, Chelsea pliait des vêtements et empilait des chaussettes sur le lit. Ses cheveux frais lavés tombaient naturellement. Elle portait un survêtement bleu trop grand pour elle et d'épaisses chaussettes blanches. Son visage ne portait plus aucune trace de maquillage.

— Alors, qui as-tu traîné à la maison? demanda-t-elle d'un ton acide.

— Moi, dit Kent en se plaçant à côté de Robby dans l'embrasure de la porte.

— Qu'est-ce que tu fais ici? dit Chelsea en rougissant.

Kent ne se sentait pas du tout à l'aise, mais il réussit à le cacher, et montra à Chelsea le visage d'un jeune homme confiant, qui n'hésitait pas à venir mettre les choses au point avec elle dans sa propre chambre, tandis que Robby s'éclipsait dans la sienne.

— Il paraît qu'on t'a interdit de sortir ?

— Oui. Pour avoir bu et être rentrée plus tard que permis.

— Ça ne ressemble pas à ton comportement habituel.

— Pourtant c'est ce que j'ai fait, répliqua-t-elle en pliant une paire de chaussettes, avec une touche d'arrogance sur le visage.

— Robby prétend que tu te rebelles contre tout ce gâchis, à propos de ta famille et de moi. Est-ce exact ?

— Peut-être que oui, fit-elle en reportant toute son attention sur sa tâche. Je n'y ai pas vraiment réfléchi.

— C'est le meilleur moyen de mal tourner, pour quelqu'un de bien.

— Depuis quand Robby et toi êtes-vous copain-copain ?

— Nous avons discuté tout à l'heure, à l'école. Je lui ai dit ce qui s'était passé entre toi et moi.

— Le baiser ? fit-elle, horrifiée. Oh, mon Dieu ! Comment as-tu pu ?

Kent alla s'asseoir en tailleur devant elle, de l'autre côté de la pile de vêtements.

— Écoute, Chelsea, nous ne sommes plus des enfants, mais je trouve que tu n'agis pas vraiment comme une adulte. Robby et moi pensons qu'il est temps de mieux nous connaître, ce que nous ne pourrons pas faire avant d'oublier ce stupide incident. Après tout, ce n'était rien qu'un petit geste d'affection. Je peux l'oublier, si tu le peux. Nous devons reléguer ça aux oubliettes.

— Mais tu l'as dit à mon frère !

— Il a très bien pris la chose, en garçon sensé, mieux que toi et moi.

— Il n'arrêtera pas de m'en rebattre les oreilles !

— Je ne le crois pas. Il veut que nous soyons amis, que tes parents réfléchissent à toute cette histoire avec un peu de bon sens. Si les trois enfants forment un front commun, ta mère finira bien par croire qu'il n'y a rien entre ma mère et ton père. Qu'en dis-tu ?

— Y a-t-il quelque chose ? demanda Chelsea en cessant à nouveau de plier ses chaussettes.

— Non. Je le saurais.

— En es-tu certain ?

— Parfaitement.

— Est-ce que ta mère accepterait de le dire à la mienne ?

— De le lui dire ?

— Oui, de venir ici pour le lui dire.

— Je l'ignore.

— À mon avis, c'est la seule façon de convaincre ma mère de laisser papa revenir à la maison. Ta mère doit venir ici, et lui dire qu'elle n'est pas la maîtresse de mon père.

— Ouf ! C'est radical, comme moyen.

— Mais ça marcherait, n'est-ce pas ? Mais qu'est-ce que je raconte ! s'écria-t-elle en se prenant la tête à deux mains. Tu ne connais pas ma mère ! Comment savoir si ça marcherait vraiment ? Pourtant, il y a une chance... Comment est ta mère ?

— Elle est plutôt raisonnable, et je crois qu'elle se sent un peu responsable de la séparation de tes parents. Elle n'a jamais voulu que ça se produise.

— Viendrait-elle ?

— On ne risque rien de lui demander.

— Maintenant ? Nous sommes samedi, insista-t-elle comme il ne répondait rien. Elle ne travaille tout de même pas !

— Elle apporte du travail à la maison, les week-ends... Mais je croyais que tu ne pouvais pas sortir.

— Si tu crois que je vais laisser un tel détail m'empêcher de réconcilier mes parents, tu te trompes, s'exclama-t-elle en se mettant précipitamment debout.

— Eh, Chelsea, attends ! s'écria Kent pendant qu'elle l'enjambait et courait vers la chambre de son frère.

— J'attends depuis la première semaine d'école, et rien n'a l'air de vouloir faire changer ma mère d'avis. J'en ai marre d'attendre. Robby ! Robby, j'ai une idée !

Quinze minutes plus tard, ils arrivaient chez Kent. En descendant de voiture, Chelsea leva les yeux vers la maison et retint son souffle.

— Dis donc ! C'est ici que tu habites ?

— Ma chambre est là-haut. Cette fenêtre, là, c'est celle de ma mère. Il y a de la lumière. Elle est à la maison.

À l'intérieur, tout semblait neuf, frais, et parfaitement coordonné. Kent pointa une patère de cuivre, près de la porte.

— Vous pouvez accrocher vos blousons. Maman? cria-t-il ensuite.

— Je suis ici, mon chéri! Tu sais, je crois que nous devrions aller quelque part pour dîner, ce soir. J'ai résolu ce qui clochait, au sujet de ce commutateur électronique, et tes professeurs n'ont eu que des louanges à ton sujet, hier... Oh! fit-elle en arrivant au sommet de l'escalier. J'ignorais que tu avais invité des amis.

— Plus que des amis, maman. Ce sont mon frère et ma sœur.

— Oh!

— Puis-je te les présenter?

— Bien sûr, dit Monica d'un air surpris, mais aimable, en laissant tomber la main qu'elle venait de porter à son cœur.

— Venez.

Ils montèrent à la suite de Kent et se retrouvèrent nez à nez avec sa mère, qui semblait aussi étonnée qu'eux de cette rencontre improvisée.

— Maman, j'aimerais te présenter Chelsea et Robby Gardner.

— Comment allez-vous? dit-elle en leur serrant la main.

— Votre maison est magnifique, fit Chelsea en continuant de regarder admirativement autour d'elle.

— Merci, répondit Monica, en se tournant vers son fils comme pour solliciter son aide. Eh bien... fit-elle avec un sourire timide. C'est si inattendu.

— Je sais. Nous aurions dû t'avertir, maman, mais les événements se sont bousculés. J'ai rencontré Robby à l'école et nous nous sommes parlé. Il fallait que je discute avec Chelsea, et nous avons décidé qu'il était temps de mieux nous connaître, alors je suis allé chez eux. Ensuite, eh bien... Il y a une chose dont nous aimerions te parler. Veux-tu lui demander toi-même? dit-il en se tournant vers Chelsea.

— Un instant, un instant, coupa Monica. Auparavant, allons

nous asseoir au salon. Aimeriez-vous quelque chose à boire ? Une boisson gazeuse ? De l'eau minérale ?

— Non merci, répondirent-ils à l'unisson en s'installant sur le canapé ivoire, parmi les coussins aux tons pastel.

Monica alluma quelques lampes et s'installa dans un fauteuil face à eux, de l'autre côté de la table au plateau de verre. Ils se regardèrent avec hésitation, de part et d'autre d'un goéland de céramique qui se tenait en équilibre sur une patte de laiton.

— Ainsi donc, vous avez conclu une sorte de trêve, reprit Monica.

— Oui, répondit Chelsea, que Monica regardait maintenant droit dans les yeux, après avoir examiné Robby sans chercher à dissimuler sa curiosité.

— C'est un moment étrange pour moi, avoua-t-elle franchement. Je vous rencontre pour la première fois, vous qui êtes le demi-frère et la demi-sœur de Kent. Vous devrez me pardonner si j'ai l'air un peu secouée.

— Je crois que nous le sommes également, dit Chelsea au nom des autres, en cherchant leur approbation du regard.

— Avez-vous passé la journée ensemble ? demanda Monica.

— Non, une heure seulement, environ. Un peu plus longtemps pour les garçons.

— Eh bien, je constate que tout le monde est légèrement nerveux et attend ma réaction. J'ai essayé de me préparer à un jour comme celui-ci, dit-elle en regardant son fils, mais je n'y ai jamais vraiment réussi. Cependant, laissez-moi vous mettre à l'aise en vous assurant d'emblée que j'étais persuadée que cela devait se produire, et que je suis heureuse que ce soit fait. Lorsque je suis arrivée, que j'ai découvert que Tom vivait ici, et qu'il était le directeur de l'école de Kent, je me suis sentie terriblement menacée. Je craignais probablement de perdre mon fils... Mais Kent m'a fait comprendre qu'il serait injuste d'essayer de lui cacher la vérité à propos de son père, ou de tenter de les tenir éloignés l'un de l'autre. Avec le temps, j'en suis venue à penser la même chose à propos de vous, poursuivit-elle en s'adressant à Chelsea et à Robby.

Kent est fils unique, ce peut être un poids difficile à porter.

Votre existence, pour étonnante qu'elle ait pu nous paraître, pourrait se révéler un cadeau inattendu du destin envers nous, et particulièrement pour Kent. J'ai longuement songé à son avenir, depuis que nous sommes arrivés ici, et j'ai essayé d'imaginer le moment où j'aurai beaucoup vieilli, et où il se retrouvera seul. Bien sûr, il aura une épouse, un jour, et des enfants, j'espère. Mais vous, sa sœur et son frère... vous serez le cadeau que je n'ai jamais pu lui faire. Alors, tranquillisez-vous. Je ne vais pas piquer de crise de nerfs ni vous traiter avec froideur parce que vous êtes venus ici à l'improviste. Bien au contraire, je pense qu'il était grand temps que nous fassions connaissance.

L'atmosphère se détendit instantanément, et les enfants échangèrent de rapides regards de soulagement.

— Tu sais, fit Kent, je crois que je vais boire quelque chose, après tout. Quelqu'un veut m'imiter ?

Pendant qu'il allait chercher les boissons, Monica fit les honneurs de la maison. Lorsque tout le monde se trouva de nouveau installé, un verre à la main, Monica se rassit et se croisa les jambes.

— Alors, demanda-t-elle, qu'étiez-vous venus me demander ? Eh bien ? fit-elle en les voyant se regarder avec hésitation. Qui va plonger le premier ?

— Je vais y aller, dit Kent en s'approchant du bord du canapé.

— Non, laisse-moi faire, intervint Chelsea, le visage crispé. Il s'agit de ma mère, et c'était mon idée. D'abord, nous devons tirer une chose au clair, et c'est assez difficile à demander.

— Je vais le faire moi, coupa Robby. Madame Arens, nous devons savoir la vérité : avez-vous une liaison avec mon père ?

— Une... liaison ? Avec votre père ? Jamais de la vie ! s'esclaffa Monica.

— Ouf, quel soulagement ! s'exclama Robby.

— Voyez-vous, expliqua Chelsea précipitamment, pour ne pas manquer de courage en chemin, ma mère est persuadée du contraire, et elle a chassé mon père de la maison. Il vit maintenant chez notre grand-père, et tout va mal depuis ce temps. Il n'y a qu'une chose à faire pour que ma mère redevienne raisonnable, c'est que vous veniez avec nous lui répéter ce que vous venez de nous affirmer ! Je vous en prie ! Elle comprendra qu'elle est en train de détruire notre famille pour rien, et elle acceptera peut-être de reprendre papa. Le ferez-vous ?

Le visage de Chelsea paraissait si rempli d'espoir que Monica ne put s'empêcher d'être touchée par son courage. Néanmoins, en tant que seule adulte du groupe, elle devait les amener à réfléchir aux risques que comportait l'entreprise.

— Ta mère n'aimera peut-être pas que j'aille envahir son territoire.

— Mais vous ne comprenez pas ! Elle n'en fait qu'à sa tête depuis le début, et personne n'a été capable de l'en empêcher. Mais elle a tort ! Tout à fait tort !

— Qu'en penses-tu, Kent ?

— Je crois que Chelsea a raison. Ça vaut la peine d'essayer.

— Ne crois-tu pas que ça pourrait mettre en danger tes relations avec Tom ?

— Peut-être, mais je dois aussi penser à Chelsea et à Robby.

— Alors, tu veux que je le fasse ?

— Oui, maman. Tu dois le faire.

— Et toi, Robby ?

— Nous ne voyons pas d'autre solution, madame Arens.

— Votre idée me fait pourtant mourir de peur, s'exclama Monica en fermant les yeux, une main pressée sur le cœur. Si jamais nous échouons ? Si jamais nous ne faisons qu'aggraver les choses ?

Les enfants se consultèrent du regard. Aucun d'eux ne trouvait de réponse et l'inquiétude remplaça l'espoir sur leurs visages.

— Écoutez, reprit Monica. Je ferai ce que vous me demandez, mais à deux conditions. D'abord, je ne parlerai pas à votre mère à l'intérieur de sa maison. Ce serait une invasion pure et simple, et elle s'en formaliserait sûrement. Ensuite, je veux que nous soyons seules. D'accord ?

— D'accord, répondirent-ils ensemble, mais voulez-vous le faire tout de suite ? poursuivit Chelsea. Parce que papa pourra peut-être revenir à la maison ce week-end même, si ça marche. Voyez-vous, il a l'intention d'emménager dans un appartement demain, ce que ma mère ignore encore, je crois, mais il nous l'a dit. C'est une des raisons pour lesquelles je suis privée de sortie.

— Privée de sortie ? répéta Monica sans comprendre.

— Oh, c'est une autre histoire, mais quand j'ai appris que mon père allait prendre un appartement, j'étais si en colère que j'ai fait des bêtises, et on m'a punie. En fait, je devrais être à la maison, en ce moment, et si vous ne venez pas tout de suite parler à ma mère, je vais passer un mauvais quart d'heure.

— C'est trop compliqué pour moi, fit Monica, déconcertée, en se passant une main sur le front. Votre mère est-elle chez elle, à l'heure actuelle ?

— Non, mais elle reviendra dès que les rencontres seront terminées, juste après dix-huit heures.

— Alors, attendons dix-huit heures et allons-y. Je resterai dans ma voiture, et vous deux, vous entrerez pour lui demander de venir me parler.

— Et Kent ?

— Kent restera ici. Sa présence là-bas serait porter l'insulte à son comble, pour ainsi dire. Vous pourrez le ramener chez vous lorsque je n'y serai plus et que votre mère aura accepté d'accueillir Tom à nouveau.

— Ça te va, Kent ? demanda Robby.

— Bien sûr, nous nous parlerons plus tard, au téléphone.

Peu de temps avant dix-huit heures, ils se préparèrent à partir. Monica descendit au garage, pendant que les trois adolescents attendaient dans le vestibule. Tous trois auraient voulu s'étreindre, mais ils craignaient que ce soit encore trop tôt, et attendaient.

— Bonne chance, dit Kent.

— Merci, répondirent Chelsea et Robby.

— Maman va faire du bon travail, ne vous inquiétez pas.

Un grondement annonça que la porte du garage s'ouvrait. Une question insistante n'arrêtait pas de leur tourner dans la tête : *Est-ce que je pourrais te serrer dans mes bras ?* Mais la pudeur les retenait.

— J'aimerais... fit Kent sans oser aller plus loin.

— Oui, je sais, devina Chelsea. Il n'est pas trop tard, n'est-ce pas ?

— Jamais de la vie, dit Robby. Nous ne faisons que commencer.

Un sourire parut, puis un autre, et un autre. Bientôt, ils se mirent à rire, et les garçons se jetèrent dans les bras l'un de l'autre, les larmes au bord des yeux, car ils ne trouvaient rien à dire dans un tel moment. Chelsea et Kent se montrèrent plus réservés, mais leurs retrouvailles furent bénéfiques et leur ouvrirent les portes d'un avenir rempli de possibilités merveilleuses.

— Bonne chance, chuchota Kent à l'oreille de sa sœur avant de la laisser partir.

— Merci.

Kent ouvrit la porte et les regarda sortir, les mains dans les poches, sans prendre garde au vent froid qui tourbillonnait autour de lui. Son frère et sa sœur montèrent à bord de leur auto et le saluèrent de la main, avant de s'éloigner, suivis de sa mère. Il ne rentra pas avant d'avoir entendu Robby klaxonner brièvement à son attention, et sa main resta élevée longtemps après que Robby et Chelsea eurent disparu de son champ de vision.

Dix-huit

Claire avait convenu de retrouver Tom dans son bureau à dix-huit heures, mais comme elle arrivait, il était déjà en train de fermer à clé.

— Alors, comment s'est passée ta journée ? demanda-t-elle d'une voix quasi éteinte.

— La tienne semble t'avoir vidée, répondit Tom en se retournant.

— C'est affreux, fit-elle en portant une main à sa gorge, alors qu'elle tenait sa fameuse boîte de dossiers sous l'autre bras.

— As-tu mis du miel dans ton thé ?

— Si je prends encore du miel, je vais me mettre à butiner.

Ils gagnèrent ensemble la porte principale. Tom ouvrit et précéda sa femme dans la nuit.

— Ce n'est pas la meilleure journée pour passer un savon à un des enfants.

— Est-ce bien ce que nous allons faire ? Lui passer un savon ?

— Je n'en sais rien. Je ne suis pas parvenu à décider de la conduite à prendre.

— Moi non plus.

Ils se dirigèrent vers leurs voitures. Claire et Tom avaient déjà fait face à des moments comme celui-ci, où leur instinct ne leur était plus d'aucun secours, et où ils avaient dû réfléchir longuement à la meilleure façon de s'occuper de leurs enfants. Au fil des années, ils avaient toujours réussi à franchir les obstacles, et à établir un mode de fonctionnement qui pouvait s'appliquer à eux quatre.

— Tout d'abord, je crois que nous devons lui parler, et la laisser exprimer ses sentiments, reprit Tom.

— Oui. Je suppose que oui.

— Elle va nous blâmer, tu sais ?

— Oui, je le sais.

— Avec raison, d'ailleurs. Tout cela est avant tout notre faute.

— J'en suis également consciente.

L'obscurité était arrivée tôt, la température chutait et le vent commençait à souffler. Devant l'édifice, les drapeaux claquaient aux mâts. Leurs automobiles étaient stationnées aux coins opposés de l'école. Ils s'arrêtèrent sur le trottoir, devant le véhicule de Tom.

— Claire, au sujet de John Handelman...

— Je t'en prie, Tom, je ne peux pas parler de ça maintenant. Je dois d'abord régler cette histoire avec Chelsea. Ce soir, plus tard, peut-être, après que tu lui auras parlé, nous pourrons nous retrouver dans un endroit calme pour en discuter.

— Puis-je considérer ça comme une promesse formelle ? demanda Tom, rempli d'espoir.

— Oui, s'il me reste encore assez de voix pour parler.

Les clés de son auto en main, Tom hésita un moment. Le vent agitait les pans de son manteau et emmêlait ses cheveux. Tout en lui désirait la fin de cette rupture.

— Très bien, dit-il. Je te suis jusqu'à la maison.

— D'accord.

— Claire ? lança-t-il comme elle se dirigeait vers son auto. Je sais que tu as mal à la gorge, mais ça te donne une voix incroyablement sexy.

Il la regarda se retourner, un léger sourire sur les lèvres, et monta à bord de sa voiture.

Lorsqu'ils arrivèrent à la maison, l'auto des enfants n'était pas dans l'allée. Claire attendit dans le garage, tandis que Tom venait la rejoindre. Depuis des années, il garait sa voiture à l'intérieur, près de la sienne. Maintenant, l'espace vide à gauche de son auto semblait aussi triste que la moitié inoccupée de son lit.

Ils entrèrent dans la maison ensemble, comme ils l'avaient fait si souvent auparavant. Il y avait de la lumière dans la cuisine, mais la maison était plongée dans un profond silence. Claire posa ses dossiers sur le comptoir de la cuisine et rangea son manteau dans la penderie du vestibule, pendant que Tom s'arrêtait à l'évier de la cuisine pour prendre un verre d'eau. Claire se calma un peu.

— Chelsea ? lança-t-elle au pied de l'escalier. Chelsea ? répéta-t-elle comme la réponse se faisait attendre.

En grommelant, Claire monta l'escalier. Les portes des deux chambres étaient ouvertes et la lumière était allumée. Dans celle de Chelsea, une pile de chaussettes et de sous-vêtements traînait par terre, et du linge plié était rangé sur le lit. Autrement, la pièce semblait parfaitement en ordre. En temps normal, Claire aurait pensé que sa fille était ailleurs dans la maison, mais ce jour-là, la vision de la pièce vide la propulsa vers la chambre de Robby.

— Robby ?... Tom, les enfants sont-ils en bas ?

— Non, lança-t-il. Ils ne sont pas avec toi ?

— Non plus. La lumière de leurs chambres est allumée, et Chelsea a laissé la moitié de son lavage au pied de son lit.

— Quoi ? fit-il en fronçant les sourcils pendant que Claire descendait le retrouver.

— Tom, je lui avais interdit de sortir ! Jamais elle n'aurait quitté la maison, pas plus que Robby, sans laisser une note !

Tom grimpa les marches quatre à quatre et revint tout aussitôt.

— Ont-ils dit quoi que ce soit à propos de ce qu'ils voulaient faire ce soir ?

— Non, rien.

Elle le suivit dans la cuisine, où il ouvrit la porte menant au sous-sol. Après avoir scruté les ténèbres, il se rendit dans la cuisine et se mit à fouiller la pièce du regard, comme s'il cherchait une boucle d'oreille perdue.

— En tout cas, ils ne sont pas ici, dit-il. Ils sont peut-être partis chercher de quoi manger.

— Pas sans laisser une note. Ils savaient que les rencontres prendraient fin à dix-huit heures. D'ailleurs, quand je dis « privée de sortie », je ne plaisante pas. Je n'arrive pas à croire que Chelsea ait pu passer outre à mes ordres.

— Il y a sans doute une explication parfaitement logique, dit Tom en essayant de se faire rassurant.

— Tom... fit-elle avec incertitude.

Il se détourna pour dissimuler son visage, mais se trahit en faisant craquer ses jointures. Tout en affectant un air calme, il jetait un coup d'œil anxieux à l'extérieur, pour voir si la Nova arrivait.

— Tom, je suis si inquiète... Et si...

— Il n'y a aucune raison de s'inquiéter, coupa-t-il en faisant volte-face. Tu ne dois pas sauter aux conclusions.

— Mais elle a laissé ses vêtements à moitié pliés. Les lumières sont allumées dans toute la maison. Si tu avais vu comment elle était vêtue, hier soir, tu comprendrais dans quel état d'esprit elle se trouve.

Ils se regardèrent, pris du besoin de se rassurer mutuellement, comme par le passé, mais chacun hésitait à faire le premier geste. Finalement, la force de l'habitude – sinon le besoin – fut le plus fort.

— Claire, murmura-t-il en s'avançant vers elle.

Elle vint à sa rencontre et se retrouva brusquement dans ses bras, dans cet asile réconfortant où régnait l'amour. Ils n'échangèrent pas de baisers, mais leur étreinte leur permit de recouvrer leurs forces. Claire se pressait contre sa joue. Le cœur battant, ils restaient là, dans la cuisine, dans cette maison qui, sans lui, n'était plus un foyer et dont la table délaissée n'avait plus accueilli que des individus isolés depuis son départ. Pendant de longs instants, ils se tinrent immobiles. Leurs cœurs battaient la chamade en partie à cause de leurs enfants, mais aussi à cause d'eux-mêmes, car ils se touchaient pour la première fois depuis des semaines. Leur fille avait essayé de faire cesser les hostilités, et croyait avoir échoué. Où était-elle, maintenant?

— J'ai failli auprès d'elle, Tom, murmura Claire dans un sanglot.

— Non, Claire, non. Ce n'est pas le moment de te blâmer. Il faut plutôt songer à la trouver, et Robby également. As-tu la moindre idée de l'endroit où ils pourraient être?

— Non, Tom. J'essaie d'y réfléchir, mais...

À cet instant précis, deux faisceaux lumineux balayèrent l'allée et une auto s'arrêta brusquement derrière le véhicule de Tom au moment même où ce dernier regardait à la fenêtre.

— Ah, Dieu merci, ils arrivent. On dirait bien que quelqu'un les accompagne. Il y a deux voitures... Mais, que diable ?...

— Qui est-ce ?

— Je n'en suis pas sûr, mais je crois qu'il s'agit de Kent.

Tom laissa tomber le rideau, alors que les portières claquaient et qu'on entendait des voix, étouffées par l'épaisseur des murs. Quelques secondes plus tard, Robby et Chelsea faisaient irruption dans la maison, à bout de souffle, et retrouvaient leurs parents dans la cuisine.

— Où étiez-vous passés ? s'écria Tom.

— Chez quelqu'un à qui tu devrais parler, maman, répondit Chelsea.

— Qui ?

— Viens dehors avec nous, maman, je t'en prie.

— Qui est là ?

— Pour une fois dans ta vie, maman, vas-tu cesser de vouloir tout diriger et faire ce que nous te demandons ? dit Robby avec exaspération.

Interloquée, Claire regarda son fils, puis sa fille. La pièce était soudain devenue étrangement silencieuse.

— Nous voulons que tu mettes ton manteau et que tu ailles dehors, maman. Quelqu'un t'attend dans l'allée. Veux-tu faire cela pour nous ? insista Chelsea.

— De qui s'agit-il ?

— Papa, veux-tu la convaincre ? implora Chelsea, les larmes aux yeux. S'il te plaît ? Parce que sinon, nous n'avons plus aucune idée de ce qu'il faut faire.

Tom se tourna vers sa femme, intrigué, mais prêt à l'encourager à faire tout ce que les enfants voulaient, car lui aussi pensait qu'elle devait prendre en considération leurs sentiments, pour que leur mariage puisse survivre. Kent était dehors, et elle devrait tôt ou tard conclure une trêve avec lui. Tom avait la ferme intention de le voir de façon régulière, et d'agir envers lui comme il incombait à un père.

— Claire? fit-il simplement.

Dans les yeux de son mari, l'appel était sans équivoque. Claire se tourna vers ses enfants et comprit, à l'intensité de leur espoir, que leur demande était trop importante pour qu'elle puisse s'y soustraire, et que ce n'était pas le moment de leur faire des remontrances pour leur désobéissance. Si Tom et elle devaient se réconcilier, ce qui l'attendait à l'extérieur semblait être un pas dans la bonne direction.

— Très bien, fit-elle en allant chercher son manteau.

La lumière des projecteurs surmontant la porte du garage traçait un chemin doré jusqu'à la Lexus bleue. *Oh, non!* pensa Claire. *Pas ça! Je ne peux pas!* Mais ses pieds la menèrent vers l'automobile dont les reflets avaient excité sa colère et sa jalousie chaque fois qu'elle les avait aperçus au cours des derniers mois. À son approche, la portière s'ouvrit et Monica Arens sortit. Claire s'immobilisa, comme frappée par le tonnerre.

— Je vous en prie, ne rentrez pas tout de suite, dit Monica.

— Je ne m'attendais pas à vous voir. Je croyais que c'était votre fils, qui...

— Je sais. Je suis navrée de vous causer un choc. Pouvons-nous parler?

L'insécurité réapparut dans l'âme de Claire. Cette femme avait couché avec Tom une semaine avant leur mariage. Elle s'était retrouvée enceinte alors que Claire attendait également un enfant de son mari : tout cela avait encore le pouvoir de faire rebrousser chemin à Claire, mais elle se souvint des supplications muettes de ses enfants et de Tom. L'avenir de sa famille reposait carrément sur elle.

— Oui, dit-elle. Je crois qu'il est temps.

— Voulez-vous monter à bord de ma voiture? Vous y serez plus au chaud.

— D'accord, acquiesça Claire presque malgré elle.

À l'intérieur, les lumières du tableau de bord créaient une douce intimité bleutée. Claire se sentait fascinée et prise au piège.

Elle faisait maintenant face à Monica Arens et se préparait à dissimuler sa haine.

— J'aurais préféré vous rencontrer ailleurs que dans ma voiture, mais les enfants ont insisté. Il aurait sûrement mieux valu que nous nous rencontrions en terrain neutre, mais... comme je vous l'ai dit, ce n'est pas moi qui ai choisi.

— Non... Non, c'est très bien comme ça.

— J'ignore ce qu'ils vous ont dit à l'instant...

— Rien. Simplement qu'il y avait quelqu'un, dehors, qui voulait me parler.

— Je suis vraiment désolée de m'imposer à vous ainsi. Je suis certaine que ça a été un choc pour vous.

— En effet, répondit Claire en riant nerveusement, vous pouvez le dire.

— Eh bien, laissez-moi commencer par expliquer que ce sont les enfants qui sont venus me prier de vous rencontrer – mon fils et vos enfants.

— Ensemble ? dit Claire sans chercher à dissimuler sa surprise.

— Oui, ensemble. Apparemment, ils ont discuté de leur situation, et ont résolu de profiter du fait qu'ils étaient frères et sœur. Selon eux, plus vite ils apprendraient à se connaître, mieux ce serait. Ils ont passé une partie de l'après-midi chez vous. J'ignore si vous étiez au courant.

— Non. Je l'ignorais tout à fait.

— Ils sont ensuite venus me voir pour me prier de vous parler, dans les circonstances que vous voyez. J'avoue que je n'étais pas très enthousiaste, mais me voici, pas plus heureuse que vous d'être ici. J'ai tenu parole.

Claire était étonnée de la franchise de son interlocutrice. Quelques-unes de ses réticences tombèrent quand elle comprit qu'en fin de compte, Monica devait se sentir passablement comme elle. Monica prit une profonde inspiration et poursuivit.

— Je faciliterai sans doute les choses en précisant tout de suite que je suis au courant de votre séparation d'avec Tom. Vous avez cessé de vivre ensemble à peu près depuis mon retour.

Claire se sentit rougir. Jamais la déroute de son mariage ne lui parut plus embarrassante que maintenant.

— C'est vrai, mais nous allons chercher de l'aide à partir de la semaine prochaine.

— Tant mieux. Auparavant, toutefois, vous devez savoir exactement ce que sont mes relations avec Tom. Il n'y a absolument rien entre nous, croyez-moi. En fait, il n'y a jamais rien eu. La nuit que nous avons passée ensemble ne s'est jamais répétée. Je n'ai aucune excuse pour cette erreur, pas plus que lui. Mais si vous laissez le passé intervenir entre vous, vous commettez la plus grave erreur de votre vie.

Le soulagement de Claire fut indescriptible.

— Vous pouvez me poser n'importe quelle question sur les rencontres que Tom et moi avons eues depuis mon retour, et je vous répondrai sans détour. Que désirez-vous savoir ? Si je l'ai revu ? Oui. Où ? Chez moi – c'était un choix purement arbitraire. Tout ce que nous avons fait, c'est parler de Kent et de ce qui valait le mieux pour tout le monde dans les circonstances.

Claire sentait son cœur battre derrière ses tempes, mais elle saisit l'occasion pour éclaircir un détail qui la tourmentait depuis qu'elle l'avait appris.

— Ma voisine a dit qu'elle vous avait vus ensemble dans une voiture stationnée devant un restaurant, juste au moment où l'école venait de commencer.

— C'est exact. C'était une autre de ces journées où nous étions aux prises avec un terrible dilemme : devions-nous révéler la vérité à propos de Kent ? Il n'était peut-être pas sage de nous rencontrer à cet endroit, mais nous arrivions à peine à faire face au gâchis que nous avions provoqué. Si vous cherchez quelqu'un à blâmer, que ce soit moi. J'ai commis une grave erreur, il y a des années, en ne disant pas à Tom que j'étais enceinte. Maintenant, après tout ce temps, je comprends que ce n'est pas à la femme seulement de décider si un homme a droit ou non à voir son enfant, lorsqu'il est né dans de telles circonstances. Mais à l'époque, ces choses étaient souvent gardées secrètes, et de nombreux pères n'ont jamais pu choisir le rôle qu'ils joueraient dans la vie de leur enfant. Je me suis trompée, je tiens à le répéter, et à demander votre pardon, ainsi que celui de Tom et de Kent. Si je n'avais pas dissimulé la vérité, cette rupture, entre vous et votre mari, ne serait jamais arrivée, et votre famille serait encore unie.

Des larmes montèrent aux yeux de Claire, qui tourna la tête vers la fenêtre.

— J'ignore à quoi je m'attendais lorsque je vous ai vue sortir de l'auto. Je crois qu'une partie de moi pensait que vous alliez... que vous alliez me dire que Tom et vous étiez encore... amoureux l'un de l'autre... et que je devais le laisser partir.

— Non, jamais de la vie, dit Monica en se penchant pour toucher la manche de Claire. Je vous en prie, croyez-moi. Si je l'aimais, vous le sauriez immédiatement, car je suis ainsi faite : je ne recule devant rien.

Elle se tourna légèrement vers Claire pour étudier son profil à la lumière du tableau de bord.

— J'aimerais également vous dire autre chose, et ce sera très difficile pour moi. Je dois cependant le faire pour deux raisons : vous devez l'entendre, et j'ai besoin de le dire, après toutes ces années... La nuit où Tom a enterré sa vie de garçon, ce que j'ai fait était mal. Je le savais alors, et je le reconnais sans peine. Ne laissez pas cette erreur prendre des effets disproportionnés, dix-huit ans plus tard. Je sais que ce sera difficile, mais il y a beaucoup de choses en jeu. Essayez de comprendre qu'il était jeune et désillusionné, en proie à une vive tension, car il était plus ou moins acculé au mariage. Je vais vous révéler une chose que vous ignorez probablement. La première, la seule fois où Tom est venu chez moi, il m'a dit à quel point il vous aimait, et que depuis votre mariage, chaque année de sa vie lui avait paru meilleure que la précédente. Votre mari vous aime, madame Gardner, murmura Monica d'un ton sincère. Je crois que votre rupture lui a brisé le cœur. Vous avez deux beaux enfants, qui désirent plus que tout au monde que leurs parents se réconcilient. Je vous en prie, laissez-le revenir à la maison et soyez heureux.

Tant de familles se brisent, de nos jours, et les parents célibataires, comme moi, sont si nombreux... Mais vous, qui enseignez, ne devez déjà le savoir que trop bien. Personne ne peut redire quoi que ce soit sur la façon dont j'ai élevé mon fils, mais je sais que les familles comme la vôtre restent ce qu'il y a de mieux : un père, une mère, et les enfants qu'ils ont élevés ensemble. Je sais que cet idéal devient lentement suranné, mais si j'avais connu l'existence que vous avez menée avec Tom et vos deux beaux enfants, je prendrais en considération les années de bonheur passées, et je lutterais pour conserver mon homme. Voilà, c'est ce que je voulais dire. Maintenant, c'est à vous de décider.

Dans le silence lumineux qui suivit, après avoir mis leurs âmes à nu, les deux femmes restèrent plongées dans une profonde réflexion. Claire trouva un mouchoir de papier dans la poche de son manteau et s'en servit. Des émotions diverses se bousculaient dans sa tête : soulagement, gratitude, et un respect grandissant pour la femme à côté d'elle, mais aussi de l'espoir et beaucoup d'angoisse, car dans un moment, elle allait se retrouver devant Tom. Elle se tourna vers Monica.

— Vous savez, j'étais toute prête à vous détester.

— C'est compréhensible.

— J'espérais vous prendre en défaut, lors de notre rencontre d'hier, mais c'était en vain. Je crois même que ça m'a irritée. J'aurais voulu que vous soyez... Je ne sais pas... imparfaite, d'une certaine façon, finit par dire Claire en haussant les épaules. Grossière, suffisante, peut-être, afin que vous prêtiez flanc à la critique. Maintenant, en revanche, je vois pourquoi Kent est devenu le garçon qu'il est. Nous devrions peut-être parler de lui également.

— Merci... Si vous le désirez.

— Nous aurions dû le faire lors de notre première rencontre, et je le savais.

— Mais cela aurait nui à notre relation mère-professeur, n'est-ce pas ?

— En effet. Pourtant, ce n'est pas une excuse.

— Ne soyez pas si dure envers vous-même. Nous en parlons maintenant, et c'est tout ce qui compte.

— À vrai dire, nous nous sommes plutôt bien débrouillées,

hier, compte tenu de ce qui couvait sous la surface, ne trouvez-vous pas ?

— C'est vrai.

Si elles avaient été deux bonnes amies, elles auraient souri ensemble. Claire et Monica savaient qu'elles ne seraient jamais amies, mais elles pouvaient néanmoins établir une espèce d'alliance.

— À propos de Kent... commença Claire.

— Je comprends que vous ayez de la difficulté à l'accepter.

— Pourtant, je le dois, j'en ai bien conscience.

— Oui, pour vos enfants.

— Et pour Tom.

— Et pour Tom aussi. Vous savez probablement qu'il voit Kent, depuis votre séparation. Ils tentent d'établir une relation père-fils, et ce sera long.

— Il faudra du temps, et un peu de collaboration de ma part, c'est bien ce que vous voulez dire ?

— Mmh... oui. Oui, c'est ça.

— Je dois vous révéler quelque chose que même Tom ignore, dit Claire, qui se sentait maintenant plus à l'aise avec Monica. J'ai longuement réfléchi à la façon dont je ferais les choses si Tom et moi acceptions de vivre à nouveau ensemble, et j'ai réalisé que cette année scolaire n'est qu'un très petit laps de temps en comparaison du nombre d'années qui nous attendent. Lorsque Kent passera au niveau collégial, ce sera plus facile pour moi d'être objective à son sujet. Je vous mentirais en disant que ce que mes enfants désirent ne compte pas à mes yeux. S'ils veulent mieux connaître leur frère, comment pourrais-je les en empêcher ?

— Voulez-vous dire qu'il sera le bienvenu chez vous ?

— Oh, Monica, répondit Claire après un temps, c'est une question bien difficile.

— Alors, oubliez-la. Allons-y un jour à la fois.

— Oui... Ce bon vieux temps qui arrange les choses, n'est-ce pas ?

— Dans la mesure où on le laisse faire.

— Il est sans doute indiqué de vous demander comment vous vous êtes sentie lorsque mes enfants sont arrivés chez vous ?

— Abasourdie. Mais après que j'ai eu le temps de me faire à l'idée de les voir ensemble, elle ne m'a plus semblé aussi menaçante, surtout parce que les trois enfants avaient déjà décidé qu'ils allaient être amis, sans tenir compte de l'opinion de leurs parents. En passant, puisque vous avez adressé un compliment à mon fils, permettez-moi de vous rendre la pareille : Robby et Chelsea sont charmants.

— Merci.

— C'est donc à vous et à moi de fumer le proverbial calumet de paix ?

— Quelle raison aurions-nous de ne pas le faire ? Nous ne nous causerions que du tort.

— Exactement.

— Ces derniers jours ont été incroyables, dit Claire en poussant un soupir de soulagement. Vous rendez-vous compte qu'il y a vingt-quatre heures à peine, vous vous présentiez à ma table, dans le gymnase, avec une nouvelle et jolie coiffure, et un maquillage soigné, et qu'il ne m'a fallu qu'un seul coup d'œil pour me dire : « Si cette femme n'est pas amoureuse de mon mari, je veux bien être pendue ! »

— Voulez-vous bien me dire quel est le rapport avec une nouvelle coiffure ?

— C'est stupide. Quelqu'un m'a déjà dit qu'on pouvait toujours deviner quand une femme devenait amoureuse, parce qu'elle commençait à se coiffer différemment, qu'elle se mettait à être plus belle.

— J'ai adopté ce nouveau style parce que j'avais besoin d'une espèce de diversion. Les choses ont été passablement tendues, à la maison, pour nous aussi. Je dois reconnaître que parler avec vous m'a fait énormément de bien. Maintenant, si vous me dites que vous allez retrouver Tom et vous réconcilier avec lui, je vais rentrer chez moi l'âme en paix.

— C'est exactement ce que je vais faire.

— Parfait, fit Monica en souriant pour la première fois.

— Merci, Monica.

— Remerciez plutôt nos enfants. Ils se sont montrés beaucoup plus courageux que moi. Il m'aura fallu écouter leur avis avant de prendre la bonne décision.

Claire posa la main sur la poignée de la portière et se tourna une dernière fois vers Monica.

— J'y vais, fit-elle.

— Bonne chance.

— Merci, et bonne chance à vous également, du fond du cœur.

Maintenant qu'elles se séparaient, leurs sourires révélaient une indéniable sincérité. Toutes deux furent frappées par le fait que si elles s'étaient rencontrées dans d'autres circonstances, elles auraient véritablement pu devenir de bonnes amies. Durant leur court entretien, elles avaient trouvé chez l'autre un trait de caractère propre à susciter le respect : un grand courage, tempéré par une certaine vulnérabilité, qui faisait d'elles des femmes fortes, mais pourtant capables d'une profonde empathie.

Claire ne regarda pas l'automobile s'éloigner, mais se dirigea immédiatement vers la maison, où les trois personnes les plus importantes au monde l'attendaient pour qu'elle redonne un cours normal à leurs vies. Le vent d'automne poussait les feuilles mortes à travers l'allée. Des étoiles brillaient dans le ciel, et elle se rendit compte que demain serait l'Halloween. Elle avait négligé de placer une citrouille à côté de la porte, et leur squelette de carton ne pendait pas aux branches basses du frêne. Tous les voisins avaient entouré leurs lampadaires d'épis de maïs séché, ce que Tom et elle avaient toujours fait ensemble.

Ils s'en occuperaient peut-être demain, car demain, ils s'éveilleraient ensemble.

S'il plaisait à Dieu.

À l'intérieur, Tom préparait le dîner. En rentrant, Claire sentit l'odeur de sandwiches au fromage sur le gril. Les enfants étaient en train de mettre la table. À son arrivée, tout mouvement cessa. Devant la cuisinière, Tom se tourna, une serviette à la main. Les enfants cessèrent de placer les assiettes et les ustensiles, et la regardèrent.

— J'ai commencé à préparer des sandwiches au fromage. J'espère que ça ne te fait rien.

— Non, c'est très bien.

— Je n'ai rien pu trouver d'autre, dans la cuisine.

— Je n'ai pas beaucoup cuisiné, ces derniers temps. Je crois que j'en avais perdu le goût.

Chacun à un bout de la pièce, Tom et Claire se parlaient d'une voix entrecoupée par l'émotion. Les yeux dans les yeux, ils semblaient ne plus accorder aucune attention aux enfants, qui auraient pu se trouver sur une autre planète. Les joues de Claire prirent une teinte rosée. Tom avait enlevé son veston, et sa chemise blanche ajustée laissait percevoir l'accélération de sa respiration. Il finit par tressaillir et s'éclaircit la gorge, en prenant conscience que Claire et lui se fixaient en silence depuis un temps anormalement long.

— Euh... les enfants... Voudriez-vous nous laisser seuls, un moment ?

— Bien sûr, firent Robby et Chelsea en laissant les couverts sur la table.

Ils s'éclipsèrent comme des serviteurs obéissants, presque sur la pointe des pieds. La pièce devint silencieuse, à l'exception du grésillement des sandwiches sur la plaque chauffante, et de la respiration saccadée des deux adultes. Claire n'avait pas encore enlevé son manteau et Tom attendait, dos à la cuisinière, en triturant inconsciemment une petite serviette.

— Qu'a-t-elle dit ? demanda-t-il enfin, avec la voix d'un boxeur ayant reçu un direct au foie.

— En gros, que j'ai agi comme une idiote.

Tom tendit le bras derrière lui pour laisser tomber sa serviette sur la cuisinière, mais Claire accourut et se jeta dans ses bras en le plaquant contre l'appareil ménager. Ils s'embrassèrent comme deux immigrants après la traversée d'océans et de plaines, après la traversée de dures épreuves et de longs mois de séparation, et qui se retrouvaient enfin. Leur étreinte était remplie de promesses muettes et de larmes retenues. Lorsqu'ils eurent fini de s'embrasser, Claire s'agrippa à lui et leva les yeux vers le plafond en battant des paupières avec force tandis que ses larmes laissaient des sillons argentés sur ses joues.

— Oh, Tom, je te demande pardon.

— Moi aussi.

— Tu m'as tout dit dès le début, et je ne t'ai jamais cru.

— Me crois-tu, maintenant ?

— Oui, et je vois aussi à quel point j'avais tort. Mon Dieu ! J'ai failli détruire notre famille.

— Oh, Claire, murmura-t-il en se fermant les yeux.

— Je t'en prie, pardonne-moi, dit-elle en appuyant son front contre sa joue, pendant que ses larmes mouillaient sa chemise.

Elle le sentit déglutir et comprit qu'il ne pouvait pas parler. Après la peur, le soulagement était trop fort. Ils s'embrassèrent à nouveau. La maison semblait monter une garde silencieuse autour d'eux, et il y régnait une atmosphère quasi religieuse.

— J'ai bien cru perdre tout ce pour quoi j'avais travaillé si durement, murmura-t-il. Toi, les enfants, notre foyer, tout ce que j'aime. J'ai eu si peur, Claire.

— Je n'aurais jamais dû te faire subir de tels tourments.

— Pourtant, si le pire était arrivé, tout aurait été ma faute.

— Non, non. J'aurais été aussi coupable, et peut-être davantage, car je n'ai pas su te pardonner ce qui est arrivé il y a si longtemps. Oh, Tom, je t'aime tant. J'ai été stupide, entêtée, et j'ai eu si mal de vivre sans toi.

Leurs bouches se rejoignirent, et il passa un bras sous son manteau pour la presser contre son corps. Ses mains se mirent à parcourir la forme familière de son dos, et celles de Claire les imitèrent bientôt.

— Je crois que ça sent le brûlé, chuchota-t-elle au bout de longues minutes d'extase.

— Merde ! s'exclama Tom.

Il éteignit précipitamment la plaque chauffante en toussant à travers la fumée provenant des quatre sandwiches carbonisés.

— Délicieux, dit Claire en faisant la grimace.

— Et le frigo semble avoir été dévalisé. Je n'ai pas la moindre idée de ce que nous allons manger.

Tom prit les sandwiches et les jeta à la poubelle, puis remit la plaque chauffante sur le comptoir, sans que Claire cessât de l'étreindre.

— J'ai une idée, dit-elle lorsqu'elle eut de nouveau toute son attention. Pourquoi n'envoyons-nous pas les enfants chercher des hamburgers ?

— J'en ai une meilleure, répondit Tom en faisant descendre ses doigts le long de l'épine dorsale de sa femme, tout en pressant ses hanches contre les siennes. Pourquoi ne les envoyons-nous pas manger des hamburgers au restaurant ?

— Pendant que nous y sommes, fit-elle après lui avoir mordillé le menton, pourquoi pas un repas de cinq services ?

— Pendant que nous y sommes, pourquoi pas chez Kincaid's ?

Kincaid's était un établissement très coté de Bloomington, à trente-cinq minutes de là. Il était toujours rempli, et les clients qui s'y présentaient sans réservation s'exposaient à une longue attente. Claire et Tom parlaient d'y aller depuis trois ans. Ils rirent, heureux de constater que leur humour reprenait vite ses droits.

— Ce ne serait pas trop vendre la mèche ?

— Chelsea rirait, fit Claire en haussant les épaules.

— Et Robby profiterait de l'occasion. L'addition serait rudement salée.

— Alors, comment allons-nous les éloigner de la maison ?

— Admire un peu la manœuvre, dit-il en la faisant pivoter vers l'entrée de la cuisine. Eh, les enfants ! Voulez-vous venir une minute ?

Ils firent irruption dans la cuisine en un clin d'œil, après avoir dévalé l'escalier, dont ils sautèrent même les dernières marches. Leur père les attendait en bas, un bras passé nonchalamment autour du cou de Claire.

— Votre mère et moi voulons être seuls. Si je vous disais d'aller dîner quelque part, seriez-vous prêts à vous laisser soudoyer ?

— Ouaouh ! Super ! s'exclama Chelsea, les yeux brillants, en regardant son frère.

— Combien nous donnes-tu ? demanda Robby.

Tom leva le bras et son fils se plia en deux pour esquiver un faux crochet de droite.

— Espèce de vampire, blagua Tom. J'ai dit à ta mère que ça nous coûterait cher.

— Qu'est-ce que tu crois ? Je ne suis pas né de la dernière pluie. Je sais reconnaître le moment opportun pour saigner un homme à blanc.

— Écoutez, dit Tom en tirant trente dollars de son portefeuille. Allez dîner quelque part, et choisissez-vous un bon film. Nous ne voulons pas vous revoir avant vingt-deux heures, d'accord ?

— Bien sûr, papa.

— Bien sûr, papa, reprit Chelsea en envoyant un regard dubitatif à sa mère. Mais je croyais que j'étais privée de sortie ?

— Nous verrons cela plus tard, répondit Claire, après que papa et moi aurons eu la chance de parler.

Elle embrassa Chelsea sur la joue, et serra Robby contre elle. L'instant d'après, la porte claqua et la cuisine redevint silencieuse. L'odeur du pain brûlé persistait dans l'air. Claire et Tom se regardaient maintenant avec une émotion qu'ils ne cherchaient plus à dissimuler, le visage en feu.

— Que veux-tu faire en premier, parler ou aller au lit ? demanda-t-il.

Elle voulait aller au lit. Mon Dieu ! elle n'avait pas désiré Tom si ardemment depuis l'abstinence forcée de leurs premiers jours de fréquentation. Mais maintenant qu'ils se retrouvaient seuls, elle était terrifiée par le chemin qu'il restait à parcourir entre faire l'amour et se réconcilier.

— À toi de décider, répondit-elle. Mais je te préviens : je pense que je vais pleurer si nous parlons.

— Il n'y a qu'une chose que je désire vraiment savoir : que s'est-il passé avec John Handelman ?

— Je l'ai embrassé. Une fois. C'est tout.

— D'accord, fit-il sans aller plus loin. C'est maintenant du passé... Oublié.

— Même si j'en ai encore pour trois semaines de répétitions avec lui ?

369

— Je te fais confiance.

— Moi aussi. Dommage qu'il m'ait fallu tant de temps pour le comprendre.

— Monica t'a dit qu'il n'y avait rien entre nous ?

— Bien davantage : qu'il n'y avait jamais rien eu. Quand tu lui as parlé pour la première fois de Kent, tu lui as dit que chaque année de notre mariage avait été meilleure que la précédente.

— C'est vrai, jusqu'à cette année.

— Peux-tu comprendre, en revanche, quel effet a eu la présence de Kent sur moi ? Comment elle a miné mon assurance ?

— Oui, Claire, je le peux. Peu importe ce que tu as pu croire, je n'ai jamais été insensible à ta douleur, mais j'ignorais comment y remédier. Je ne pouvais pas refaire le passé.

— Et c'est probablement ce que j'attendais de toi. Même si je savais que c'était impossible.

— Mais l'attends-tu encore ? Kent fait vraiment partie de mes plans d'avenir, autant que tu le saches dès maintenant. C'est mon fils, et je veux être à ses côtés en tant que père. Si c'est trop pour toi, Claire, dis-le maintenant.

— Tom, murmura-t-elle, les lèvres tremblantes, veux-tu me prendre dans tes bras ? Je crois que je n'y arriverai pas sans cela.

Ils s'avancèrent l'un vers l'autre, mais sans l'abandon de tout à l'heure. Claire se réfugia dans les bras de Tom, et sentit ses mains entourer sa taille, tandis que sa tête venait reposer sur son épaule. Elle pressa son visage contre la poitrine de son mari et le serra dans ses bras. Des larmes apparurent dans ses yeux. Tom en était conscient, et le comprenait. Il ne fit que la tenir enlacée, tandis que les liens entre eux se renouaient.

Ils restèrent ainsi longtemps serrés l'un contre l'autre, à formuler des vœux en silence. Ils songèrent à la constance, au passé qui serait oublié s'il était d'abord pardonné, de même qu'à l'avenir, qui apporterait sûrement bien d'autres soucis.

— Les enfants se sont réunis ici, dans notre maison, reprit Claire d'une voix finalement plus calme. Te l'ont-ils dit ?

— Non, fit-il dans un souffle, le cœur battant.

— Ils se sont ensuite rendus chez Monica, où ils ont décidé qu'ils chercheraient dorénavant à mieux se connaître.

— Oh, Claire, je n'arrive pas à y croire, fit-il, en proie à une émotion indescriptible.

— Si Robby et Chelsea sont prêts à l'accepter, comment pourrais-je faire autrement ?

— Est-ce bien vrai, Claire ? demanda Tom en reculant pour étudier le visage de sa femme, dont les yeux lumineux étaient remplis de larmes.

— Je vais essayer, Tom. Il me faudra sans doute du temps avant que je me sente entièrement à l'aise avec lui, mais je ferai de mon mieux, je te le promets.

— Tu m'as donné deux beaux enfants, dit Tom en posant ses mains de chaque côté du visage de Claire, et je t'aime, car tu as toujours été une bonne mère pour eux. Je t'en prie, ne te méprends pas sur le sens de mes paroles, mais, Claire, tu ne m'auras jamais fait de plus beau présent que celui-là.

— Pourquoi m'a-t-il fallu tant de temps pour en arriver là ? Pourquoi ai-je fait courir un tel danger à notre famille ?

— Parce que tu avais peur. Parce que tu n'es pas parfaite, et que l'amour non plus ne l'est pas. On peut aimer quelqu'un à la folie, et commettre malgré tout des erreurs douloureuses.

— Pardon de t'avoir fait mal.

— Moi aussi, je te demande pardon. Mais le plus important est d'apprendre de nos erreurs, et je crois que nous en sommes capables.

— Oui, je le crois également.

Doucement, il l'embrassa sur le front. Les questions maintenant secondaires – comment agir avec Chelsea ? à quel moment Tom reviendrait-il à la maison ? comment leur avenir et celui des enfants se mêleraient-ils ? – tout cela pouvait attendre. Il fallait maintenant faire la paix, renouveler l'amour.

— Tu m'as tellement manqué, murmura-t-elle. Cette maison semblait un désert sans toi. L'heure des repas était horrible, et quand le réveil sonnait, et que je ne pouvais pas me blottir contre toi... Quand je revenais de l'école, le soir, et que tu n'y étais pas...

Et quand Chelsea s'est mise à mal agir... Oh, Tom... j'avais tellement besoin de ta force... Mais tu n'étais pas là, et je n'arrivais pas
à comprendre...

— Là, là. Ne pleure plus, Claire, c'est fini, dit Tom en la berçant tendrement dans ses bras. Nous sommes ensemble, et nous
allons le rester. Chelsea redeviendra celle qu'elle était dès qu'elle
verra que nous sommes réconciliés. Ne t'inquiète pas. Viens, maintenant, allons nous coucher.

— Je suis désolée de ne pas avoir pu retenir mes larmes,
dit-elle tandis qu'ils montaient l'escalier. J'ai gâché l'atmosphère.

— Je crois connaître une façon d'y remédier. D'ailleurs, nous
avons épuisé notre provision de larmes. Les choses ne peuvent que
s'améliorer, maintenant. Allez, mène-moi à notre confortable lit, en
haut de notre belle grande maison, où je n'ai pas à me demander
depuis combien de temps le ménage a été fait.

— Je savais que tu ne tiendrais pas longtemps chez ton père,
fit-elle en riant, mais j'étais terrifiée à l'idée que tu te trouves un
appartement. Si jamais tu y prenais goût ? Tu découvrirais peut-être
à quel point tu étais bien sans musique rock passant à travers les
murs, sans adolescents se chamaillant à table, sans vieux tacot à
réparer, et sans épouse qui te réveille avec le sèche-cheveux, tôt le
matin, quand tu as envie de dormir encore dix minutes.

— Tu veux rire ? Ce que tu viens de décrire me rend heureux
plus que tout au monde. Ça s'appelle une vie de famille. Sans elle,
je ne suis rien.

— Moi aussi.

Dans la chambre, elle alluma sa lampe de chevet pendant qu'il
fermait la porte. Tom gagna le lit, appuya un genou sur le matelas,
et s'y laissa tomber sur le dos, les bras étendus au-dessus de sa tête.

— Ahhhh !... lança-t-il, les yeux fermés, en retrouvant son
confort familier.

Claire le regarda, étiré, le ventre rentré, sur le matelas. Sa
chevelure noire faisait contraste avec le couvre-lit. Elle s'était déjà
demandé à quoi elle devrait s'attendre si jamais un tel moment se
présentait. Son imagination lui avait peint une scène bien différente,

remplie de passion sans compromis. Au lieu de cela, Tom se comportait en homme à bout de forces.

Pourtant, ses yeux bougeaient sous ses paupières.

Soudain, Claire comprit : elle l'avait blessé si cruellement, en le rejetant encore et encore, que c'était maintenant à elle de faire les premiers pas.

Elle enleva ses vêtements, sachant très bien qu'il percevait le bruissement de la soie. Une fois nue, elle grimpa sur le lit et se pencha sur lui en plaçant une main de chaque côté de sa tête.

— Tom, chuchota-t-elle, ouvre les yeux.

Il les ouvrit, et lui fit voir les derniers doutes qui persistaient dans son esprit.

— Tom... Je t'aime. Jamais, durant toute cette crise, je n'ai cessé de t'aimer, de te vouloir... même lorsque je te repoussais.

Elle avança la bouche et il ouvrit la sienne pour recevoir son baiser, bien qu'il gardât l'attitude d'un noyé échoué sur le rivage. Elle l'embrassa sur les paupières, sur l'arête du nez, sur les tempes, sur le front, où une mèche rebelle lui rappelait tellement son autre fils, puis sur la bouche, encore une fois, avec une infinie tendresse.

— Ne va jamais croire que j'ai agi ainsi parce que je ne t'aimais pas. Je cherchais à me prouver autre chose, qui n'avait rien à voir avec nous, Tom, rien.

Elle le toucha où aucune autre femme n'aurait jamais le droit de le faire, et les bras de son mari, détendus le moment d'avant, s'animèrent pour devenir des instruments de possession, qui l'attirèrent là où elle avait tant voulu être au cours de ces dernières semaines tourmentées. Du passé ressurgirent tous les souvenirs et toutes les promesses qu'ils avaient en commun, et qui les poussaient à mettre fin à leur mortelle dérive pour ne former à nouveau qu'un seul et même être. Sous les couvertures en désordre, ils renouvelèrent les vœux prononcés des années auparavant, mettant tout ce qu'il y avait de bon, de fort et de merveilleux dans leur union sexuelle au service de leur union spirituelle.

Lorsque leurs corps furent réunis et que l'insécurité de Tom fut définitivement dissipée, Claire se coucha sur lui pour lui offrir ce qui lui avait été si longtemps refusé.

— Ça m'a tellement manqué, dit-elle d'une voix remplie de passion, en imprimant à son propre corps un mouvement insistant.

Tom ferma les yeux. Ses lèvres s'entrouvrirent et il laissa les doigts de Claire emprisonner les siens, tandis qu'elle plaquait ses mains contre le lit. Bientôt, un son rauque sortit de la gorge de Tom, et son corps se souleva brusquement, comme s'il était emporté par une vague. Il frémit en elle et ses doigts se serrèrent comme un étau sur les mains de sa femme, dont il prononça doucement le nom.

Plus tard, il se libéra de son étreinte et l'emmena le long des chemins si souvent parcourus du temps de leur jeunesse et de leur innocence, puis du temps des certitudes, des chemins qui menèrent Claire à un sommet, une dure tension, suivie d'une longue immobilité satisfaite.

Ils soupirèrent ensemble, comme s'ils disaient « amen » à la fin d'une prière, et reposèrent dans la chaleur de leurs membres fatigués. Les yeux fermés, chacun sentait le souffle caressant de l'autre sur son visage. La main de Claire se trouvait près de la chevelure de son mari. Elle y plongea les doigts une fois, puis deux.

— C'est si bon d'être ici, de tout oublier, de te retrouver, dit-elle enfin.

— Je ne veux plus jamais vivre un tel cauchemar, fit-il en ouvrant les yeux.

— Ça n'arrivera plus. Nous parlerons de tout, dorénavant, peu importe ce dont il s'agira, je te le promets. Un jour, quand nous serons devenus très vieux, crois-tu que nous pourrons songer à tout ça et rire de notre bêtise ?

— Non, répondit-il après un temps de réflexion, je ne le crois pas. Ce que nous avons fait nous a blessés, tous les deux. Les cicatrices pourraient bien ne jamais s'effacer entièrement, mais même si nous les portons jusqu'à notre mort, elles nous rappelleront à quel point nous avons failli perdre l'autre, et nous aideront à ne plus commettre la même erreur.

— Nous ne commettrons plus une telle erreur, je te le promets.

— Moi aussi.

Ils commençaient à s'assoupir. Dehors, quelques maisons plus loin, un chien lança des aboiements étouffés. Sur la rive d'Eagle Lake, deux hommes âgés se préparaient à passer la soirée à se chamailler au-dessus d'un jeu de dames. De l'autre côté de la ville, un jeune homme et une jeune fille sonnaient chez leur demi-frère, et s'écriaient, comme il ouvrait la porte : « Ça a marché ! Merci, madame Arens ! Merci beaucoup ! »

Sur le lit conjugal, Tom tressaillit soudain à l'approche du sommeil.

— Chéri ? marmonna Claire en entrouvrant les yeux.

— Hmm ?

— Tu ne vas pas me croire, mais j'ai vraiment aimé faire la connaissance de Monica. C'est une femme fantastique.

Tom ouvrit grand les yeux.

Ceux de Claire se fermèrent, mais ses lèvres conservèrent un léger sourire.

Récemment parus
dans la même collection

Bernstein, Marcelle	*Corps et Âme*
Carr, Robyn	*Désirs troubles*
Conran, Shirley	*Crimson*
Delinsky, Barbara	*Le Jardin des souvenirs*
Delinsky, Barbara	*Le Mystère de Mara*
Erskine, Barbara	*Le Secret sous la dune*
Flanigan, Sara	*Fleur sauvage*
Gage, Elizabeth	*Tabou*
Goudge, Eileen	*Révélations*
King, Tabitha	*Chaleurs*
King, Tabitha	*Contacts*
King, Tabitha	*L'Histoire de Reuben*
King, Tabitha	*Traquée*
Llewellyn, Caroline	*Les Ombres du passé*
Miller, Sue	*Au nom de l'amour*
Norman, Hilary	*Fascination*
Norman, Hilary	*Hedda ou la Malédiction*
Norman, Hilary	*Laura*
Roberts, Nora	*Ennemies*
Spencer, LaVyrle	*À la recherche du bonheur*
Spencer, LaVyrle	*Qui j'ose aimer*
Thayer, Nancy	*Trois femmes, trois destins*
Whitney, Phyllis A.	*La Disparition de Victoria*